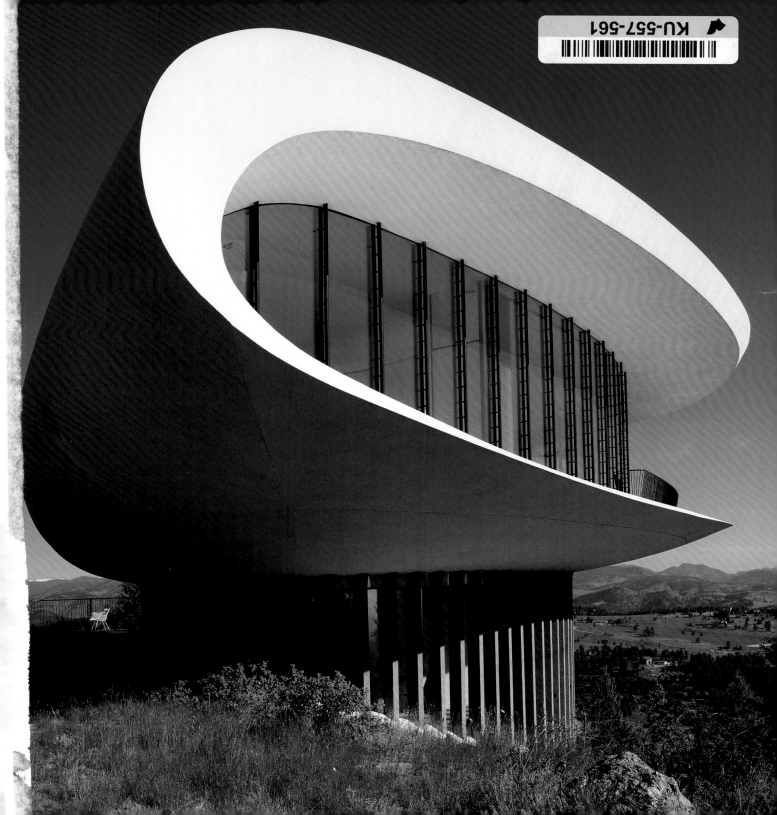

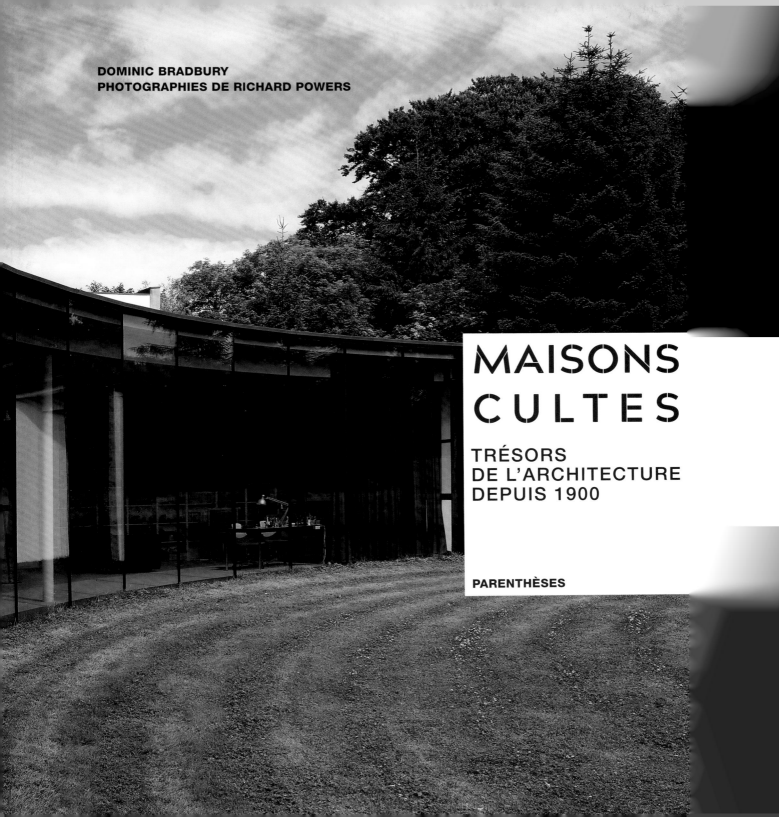

DOMINIC BRADBURY
PHOTOGRAPHIES DE RICHARD POWERS

MAISONS CULTES

TRÉSORS DE L'ARCHITECTURE DEPUIS 1900

PARENTHÈSES

SOMMAIRE

INTRODUCTION

Parmi toutes les formes d'architecture, c'est à la maison d'habitation que l'on se réfère le plus spontanément, avec la conscience intime qu'elle représente bien plus qu'une « machine à habiter ». Suscitant de profondes émotions, la maison révèle les expressions les plus personnelles de notre intimité et nous offre refuge, évasion, et surtout expériences au jour le jour. Lieu de travail, galerie d'art, crèche, théâtre ou résidence secondaire... notre maison s'aménage au gré de notre fonctionnement et selon la manière dont nous souhaitons ordonner notre vie.

Il n'est donc pas surprenant que l'habitation sur mesure, la maison rigoureusement fidèle à nos désirs, soit un grand rêve, et pour beaucoup, fasse l'objet de sacrifices. Plutôt qu'un logement standard, notre préférence va à l'habitation parfaitement ajustée à notre façon de vivre, de travailler et de nous divertir, avec un sens authentique de l'harmonie et de l'agencement personnalisé — une habitation qui incarnera aussi un objet de plaisir et de satisfaction esthétique.

Du point de vue des architectes, et même s'ils ne la construisent pas pour eux-mêmes, la maison d'habitation possède une résonance particulière. La commande d'une maison est toujours un projet qui nécessite un fort investissement personnel, établissant un lien unique entre le client et l'architecte, une collaboration dans la durée.

Parmi les maisons figurant dans cet ouvrage, nombreuses sont celles qui témoignent d'une étroite communion entre architecte et client, tissant entre eux des relations d'un type particulier, parfois faciles et harmonieuses, parfois tendues et éprouvantes. Songeons aux rapports difficiles entre Mies van der Rohe et Edith Farnsworth, aux relations en dents de scie entre Frank Lloyd Wright et Edgar J. Kaufmann, au rôle positivement magique exercé par la Villa Noailles de Robert Mallet-Stevens sur la vie de ses propriétaires, ou encore aux épisodes bien connus de la construction de la Maison VI de Peter Eisenman, épuisant la patience du client et de l'architecte jusqu'à frôler la rupture. Construire une maison est une véritable aventure en même temps qu'un apprentissage porteur d'une intense charge émotionnelle et intellectuelle. Cela requiert de l'audace, voire de la témérité, avec tous les risques inhérents à ce genre de projet.

C'est surtout une histoire fascinante qui s'étend sur des mois et des années, et que l'on partage souvent avec un étranger. En ce sens, l'architecte, un peu comme le médecin, occupe une position décisive puisqu'il dispose du pouvoir d'embellir la vie d'autrui tout en cherchant à réussir et à progresser pour son propre compte.

« La commande d'une habitation nous permet de formuler des idées et de développer des ensembles de règles dont nous espérons que notre travail futur bénéficiera longtemps », écrivait l'architecte Richard Meier. « En tant que forme d'expression d'idées architec-turales, la maison est un genre essentiel. Formellement, elle offre pratiquement l'échelle de conception la plus intime qui soit et, d'un point de vue symbolique, elle a toujours exercé un certain pouvoir, à la fois en tant que représentation concrète des existences vécues entre ses murs, et pour l'influence qu'elle a pu avoir sur les grandes étapes de l'histoire de l'architecture au cours des siècles. »

Ainsi, pour l'architecte, concevoir une maison représente un double accomplissement. La maison d'architecte — très représentée dans ce livre — s'apparente inévitablement à une réalisation d'une profonde importance artistique et technique, surpassant celle d'une simple habitation pour prendre le statut d'un manifeste. On compare souvent la maison d'architecte à un laboratoire d'idées, avec, dans bien des cas, un impact décisif sur la carrière de son créateur. Il en va ainsi de la Villa E-1027 d'Eileen Gray, de celle de Rudolph Schindler à Los Angeles, de la Maison de verre de Philip Johnson, de la maison de Werner Sobek à Stuttgart, etc.

On pourrait presque prendre en exemple la commande de parents à leur fils ou leur fille architecte. Dans un tel cas, cette demande s'accompagne généralement d'une latitude et d'une bienveillance inhabituelles. On laisse à l'architecte la précieuse liberté de suivre ses idées et d'explorer ses domaines de prédilection, avec des contraintes réduites et un généreux climat de compréhension qui l'aident souvent à définir ses futures orientations d'architecte. En témoignent ici les

maisons créées par Harry Seidler, Robert Venturi, Charles Gwathmey et Richard Rogers.

Il n'y a donc pas lieu de s'étonner que la maison occupe une place primordiale dans notre imagination, et qu'elle puisse avoir plus d'influence sur notre conception et notre perception de l'architecture qu'un grand musée ou qu'un édifice spectaculaire. Les maisons emblématiques du passé exercent une emprise étonnamment puissante sur notre conscience collective, pour laquelle elles résument les principes essentiels de l'architecture elle-même.

Des maisons comme la Villa Savoye de Le Corbusier, la Maison sur la cascade (Fallingwater) de Frank Lloyd Wright et la Maison Kaufmann de Richard Neutra sont désormais des repères décisifs dans notre compréhension et notre appréciation de l'architecture domestique du XXe siècle. Plus encore, elles offrent un apport essentiel à notre connaissance générale de l'architecture et des principaux mouvements artistiques qui définissent la culture du XXe siècle.

Ces constructions, ainsi que toutes celles rassemblées dans ce livre, constituent des références à bien des égards. Elles sont avant tout expérimentales et novatrices. Elles sont même souvent

1900 VICTOR HORTA (1861-1947)
HÔTEL SOLVAY BRUXELLES, BELGIQUE

Victor Horta fut l'un des premiers architectes de sa génération à remettre activement en question le passé et à chercher des voies nouvelles sans s'appuyer sur les conventions et les traditions. Il devint l'un des plus grands avocats de l'Art nouveau. Il était également convaincu de la nécessité de créer des édifices dont l'architecture, l'intérieur et l'ameublement seraient en totale cohérence.

En 1893, son Hôtel Tassel révéla les premières possibilités de cette approche. Avec ses lignes organiques et ornementales, sa beauté sculpturale, c'est sans doute la première maison totalement Art nouveau.

Beaucoup de ses clients appartenaient à la riche élite bruxelloise, et il reçut commande en 1894 d'une maison neuve pour le fils d'un industriel, Armand Solvay, qui n'avait pas 30 ans quand il fit appel à Horta.

La façade en courbes de l'Hôtel Solvay est dominée par deux doubles fenêtres couronnées d'un balcon, avec l'entrée rejetée sur un côté. À l'intérieur, un splendide escalier se dédouble en donnant accès aux pièces de réception. Horta s'attacha au moindre détail, jusqu'à la sonnette d'entrée. L'Hôtel Solvay est une maison d'aspect sophistiqué qui appartient de façon authentique au siècle nouveau.

révolutionnaires, remettant en cause les concepts et les rôles traditionnellement attachés à la maison. Leur influence s'est étendue bien au-delà de l'intention initiale de leurs architectes, jusqu'à rayonner dans le monde entier.

Nombre de ces maisons ont joué un rôle décisif dans la définition de nouveaux paradigmes ou dans l'évolution de certains mouvements architecturaux ou stylistiques. Elles ont toutes constitué des jalons dans la carrière de leur architecte, devenant souvent leur œuvre la plus célèbre, comme la Villa Spies de Staffan Berglund ou la Maison Sculpture de Charles Deaton.

La plupart d'entre elles offraient une réponse hautement élaborée à un site ou à un paysage donnés, en même temps qu'aux défis qu'imposaient les besoins particuliers du client. Elles constituent un guide extraordinaire des changements et des évolutions récemment survenus dans l'architecture.

Cet ensemble traduit le caractère exotique d'une divulgation croisée des idées et des concepts issus du monde entier, processus qui s'est rapidement accéléré à notre époque de communication de masse. À une vitesse sans précédent, les idées passent d'un continent

1905 ANTONI GAUDÍ (1852-1926)
VILLA BELLESGUARD BARCELONE, ESPAGNE

Entre la première commande passée à Antoni Gaudí (des lampadaires) et la dernière (la fameuse et toujours inachevée cathédrale de la Sagrada Família), l'architecte bâtit une série d'extraordinaires constructions oniriques qui firent de lui l'un des créateurs les plus originaux de son temps. Ses immeubles d'appartements comme la célèbre Casa Milà (1910) figurent parmi les particularités les plus typiques de Barcelone, sa ville natale.

La plus expressive des maisons familiales de Gaudí est la Villa Bellesguard. Comme tant de ses œuvres immédiatement reconnaissables, elle mêle idées néogothiques et Art nouveau dans un style inimitable.

L'édifice est bâti sur le site des ruines d'un palais catalan du Moyen Âge. Il fut commandé par María Sagués, la veuve d'un marchand. S'inspirant de la nature et de l'histoire, Gaudí a créé un monument typiquement flamboyant sur une forme cubique s'élevant jusqu'à une ligne de toit crênelée et sculptée enfermant le dernier étage, et dominée par une mince tour de guet.

La structure de briques ne constitue qu'une base destinée à accueillir les efflorescences ornementales intérieures et extérieures. Ardoise, pierre et stuc la recouvrent. Comme maison individuelle, c'est l'un des chefs-d'œuvre les plus accomplis de Gaudí.

1911 JOSEF HOFFMANN (1870-1956)
PALAIS STOCLET BRUXELLES, BELGIQUE

Ancien élève d'Otto Wagner et cofondateur
de l'influent mouvement Wiener Werkstätte
qui cherchait à concevoir des œuvres
artisanales à prix accessible, l'architecte
Josef Hoffmann, bien que Viennois, a
édifié le plus célèbre de ses monuments à
Bruxelles.

Le Palais Stoclet lui fut commandé par
le financier et mécène Adolphe Stoclet.
Sa femme et lui avaient d'abord souhaité
bâtir une maison à Vienne où ils vivaient,
mais à la mort du père de Stoclet, ils
furent rappelés à Bruxelles et leur projet
fut modifié. Hoffmann vint travailler en
Belgique et créa une vaste demeure
abritant aussi la collection d'objets
d'art qu'accumulaient les Stoclet, dont
d'étonnantes pièces d'Asie et d'Afrique.
Les Stoclet confièrent à Hoffmann
l'aménagement de toute la maison, et il
créa une saisissante *Gesamtkunstwerk*,
vision artistique globale incluant à la fois
l'intérieur et l'extérieur.

De l'extérieur, la maison évoque un plan
cubiste, avec une tour impressionnante
s'élevant sur un côté, mais ses parements
sont en marbre blanc de Norvège souligné
d'encadrements de cuivre. À l'intérieur,
aucune dépense n'a été épargnée non plus,
et la salle à manger est couronnée de frises
de Gustav Klimt. Le Palais Stoclet reste une
des grandes maisons pionnières du début
du XXᵉ siècle.

à l'autre jusqu'à déterminer des mouvements à
l'échelle du monde.

Depuis le mouvement Arts & Crafts du début
du siècle dernier, dont Blackwell de Baillie Scott ou
la Maison Gamble des frères Greene donnent un
bel exemple, jusqu'aux expérimentations formelles
fracassantes de UNStudio, d'Ushida Findlay, de Ken
Shuttleworth et bien d'autres, ces maisons célèbres
nous font découvrir une incroyable diversité d'expressions architecturales.

Le mouvement Arts & Crafts privilégiait l'artisanat
et un retour partiel aux valeurs de l'ère préindustrielle,
celles d'une vie simple, respectueuse du métier et
de la tradition, opposée à la production de masse.
Mais en même temps, par un puissant mouvement
contraire, Baillie Scott, Edward Prior, Charles Voysey,
les frères Greene et bien d'autres étaient tout aussi
enclins à se tourner vers l'avenir que vers le passé.

Nous assistons au début d'un défi aux conventions, aux traditions et aux mœurs guindées que
symbolise la maison victorienne. Des tentatives pour
élaborer des espaces de vie plus souples et moins
réglés se dessinent. Et tandis que Prior, Lutyens et
d'autres concevaient des plans novateurs en aile de
papillon, à Voewood, dans le Norfolk anglais, le même
Prior commençait à tester les possibilités structurelles
du béton.

Ces maisons du début du XXᵉ siècle préfigurent les changements réellement révolutionnaires
qui s'accéléreront par la suite. On ne peut être que
fasciné, de bien des façons, par ces architectes dont
les œuvres, à la pointe de la modernité et du modernisme, semblent rétrospectivement former un pont
au-dessus des failles tectoniques séparant ces continents que sont le passé et le futur. Des architectes
comme Adolf Loos, Otto Wagner, Josef Hoffmann et

Henri Sauvage ont remis en cause la complaisance ornementale de l'ère victorienne, tout en incitant à l'innovation formelle et architecturale.

Nous voyons alors apparaître pour la première fois un espace de vie multifonctionnel — «l'espace universel». Les expérimentations radicales avec des matériaux modernes commencent. Dès la fin des années 1920, des architectes comme Pierre Chareau et Auguste Perret recourent au verre, au béton et à l'acier comme jamais auparavant. Cette révolution s'accélérant, Schindler et d'autres commencent à réfléchir à une nouvelle façon de structurer et d'organiser l'habitation.

Le début du XXe siècle offre aussi la flamboyance novatrice, théâtrale et parfois excessive de l'Art nouveau, avec notamment Victor Horta et Antoni Gaudí, qui tirent leur inspiration des formes naturelles sinueuses. Cela ouvre la voie à l'optimisme chic de l'Art déco de l'entre-deux-guerres, qui prolonge, par moments, les explorations précoces du modernisme. Les intérieurs du palais d'Eltham de Londres par Seely et Paget sont l'incarnation même de l'Art déco Jazz, tandis que la maison-manifeste E-1027 d'Eileen Gray dans le Sud de la France, emblématique du premier modernisme, est aussi animée d'influences Art déco, avec le dynamisme de sa silhouette et de ses terrasses rappelant les grands transatlantiques des années 1920.

Dans les années trente, la révolution moderniste était en marche et les dogmes architecturaux appliqués à l'habitation, en cours de révision. La découverte et la mise en œuvre de nouveaux matériaux permirent d'entreprendre une réinvention totale de l'habitation, à mesure que les pionniers cherchaient des solutions neuves à de vieilles questions. Les émigrés du Bauhaus, Walter Gropius,

1912 **OTTO WAGNER (1841-1918)**
VILLA WAGNER II VIENNE, AUTRICHE

Comme Josef Hoffmann, Otto Wagner a été l'un des acteurs de la Sécession viennoise — parfois étiquetée comme la version germano-autrichienne de l'Art nouveau — mais aussi l'un des premiers prophètes du modernisme. Son œuvre tendait à un langage architectural plus discipliné, s'appuyant moins sur l'ornementation et s'attachant davantage à la forme, à la fonction, aux matériaux, à la clarté et à la rationalité.

À la pointe d'une architecture nouvelle, ses constructions comme la Caisse d'épargne de la Poste (1912) suggèrent les tendances à venir.

La Villa Wagner II — une villa d'été pour Wagner et sa famille, entourée de jardins verdoyants — reflète la fascination de l'architecte pour les nouveaux matériaux et procédés de construction, avec l'emploi de béton armé, parements de verre, aluminium et mosaïques de verre.

La stricte façade rectangulaire donnant sur la rue est ponctuée de séries régulières de fenêtres, avec une bande de carreaux de verre colorés contrastant avec la blancheur de l'enduit.

À l'intérieur, au deuxième des trois étages, Wagner a conçu un prototype d'espace multifonctionnel servant à la fois de salon et de salle à manger. Cette pièce décisive est l'une des premières expressions de l'échappée hors des schémas traditionnels d'espaces définis de façon rigide par leur fonction.

1919 CARL LARSSON (1853-1919)
LILLA HYTTNÄS/MAISON LARSSON SUNDBORN, SUÈDE

En tant qu'artiste, illustrateur, concepteur et écrivain, Carl Larsson a contribué peut-être plus qu'aucun autre à définir le style suédois. Il n'était pas architecte, mais la maison qu'il a partagée avec son épouse Karin et leurs nombreux enfants a eu un impact international.

Larsson était issu d'une famille très pauvre. Ses centres d'intérêt, comme ceux de sa femme artiste et créatrice de tissus, étaient vastes et documentés. Quand le père de Karin fit don à sa fille et à son gendre d'un petit cottage en bois dans le village de Sundborn au centre de la Suède, ils le transformèrent de fond en comble en une version hautement personnelle de style gustavien également nourrie d'éléments d'autres cultures.

Les Larsson reçurent le cottage en 1888 et le transformèrent par phases, le couple collaborant étroitement avec des artisans locaux pour lui apporter des ajouts majeurs en 1890, 1900 et 1912. On peut considérer que les transformations ne cessèrent qu'avec la mort de Larsson en 1919. Ses aquarelles de la maison, reproduites dans de nombreux livres dont *A Home* (1899), firent largement connaître le style Larsson, qui reste très apprécié et imité, notamment parce qu'il évite toute prétention et offre un romantisme à la portée de tous.

Mies van der Rohe et Marcel Breuer, jouèrent un rôle majeur dans ce processus, avec la diffusion de leur pensée à Harvard et sur la côte Est après avoir quitté l'Allemagne. Sur la côte Ouest aussi, Richard Neutra, Charles et Ray Eames et d'autres développaient une variante californienne du modernisme, mettant l'accent sur la fluidité des espaces et sur la nécessité d'une étroite relation entre intérieur et extérieur. Le modernisme scandinave, tel que l'incarnent Alvar Aalto et Arne Jacobsen, offrait une approche plus chaleureuse et plus douce, s'appuyant davantage sur les matériaux naturels, plus en phase avec l'approche organique de Frank Lloyd Wright aux États-Unis.

Beaucoup de ces pionniers perpétuaient aussi l'esprit d'« artiste de la Renaissance », travaillant de façon toujours plus cohérente et globale. Écrivains et théoriciens, ils peignaient et dessinaient, donnaient des conférences et enseignaient. Leurs maisons stimulaient leurs talents jusqu'à les porter à la conception de mobilier, d'éclairage et d'aménagements intérieurs pour aboutir à des créations totalement intégrées.

De ce point de vue et de bien d'autres, le kaléidoscopique Le Corbusier dominait ses contemporains. Il a exercé une influence immense sur l'architecture du XXᵉ siècle, avec une approche et une philosophie laissant de fortes marques sur beaucoup de grands architectes de l'époque. Sa Villa Savoye de 1931 a fait l'objet de nombreuses critiques, la moindre n'étant pas son défaut d'étanchéité qui la rendit inhabitable pour la famille qui l'avait commandée. Mais la maison eut pour résultat épique de donner forme aux célèbres « Cinq points de l'architecture moderne » de Le Corbusier, parmi lesquels le plan libre ou « espace universel », et l'idée de libérer des murs en utilisant des piliers de soutènement ou des pilotis pour porter le poids de la maison.

Progressivement, les composants essentiels de l'habitation moderniste furent définis par les pionniers du mouvement et leurs constructions emblématiques, la pièce à vivre multifonctionnelle, la relation fluide entre l'intérieur et l'extérieur, le mur-rideau et ses étendues de verre, l'espace à vivre surélevé, réinventant le *piano nobile*. Ces idées influèrent de manière décisive sur la modification progressive mais totale de l'ordonnancement et de l'aménagement des habitations, en misant sur l'envie d'un mode de vie neuf et moins formel. Dans les lieux qui s'y prêtaient, c'est le besoin de lumière, d'espace, le désir de relation avec l'extérieur et avec le paysage qui furent mis en avant.

Ce qui semblait révolutionnaire dans les années trente est devenu banal aujourd'hui où même les demeures d'époque sont réaménagées pour s'accorder avec des modes de vie familiale plus souples. Ces idées se sont imposées non seulement parce qu'elles étaient novatrices, mais parce qu'elles concordaient avec le style de vie moderne, une redéfinition du confort et de l'importance respective des

1924   **GERRIT RIETVELD (1888-1964)**
MAISON SCHRÖDER UTRECHT, PAYS-BAS

La carrière architecturale de Gerrit Rietveld est dominée par le succès spectaculaire de sa Maison Schröder — cette construction devenue emblématique de l'avant-garde néerlandaise. Rietveld reçut cette commande de Truus Schröder, une jeune veuve qui finit par devenir sa maîtresse et sa collaboratrice.

Cette maison en bois et briques enduites constitua une rupture avec la tradition par sa forme et sa structure, mais elle était aussi radicale par ses espaces conciliant avec imagination des règlements stricts et les exigences précises de la cliente.

Rietveld encouragea activement l'adoption de l'espace flexible et adaptable en créant des cloisons coulissantes pour ouvrir ou séparer l'intégralité de l'étage supérieur. Ses dons de concepteur de mobilier s'exprimèrent aussi dans une série d'aménagements sur mesure.

La Maison Schröder est au cœur d'un extraordinaire échange créatif de longue durée (il y vécut ses dernières années). Ce fut aussi l'édifice-manifeste le plus significatif de De Stijl, le mouvement dont Rietveld fut vraiment le phare en promouvant une modernité vigoureuse fondée sur le géométrique et sur l'abstrait. La Maison Schröder, avec son recours à des formes sculptées et des couleurs primaires, constituait un bâtiment réellement remarquable pour un angle de rue d'Utrecht en 1924.

espaces «privés» et «communs» dans l'habitation. Ainsi, les salles à manger séparées reculent-elles de plus en plus devant l'espace fluide unique où l'on peut cuisiner et s'asseoir pour dîner en famille. Les lieux réservés aux domestiques ont, le plus souvent, cédé la place à des zones compactes de service. Un éclairage abondant et des «espaces extérieurs» sont devenus des éléments essentiels, faisant oublier des considérations secondaires.

Comme l'a suggéré la qualification de «Style international» parfois appliqué au modernisme, ses principes et ses composants se sont vite diffusés et fait valoir par-delà les frontières. Dans les années d'après-guerre surtout, les médias et la presse spécialisée ont joué un rôle de plus en plus important dans le rayonnement des idées et de la personnalité des architectes. Le magazine de John Entenza *Art and Architecture* contribua largement à cette diffusion avec son programme «Case Study» (Études de cas) sur des maisons stupéfiantes de Californie, tandis que des photographes comme Julius Shulman et Ezra Stoller transposaient pour le grand public les visions des architectes en images évocatrices et accessibles, lui fournissant par ce biais de brillantes sources d'inspiration.

1927 KONSTANTIN MELNIKOV (1890-1974)
MAISON MELNIKOV MOSCOU, RUSSIE

«Grâce à son sens suprême de l'équilibre et à sa tension immobile, elle se tient à l'écoute du rythme de la modernité», affirmait Konstantin Melnikov à propos de son étonnante maison d'habitation-atelier. Cet énigmatique et imposant mélange de forteresse et de silo à grains allait devenir un monument qui allait prendre une intense résonance.

Ce fut l'une des rares demeures privées édifiées à Moscou durant la période postrévolutionnaire, et la concrétisation stupéfiante d'une nouvelle sorte d'architecture.

Melnikov avait trouvé la faveur des autorités grâce au succès de son pavillon soviétique à l'exposition internationale des Arts décoratifs de 1925 à Paris, ce qui lui permit d'obtenir le terrain pour construire la maison (il devint ensuite suspect aux yeux du régime).

Le bâtiment de briques et de bois à deux étages passa par maintes phases de conception avant que Melnikov ne se fixe sur l'idée de deux cylindres imbriqués. Le cylindre en façade est dominé par une large baie vitrée laissant entrer l'air et la lumière et formant comme un balcon ; le cylindre arrière est parsemé de fenêtres hexagonales. Dans les chambres à plan semi-ouvert, les structures organiques des lits émergent du sol. La Maison Melnikov, où transparaît toute l'énergie de l'avant-garde, est devenue un symbole du Moscou du XXᵉ siècle.

1928 LUDWIG WITTGENSTEIN (1889-1951)
MAISON WITTGENSTEIN VIENNE, AUTRICHE

« Vous imaginez probablement, a dit
Ludwig Wittgenstein, que la philosophie est
quelque chose de compliqué, mais laissez-
moi vous dire que ce n'est rien comparé à
la difficulté d'être un bon architecte. » Au
cours de sa vie, le philosophe a exercé
de nombreuses professions — ingénieur,
jardinier, professeur — mais aucune ne
lui paraissait aussi exigeante que celle
d'architecte. Cette maison typiquement
cubiste de trois étages fut commandée
par la sœur de Wittgenstein, Margarethe
« Gretl » Stonborough-Wittgenstein. Elle
demanda d'abord à l'architecte Paul
Engelmann de concevoir une maison pour
elle et ses enfants, mais Wittgenstein se
trouva impliqué dans le projet au point de
se brouiller avec Engelmann. Il prit ensuite
la direction des opérations.

Engelmann avait été l'élève d'Adolf
Loos, célèbre pour avoir déclaré la guerre
aux ornements superflus. Wittgenstein alla
encore plus loin en éliminant les références
néoclassiques et en bannissant les rideaux,
corniches et autres détails conventionnels
au profit du pur espace architectural. Cela
le conduisit à un soin quasi obsessionnel
des détails et des finitions. Si certains
se sont évertués à associer la maison
— aujourd'hui propriété de l'Institut culturel
bulgare — à un contexte philosophique,
beaucoup l'admirent simplement pour son
audace expérimentale.

1929 EILEEN GRAY (1878-1976)
E-1027 ROQUEBRUNE-CAP-MARTIN, FRANCE

Plus connue comme conceptrice de
mobilier, Eileen Gray était pourtant une
architecte réputée. Parmi ses constructions
favorites, émerge la maison qu'elle conçut
pour son amant et mentor Jean Badovici,
sur les pentes du rivage de Roquebrune,
sur la Riviera française.

Badovici était un journaliste spécialisé
en architecture, fondateur de la bible
française de l'architecture moderne, la
revue *L'Architecture vivante*. Il encouragea
Gray à élargir ses activités à l'architecture,
et elle commença à s'affranchir des
influences de l'Art déco pour embrasser le
modernisme. Le nom E-1027 reprend les
initiales codées du couple.

Dynamique, telle la mince silhouette
blanche d'un paquebot, avec ses balcons
et terrasses, son séjour et ses chambres à
l'étage, la maison a vue sur la Méditerranée
jusqu'à Monte-Carlo. L'aménagement
intérieur fut une étape décisive, Gray
concevant spécialement de nombreux
objets célèbres comme sa table E-1027.

Le Corbusier fut notoirement ébloui
par la maison et son site, au point d'y
construire plus tard son propre cabanon
à proximité. Badovici lui permit aussi de
peindre des fresques dans la maison, à
la grande fureur de Gray. Après plusieurs
décennies de procédure, la maison est
aujourd'hui classée Monument historique.
Elle est largement reconnue comme l'une
des grandes constructions pionnières du
modernisme.

1932 JUAN O'GORMAN (1905-1982)
MAISON-ATELIER RIVERA/KAHLO MEXICO, MEXIQUE

Né d'un père irlandais et d'une mère mexicaine, imprégné des mots et des idées de Le Corbusier, l'architecte et fresquiste Juan O'Gorman incarnait un mélange fascinant. Ses œuvres ultérieures s'intégrèrent davantage à l'histoire architecturale et culturelle du Mexique, mais son projet le plus célèbre, la maison-atelier qu'il bâtit pour Diego Rivera et Frida Kahlo, devait beaucoup aux édifices parisiens de Le Corbusier.

La Maison-atelier — aujourd'hui un musée — représente probablement la toute première introduction au Mexique d'un style moderniste d'influence nettement européenne, et sa construction a sans aucun doute provoqué des polémiques dans le voisinage de ce quartier résidentiel.

Deux bâtiments distincts — l'un pour Rivera et l'autre pour Kahlo — sont liés par une passerelle au niveau des toits. La construction s'inspire beaucoup des idées de Le Corbusier avec son plan ouvert, ses toitures-jardins, sa structure sur pilotis et ses poteaux porteurs.

Non moins fascinante est la correspondance entre le plan architectural — espaces de vie et de travail séparés, avec possibilités de les réunir — et les relations orageuses de ces deux artistes parmi les plus grands du Mexique. Les bâtiments, l'un peint en bleu, l'autre en rouge et blanc, incarnent la complexité relationnelle de ce couple qui ne pouvait ni se supporter ni se séparer.

1932 PIERRE CHAREAU (1883-1950)
MAISON DE VERRE PARIS, FRANCE

La maison transparente était un rêve
d'architecte, et le resta durant des
décennies, jusqu'à la Maison de verre de
Philip Johnson et la Maison Farnsworth
de Mies van der Rohe au tournant des
années quarante et cinquante. Mais le
premier à réaliser ce rêve fut l'architecte et
concepteur de mobilier Pierre Chareau.

La Maison de Verre, bâtie en L sur trois
niveaux, fut le fruit d'une amitié et d'une
collaboration étroites. Les clients étaient de
vieilles connaissances, le Dr Jean Dalsace
et sa femme, qui désiraient rénover leur
maison et leur cabinet de consultation
dans un hôtel particulier du XVIIIᵉ siècle au
cœur de Paris. Mais l'occupant du dernier
étage restant dans les lieux, Chareau ne
put travailler que sur le bas du bâtiment.
Il utilisa ce qui restait des pierres d'origine
comme cadre de sa nouvelle Maison de
Verre à armature d'acier.

La célèbre façade en briques de verre
fait entrer la lumière et se transforme
la nuit en lanterne scintillante. Le
cabinet de consultation est au rez-de-
chaussée, mais la maison est dominée
par un impressionnant séjour en double
hauteur. Chareau collabora avec
l'architecte néerlandais Bernard Bijvoet
et l'artisan Louis Dalbet pour réaliser les
nombreux aménagements sur mesure.
Son achèvement demanda plusieurs
années — symbole de l'optimisme de
l'entre-deux-guerres — et elle reste la seule
construction conservée de Chareau.

1947 RICHARD BUCKMINSTER FULLER (1895-1983)
MAISON WICHITA KANSAS, ÉTATS-UNIS

Architecte, ingénieur, inventeur, écrivain et philosophe, Richard Buckminster Fuller était très en avance sur son temps, et un nombre important de concepteurs, aménageurs et environnementalistes se réclament aujourd'hui de son travail. Sa réussite la plus marquante est son dôme géodésique qui fut la vedette de l'exposition de Montréal en 1967, mais ce sont ses œuvres en modules préfabriqués — révolutionnaires par leur approche et décisives pour la mise au point d'habitations de fabrication industrielle adaptées à la production de masse — qui obsèdent toujours ses disciples aujourd'hui.

Sa Maison Dymaxion (pour « Dynamic Maximum Tension ») de 1929 était une habitation légère en aluminium et acier inspirée de l'architecture navale et de l'industrie de l'automobile et du caravaning. Après la guerre — durant laquelle Fuller conçut des abris et autres constructions à usage militaire —, il revint au concept Dymaxion et le perfectionna avec l'aide de la Beech Aircraft Company.

Le prototype entièrement fonctionnel, avec son plan circulaire aérodynamique et ses espaces à vivre radiants autour d'un centre dédié au service, reçut le nom de Maison Wichita. Des commandes arrivèrent mais les retards de mise en production provoquèrent le retrait des banquiers. Le prototype est aujourd'hui conservé au musée Henry Ford dans le Michigan, en mémoire d'un concepteur visionnaire qui désira sincèrement changer le monde et nos façons de vivre.

1941 CURZIO MALAPARTE (1898-1957)
MAISON MALAPARTE PUNTA MASSULLO, CAPRI, ITALIE

Perchée sur un promontoire rocheux surplombant la mer sur trois côtés, la maison ressemble à une forteresse isolée dont les lignes couleur terre cuite se détachent des roches grisâtres qui l'entourent. Des volées de marches l'escaladent et mènent à un toit-terrasse, évoquant l'ascension d'une ziggourat jusqu'à une plate-forme détachée donnant sur la mer et le golfe de Salerne. C'est l'une des images les plus puissantes des débuts du Mouvement moderne. La maison fut bâtie par le flamboyant et controversé Curzio Malaparte, romancier, dramaturge, journaliste et militant politique. Il en avait d'abord passé commande à Adalberto Libera, influent architecte du mouvement moderne italien. Mais ils se brouillèrent rapidement et Malaparte continua à travailler lui-même aux plans de la maison, faisant surveiller sa construction par des artisans locaux et créant « un autoportrait taillé dans la pierre ».

Les deux étages de la maison épousent la topographie du lieu comme une sculpture. Les chambres et les pièces de service sont au rez-de-chaussée, l'étage supérieur abrite les deux chambres de maître et un grand séjour dallé de pierres, avec des baies panoramiques aux deux extrémités. La pièce située du côté le plus exposé est le bureau de Malaparte, dominant les flots.

L'édifice incarne l'image romantique de l'écrivain vivant et écrivant dans la solitude, au milieu de la nature. À la fin des années quatre-vingt-dix, la maison — qui sert de décor au film *Le Mépris* de Jean-Luc Godard — a été restaurée par la fondation chargée de veiller sur cette construction exposée aux intempéries.

Mais la notion de Style international suggérait aussi une moindre importance accordée au contextualisme et au régionalisme, qui s'avérèrent pourtant essentiels pour l'ensemble du Mouvement moderne. Ce style s'appuyait sur la puissance profonde et variée des expressions régionales dans le monde, et intégrait l'œuvre d'architectes qui, tout en étant fascinés par la modernité, avaient un respect particulier pour les abondantes sources d'inspiration offertes par leur propre culture et leurs paysages familiers. On songe spécialement à Luis Barragán, qui a su fondre presque magiquement les parfums particuliers et les couleurs envoûtantes de son Mexique natal dans un modernisme omniprésent, ou à Geoffrey Bawa, qui a réussi à mêler au Sri Lanka un éventail de références en un résultat tout asiatique, reposant essentiellement sur le développement durable et l'ouverture au paysage.

Les travaux d'architectes contemporains comme Glenn Murcutt, Ricardo Legorreta, Herzog et de Meuron, Kengo Kuma, Rem Koolhaas, Shigeru Ban et d'autres, nous rappellent l'activité globale qu'est devenue l'architecture aujourd'hui, et sur quelles influences venues du monde entier se construisent désormais nos maisons et les édifices qui se bâtissent autour de nous. Ces architectes mettent en œuvre leur formation et leur culture personnelle, mais ils travaillent au-delà des frontières, et dans des pays très différents. Nous nous plaisons de plus en plus à l'idée d'une maison idéale, qui correspondrait à un contexte précis — un site, un emplacement donné — mais qui profiterait aussi d'une foule de concepts internationaux et qui pourrait être conçue par un architecte venant de l'autre côté de la planète.

Aujourd'hui, les maisons qui réagissent au contexte, à leur cadre et à leur environnement reviennent sur le devant de la scène et une tendance similaire s'observe du côté des références et des inspirations vernaculaires. Le travail de Bedmar & Shi en Asie en fournit l'illustration, en particulier les constructions telles que Jiva Puri à Bali, qui traduisent une volonté d'interprétation moderne et rafraîchissante de la villa tropicale. Simultanément, Jiva Puri s'inscrit dans un mouvement plus général, qui incite les architectes et les designers un peu partout dans le monde à chercher une alternative à la masse et à l'échelle de la maison ou de la résidence familiale classique.

1962 **PAUL RUDOLPH (1918-1997)**
RÉSIDENCE MILAM PONTE VEDRA, JACKSONVILLE, FLORIDE, ÉTATS-UNIS

Diplômé de Harvard où il avait reçu l'enseignement de Walter Gropius, Paul Rudolph s'établit à la fin des années quarante en Floride. L'ambitieuse Résidence Milam fut la dernière de ses «Maisons de Floride».

Commandée par l'avocat Arthur Milam, la maison devait être construite sur une dune dominant l'Atlantique. Jusqu'à ce projet, Rudolph était convaincu qu'une façade devait refléter l'édifice qui la portait, mais avec la Résidence Milam il commença à avancer dans une nouvelle direction.

Le brise-soleil cubiste et sculptural est largement indépendant du reste du bâtiment à deux niveaux en béton armé. Tout en atténuant la réverbération solaire, il confère à l'édifice un aspect monumental contrastant avec les proportions modestes de l'habitation.

L'intérieur de la maison révèle une complexité caractéristique des espaces et des volumes. Il a été conçu comme une série de plates-formes habitables étagées, incluant un coin conversation creusé dans le plancher de la pièce de séjour.

L'intérêt de Rudolph pour la construction monumentale se fera jour dans ses projets ultérieurs, comme son bâtiment du département d'art et d'architecture de Yale. Arthur Milam resta de ses admirateurs et lui commanda des extensions pour sa maison dans les années soixante-dix.

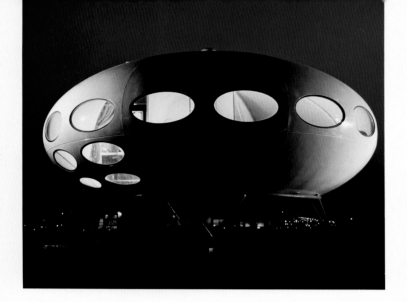

1969 STAFFAN BERGLUND (NÉ EN 1936)
VILLA SPIES TORÖ, SUÈDE

Si une seule maison peut résumer la carrière d'un architecte, la Villa Spies (également nommée Villa Fjolle) pourrait définir celle de Staffan Berglund. Cette construction impressionnante est insérée dans un site rocheux de la petite île de Torö, avec vue sur la mer et sur l'archipel proche de Stockholm. Comme celles de Charles Deaton et de Matti Suuronen, c'est l'œuvre emblématique la plus flamboyante et imaginative de l'architecture futuriste des années soixante.

Le client était l'homme d'affaires Simon Spies, qui avait fait fortune dans l'industrie du voyage et avait lancé un concours pour la conception d'une habitation de vacances reproductible sur commande. Le vainqueur en fut Berglund avec un pavillon de loisir à toit de plastique.

Ce projet resta lettre morte mais Spies apprécia tellement son idée qu'il commanda à Berglund la conception de sa propre résidence familiale de week-end.

Contrairement au pavillon à un seul niveau proposé pour le concours, la Villa Spies se compose de deux étages. Celui du bas est en béton, mais le niveau supérieur couvert en fibre de verre a des murs vitrés. Il est dominé par un vaste espace ouvert rassemblant cuisine, coin repas et séjour, ouvrant sur les terrasses, la piscine circulaire et les panoramas sur la mer. Cette retraite hédoniste et amusante est pleine de technologies domestiques novatrices, dont une table de repas escamotable qui sort du sol d'une simple commande à poussoir. Largement mise en avant par les médias au début des années soixante-dix, elle a rarement été photographiée depuis lors.

1968 MATTI SUURONEN (NÉ EN 1933)
MAISON FUTURO PLUSIEURS IMPLANTATIONS

Comme la Maison Dymaxion/Wichita de Richard Buckminster Fuller, la Maison Futuro de l'architecte finlandais Matti Suuronen a constitué une étape marquante dans l'histoire des habitations modulaires, préfabriquées et produites industriellement. Et comme elle, la Futuro s'inspirait d'autres industries, automobile et aéronautique notamment, ainsi que de l'imagerie de la science-fiction. Sa forme de soucoupe volante est dérivée d'un dôme de silo à grains que Suuronen avait conçu antérieurement, mais sa ligne dynamique suggère une idée magique de mobilité.

Le point de départ du prototype fut une légère cabine de téléphérique commandée à Suuronen, et qui pouvait être livrée par camion ou par hélicoptère. Les piètements d'acier réglables permettaient aussi à la construction de plastique renforcé d'être installée facilement, même sur un terrain irrégulier.

Les débuts de la Futuro semblèrent justifier l'optimisme de son concept et de son époque. Cette «habitation du futur» suscita un large intérêt international, et la Futuro servit de postes d'observation pour l'armée suédoise, de bureaux, de pavillons et même d'agences bancaires. Mais son coût restait toujours un obstacle et la crise pétrolière des années soixante-dix provoquant une hausse du prix des plastiques, sa production fut arrêtée. La Futuro demeure une icône inspirant toujours les concepteurs d'aujourd'hui.

1978 CARLO SCARPA (1906-1978)
VILLA OTTOLENGHI BARDOLINO, VÉRONE, ITALIE

La Villa Ottolenghi fut l'une des dernières commandes de Carlo Scarpa, mais cette maison conçue avec sensibilité révèle un architecte et un designer au sommet de son pouvoir créatif.

Achevée par ses collègues après la mort de Scarpa, elle est restée fidèle à la cohérence de son plan d'origine. La maison fut commandée par l'avocat Carolo Ottolenghi pour son fils. Les règles d'urbanisme sur ce site en pente proche du lac de Garde n'autorisaient qu'un étage de construction. Scarpa tira avantage de cette contrainte avec un plan très imaginatif glissant la maison dans le paysage au point de la faire presque disparaître dans la colline boisée. Avec ses plantes grimpantes accrochées sur sa façade de béton armé, elle est quasiment invisible depuis le lac.

À l'arrière, une allée en décaissement apporte de la lumière, tout en rappelant les passages labyrinthiques de Venise, lieu de naissance d'Ottolenghi — et de Scarpa. À l'intérieur, le plan ouvert, complexe et fluide des principaux lieux de séjour s'organise autour de neuf colonnes de soutènement alternant pierre et béton. Le toit sert aussi de terrasse pavée. La Villa Ottolenghi, avec son approche globale et son soin des finitions, des détails et des matériaux, fait écho à Frank Lloyd Wright — inspirateur revendiqué — tout en affirmant le renom d'un architecte de premier plan.

Il en résulte des structures composites réparties entre plusieurs éléments de taille réduite qui s'insèrent avec plus de légèreté dans le paysage (et respectent le contexte). À cet égard, le Studhorse de Tom Kundig est emblématique. Plantés au beau milieu d'un désert immense dans l'État de Washington, ses bâtiments de dimensions modestes s'organisent autour d'une cour ouverte, selon un processus que Kundig aime comparer au cercle défensif des chariots des colons à l'époque de la conquête de l'Ouest.

Il est bien sûr fascinant d'explorer toutes les connexions, filiations et ressemblances flagrantes parmi les maisons pourtant si différentes rassemblées dans ce livre, et les liens qui semblent rattacher l'un à l'autre ces édifices et ces architectes apparemment si divers. Certains thèmes sont devenus de plus en plus importants, comme le développement durable et la préservation de l'environnement, déjà perceptibles dans le travail de Richard Neutra, Pierre Koenig ou Werner Sobek pour ne citer qu'eux. Autre thème récurrent : la préfabrication et le concept d'habitat

MATHIAS KLOTZ (NÉ EN 1965)
MAISON KLOTZ PLAYA GRANDE, TONGOY, CHILI

Mathias Klotz s'est vite imposé comme l'un des architectes les plus originaux d'Amérique latine. La maison de plage dépouillée qu'il bâtit à Tongoy pour son propre usage est une de ses maisons les plus réputées et, dans un sens, romantiques.

Au milieu d'une étendue de dunes nues, Klotz a imaginé une boîte rectangulaire suspendue juste au-dessus du sol par de modestes pilotis. L'arrière de la maison est aveugle, mais le centre de la façade tournée vers le Pacifique est occupé par une baie en double hauteur touchant presque le bord du toit plat. Le second étage du bâtiment est percé de part et d'autre de cette baie de deux ouvertures rectangulaires encadrant deux terrasses abritées. Devant la maison,

un ponton s'avance en direction de l'océan. À l'intérieur s'étend un impressionnant séjour central en double hauteur avec des espaces de service des deux côtés, sur les deux étages. Les finitions sont simples, reflétant l'esthétique de cette maison de plage avec ses bardeaux extérieurs légèrement chaulés.

Cette œuvre précoce incarne une nouvelle forme de modernisme régional et l'idéal typiquement chilien de brio architectural dans un cadre naturel spectaculaire. Les constructions ultérieures de Klotz offrent une sophistication croissante, mais conservent le souci de la géométrie pure et des lignes nettes, combiné avec une profonde intelligence de l'environnement.

modulaire, comme dans l'œuvre de Richard Buckminster Fuller, Jean Prouvé ou Richard Horden. En parcourant ces pages et en passant d'une décennie à l'autre, de nouvelles connexions apparaîtront entre des maisons emblématiques édifiées dans des régions du monde et à des périodes très éloignées.

Réunir cet ensemble de maisons hors du commun fut une tâche passionnante. L'ambition était de constituer une sélection équilibrée de maisons emblématiques représentant un large éventail géographique, chronologique, thématique et stylistique. À cette fin, nous avons décidé de ne présenter qu'une œuvre de chaque architecte, tout en donnant la préférence, la plupart du temps, aux constructions neuves et uniques.

En respectant ces critères, beaucoup de maisons mémorables se sont imposées d'elles-mêmes, mais d'autres paraîtront peut-être procéder de choix moins évidents. Cette sélection est mi-objective, mi-subjective, comme toute sélection personnelle. Reste l'indiscutable richesse de ce mélange, et l'importance de pouvoir contempler autant de maisons de référence dans leur état actuel, grâce, pour la plupart d'entre elles, aux nouvelles photographies inspirées de Richard

1993 USHIDA FINDLAY

MAISON AUX MURS EN TREILLIS TOKYO, JAPON

Au cours des années quatre-vingt et quatre-vingt-dix, l'architecte japonais Eisaku Ushida (né en 1954) et l'architecte écossaise Kathryn Findlay (née en 1953) — tous deux anciens associés d'Arata Isozaki — rompirent avec la tendance du strict minimalisme géométrique qui dominait l'architecture pour suivre des pistes très différentes. Leurs constructions consistaient en des formes organiques et fluides préfigurant la fascination du XXIᵉ siècle pour le dynamisme, la plasticité et la géométrie radicale.

Deux maisons qu'ils bâtirent à Tokyo furent particulièrement et largement remarquées : la Maison douce et poilue de 1994, et la Maison aux murs en treillis bâtie avant elle. Toutes deux sont des maisons jardins novatrices, contrastant avec leur environnement urbain insipide.

La Maison aux murs en treillis, édifiée en bordure d'une rue et d'une voie de chemin de fer, est une construction blanche abstraite ressemblant à une coquille en hélice. Elle s'enroule autour d'une cour centrale et elle est couronnée par un toit-terrasse.

La forme de la maison a été rendue réalisable par un système breveté de construction de murs armés reposant sur un assemblage d'armatures malléables, de grillages de fil de fer et de béton coulé. Les surfaces étaient ensuite enduites d'un mortier lisse, donnant l'impression d'une sculpture d'une seule pièce, avec beaucoup de soin porté aux finitions et aux textures. Après ces expériences radicales sur une série de constructions, Kathryn Findlay a introduit le procédé en Grande-Bretagne.

Powers. Ces images présentent des vues originales de constructions bien connues, qu'elles nous invitent à revisiter et à replacer dans le cadre d'une perspective renouvelée.

En reprenant l'ensemble du livre, le lecteur ne manquera pas d'être frappé par deux constats étonnants. D'abord tout ce qu'il fallut de courage et d'imagination aux architectes et aux clients créateurs de ces maisons, dont beaucoup étaient radicales et audacieuses en leur temps, inhabituelles et d'avant-garde dans le climat de conservatisme où elles furent conçues. Les possibilités de construire sa propre habitation sont sans doute plus grandes que jamais aujourd'hui, et la maison sur mesure davantage à la portée de tous, mais cela ne diminue pas les efforts ou les engagements qu'elle implique.

En second lieu, c'est l'amoncellement vertigineux d'idées, d'intuitions et de pensées originales contenu dans ces constructions, un étincelant joyau de pensée architecturale, couvrant plus d'un siècle. En observant n'importe quelle ville ou cité d'aujourd'hui, on ne peut manquer de remarquer l'excès de médiocrité marquant l'ensemble de notre environnement bâti. Revenir sur plus de cent ans d'innovation, de beauté et d'imagination, et à ce merveilleux patrimoine que représentent les maisons de référence aujourd'hui, devrait sûrement nous inciter à réclamer — au minimum — mieux que la médiocrité, surtout pour les lieux où nous vivons.

Pour quelques-uns, ce livre pourrait aussi avoir comme principale utilité de contribuer modestement à leur inspirer rêves et idées pour les maisons qui seront les références du futur.

1995   **KENGO KUMA (NÉ EN 1954)**
MAISON EAU/VERRE ATAMI, SHIZUOKA, JAPON

Kengo Kuma a fait part de son ambition de créer un nouveau genre d'architecture, moins attentif à l'apparence extérieure des bâtiments qu'à leur interaction et à leur accord avec l'environnement naturel. Réévaluant les idées de transparence, de qualité du travail, de matérialité et de sensibilité environnementale, il parle de « l'effacement » de l'architecture.

Il a expérimenté ses idées jusqu'au sublime le plus radical avec la Maison Eau/Verre qui domine le Pacifique — influencé par l'œuvre de Bruno Taut, créateur d'une maison à proximité. L'intention de Kuma était d'abolir autant que possible les séparations entre la construction et sa vue sur l'océan, en créant une plate-forme panoramique ouverte. Les trois niveaux de l'édifice fonctionnent à la fois comme une résidence et un petit hôtel, avec une allée d'accès à mi-hauteur.

Devenus très célèbres, les pavillons de verre de l'étage supérieur se dressent sur d'étroites plates-formes s'avançant en direction de l'océan. Ces « pièces flottantes » perturbent le sentiment qu'on a de l'intérieur et de l'extérieur. « L'architecture n'est pas affaire de forme, mais de relation avec la nature, affirme Kuma. Grâce au projet Eau/Verre j'ai appris comment on pouvait assumer l'héritage de la tradition architecturale japonaise dans un contexte de modernité et de technologie et comment parvenir à les allier. »

1900

MACKAY HUGH BAILLIE SCOTT

BLACKWELL BOWNESS-ON-WINDERMERE, CUMBRIA, GRANDE-BRETAGNE

Au nord-ouest de l'Angleterre, le comté romantique de Cumbria concentre de nombreuses demeures de style Arts & Crafts. À Brantwood, près du lac Coniston, se dresse celle de l'écrivain et philosophe John Ruskin, l'un des fondateurs de ce mouvement architectural. Deux maisons de l'architecte Charles Voysey bordent le lac Windermere. Et une colline surplombant ce même lac abrite une propriété absolument remarquable conçue par Mackay Hugh Baillie Scott : Blackwell.

Cette résidence lui est commandée par Sir Edward Holt, un riche brasseur de Manchester. Depuis l'installation d'une ligne de chemin de fer, cette contrée de lacs, le Lake District, est facilement accessible. Windermere devient un lieu de villégiature et les familles fortunées de Manchester et de Liverpool s'empressent d'y faire construire des maisons de vacances.

À l'époque du projet de Blackwell, Baillie Scott est déjà un architecte reconnu qui travaille pour des clients prestigieux comme le grand-duc de Hesse, Ernst Ludwig, qui l'a chargé

de concevoir l'aménagement intérieur de sa maison de Darmstadt en 1897. L'architecte sait aussi faire sa propre publicité en rédigeant des articles sur son travail pour différentes revues dont *The Studio*. Le projet de Blackwell lui donne la possibilité de créer une vaste maison dans un lieu magnifique, avec la liberté d'expression qu'autorise une résidence dite secondaire.

Au lieu d'orienter la façade en forme de « L » à l'ouest en direction de Windermere, Baillie Scott la place plein sud. Ainsi, la maison bénéficie d'une luminosité maximum et les pièces principales ouvrent sur le lac. Les salles réservées au service et aux domestiques sont situées sur un côté, laissant la majorité de la superficie du rez-de-chaussée à trois pièces spacieuses. La grande salle, le Hall — que l'on retrouve dans nombre de demeures Arts & Crafts de cette période —, héberge une cheminée spectaculaire soutenant une petite tribune destinée à accueillir d'éventuels musiciens. On trouve à côté une salle à manger dont l'aspect masculin rendu par le choix des

matériaux (chêne et pierre) est adouci par un mur tendu de toile de jute à fleurs. À l'arrière, la troisième pièce, un petit salon tout blanc, fait face au lac. Depuis les murs en plâtre jusqu'à la cheminée au foyer habillé de céramique bleue en passant par la banquette située sous la fenêtre, tout concourt à distiller une atmosphère sereine et poétique. Des représentations des collines environnant Windermere et Coniston agrémentent les murs. Si la moindre idée architecturale déclinée à Blackwell est une ode à un âge d'or légendaire de l'« artisanat », le chauffage central, l'électricité, l'agencement fluide des pièces et l'esthétique raffinée en font une demeure très moderne.

Comme dans chaque maison Arts & Crafts, l'approche décorative et la qualité artistique sont impressionnantes. L'architecte fait entrer la nature dans la maison : paons, feuillages, roses, glands, baies se retrouvent sous forme de motifs appliqués au pochoir sur les plâtres ou sculptés sur des objets et ornent même les gouttières. Selon Baillie Scott, lorsque l'on décore une maison, il n'y a aucune excuse à ne pas la rendre belle. Et « si la maison n'offre aucune beauté, elle est inutile, plus qu'inutile ». Blackwell atteste la maîtrise de l'architecte qui conçoit l'extérieur et l'intérieur comme un tout indissociable. Ici, les matériaux utilisés, la pierre et l'ardoise, proviennent de la région. Les jardins ont été aménagés par un paysagiste local de renommée nationale, Thomas Mawson.

L'architecte allemand Hermann Muthesius donne Blackwell en exemple dans son livre consacré à l'architecture de la maison anglaise (*Das Englische Haus*) publié en 1904 et qualifie Baillie Scott de « poète du Nord ».

Récemment restaurée, cette maison ouverte au public est un emblème de l'attention portée aux détails. Elle témoigne d'une virtuosité architecturale toujours source d'inspiration.

La maison construite au sommet d'une colline possède une atmosphère plutôt masculine, mais le salon lumineux, reposant, offre un contraste saisissant.
Le coin cheminée mis en scène dans son décor de plâtre blanc est un espace à part entière.

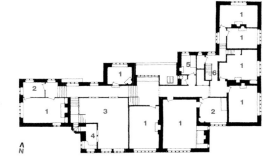

Magnifiquement sculptés, les lambris révèlent les veines du bois et habillent la grande salle — la pièce à vivre comme la nomme Baillie Scott. La salle à manger attenante est décorée de panneaux en toile de jute peinte.

à gauche : rez-de-chaussée

1 salon de dessin
2 hall
3 porche d'entrée
4 vestiaire
5 salle à manger
6 office
7 communs
8 cuisine
9 arrière-cuisine
10 cave à charbon
11 garde-manger

premier étage

1 chambre
2 dressing
3 vide sur le hall
4 galerie
5 salle de bains
6 lingerie

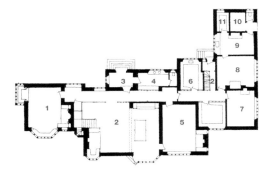

Goddards n'a pas été construite pour servir de résidence personnelle : elle est née d'une idée particulièrement généreuse de ses propriétaires, qui la destinent à recevoir des femmes dans le besoin. L'architecte Edwin Lutyens va s'atteler à cette tâche, interprétant la tradition Arts & Crafts de manière romantique.

Sir Frederick Mirrielees, un riche entrepreneur, et sa femme Margaret, héritière d'une dynastie d'armateurs, possèdent déjà une propriété non loin. Ils achètent un domaine de 3,5 hectares afin d'y installer cette « Maison de repos pour femmes disposant de peu de moyens ». C'est Gertrude Jekyll, paysagiste de renom, qui présente Edwin Lutyens

aux Mirrielees. Elle a été autrefois son mentor, et l'architecte a créé quelques années auparavant Munstead Wood, le manoir qu'elle possède dans le Surrey. Lutyens y revient d'ailleurs souvent en week-end.

Grandiose en termes de superficie, la belle simplicité intérieure de Goddards, inspirée du dépouillement de style Shaker, répond bien à la vocation d'une telle maison. Elle est différente de la magnificence qui caractérise habituellement les grandes demeures conçues par l'architecte. Cette sobriété décorative, symbole de l'esthétique Arts & Crafts qui privilégie un artisanat inspiré de l'art médiéval et le retour aux valeurs « pures » de l'ère préindustrielle,

perdurera même lorsque les bâtiments seront reconvertis en habitation privée.

Lutyens conçoit cette « retraite » sous la forme d'un bâtiment flanqué de deux ailes, tel un papillon. La partie centrale est aménagée en une vaste pièce commune bâtie sur le modèle de la salle médiévale, avec une grande cheminée et des poutres en bois apparentes. Au-dessus se trouvent les logements des domestiques. Les chambres des « dames dans le besoin », au nombre de six, occupent le premier étage des ailes. Au rez-de-chaussée, une des ailes accueille une cuisine et une salle à manger tandis que l'autre abrite, entre autres, une piste de jeu de quilles surmontée d'une série d'arches majestueuses en briques qui se

Goddards tire profit des matériaux traditionnels et locaux : tuiles rouges, structure en bois, murs chaulés et briques. Le mobilier intérieur est un mélange de pièces anciennes et d'objets nouveaux, créés par la Art Workers' Guild.

prolonge jusque dans le verger à l'arrière de la maison.

Après avoir accueilli bon nombre de femmes en détresse, le refuge est transféré ailleurs et les Mirrielees demandent alors à Edwin Lutyens de transformer Goddards en résidence secondaire pour leur fils et son épouse. Les bâtiments sont rénovés et agrandis en 1910, mais l'architecte inscrit ces nouveaux aménagements dans les contraintes de la structure d'origine et sauvegarde sa simplicité.

Quelques années après cette construction, Edwin Lutyens, dont le carnet de commandes ne désemplit plus, s'éloigne du mouvement Arts & Crafts et s'empare du style néoclassique,

aux caractéristiques nettement plus imposantes. Mais Goddards — tout comme Voewood, d'ailleurs, construit par Edward Prior (voir p. 44) — est une création architecturale qui aura beaucoup de succès dans l'Angleterre édouardienne. Cette structure aux lignes épurées, à la rigueur fondamentale et à la simplicité fonctionnelle dans le choix des matériaux, annonce l'évolution d'un nouvel âge en architecture.

C'est l'harmonieuse combinaison du passé et du futur qui donne à Goddards toute sa nouveauté et sa profondeur. L'imagination virtuose déployée par son architecte a permis d'ériger une demeure tout en subtilité qui se fond naturellement dans son environnement :

le terrain, les jardins et au-delà, le Surrey même. Goddards se trouve aujourd'hui sous la responsabilité du Lutyens Trust et du Landmark Trust.

rez-de-chaussée

1 salle de réception
2 salle à manger
3 cuisine
4 toilettes
5 cellier
6 office
7 arrière-cuisine
8 garde-manger
9 vestiaire
10 jeu de quilles
11 bibliothèque

premier étage

1 chambre
2 dressing
3 salle de bains
4 chambre de bonne
5 cellier

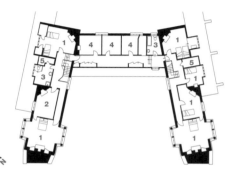

La sobriété et l'aspect parfois utilitaire de l'aménagement intérieur mettent en valeur la qualité des réalisations. Les arches en brique définissent un espace d'une belle tranquillité pour la piste de jeu de quilles. Dans le jardin arrière, la pièce d'eau — composante typique des réalisations de Lutyens et Jekyll — en forme de puits, focalise l'intérêt.

GODDARDS

34

1902

HENRI SAUVAGE ET LOUIS MAJORELLE

VILLA MAJORELLE NANCY, LORRAINE, FRANCE

La Villa Majorelle, un des chefs-d'œuvre du mouvement Art nouveau français, est bien plus qu'une rencontre entre un architecte et son client. Cette collaboration unique de deux talents distincts, ceux d'Henri Sauvage et de Louis Majorelle, a produit un résultat spectaculaire, mariant architecture, aménagement intérieur et décoration ; une combinaison théâtrale de courbes organiques et de formes sculpturales. Elle est aussi connue sous le nom de Villa Jika, d'après les initiales de Jeanne Kretz, fille d'un directeur de théâtre, que Louis Majorelle épousa en 1885.

En 1879, Louis Majorelle reprend avec son frère l'entreprise familiale de meubles nancéienne. Ébéniste réputé, il puise son inspiration dans les formes de la nature qu'il travaille dans des bois exotiques. Il ouvre plusieurs magasins dans différentes régions de l'Hexagone où il vend son mobilier. Cofondateur de l'École de Nancy qui regroupe des artisans et des créateurs, il acquiert une expérience internationale et Nancy devient peu à peu le centre européen de l'Art nouveau.

Ajoutant à son art celui de la ferronnerie, il fait appel à un architecte local, Lucien Weissenburger qui bâtit les locaux de sa forge sur une large parcelle offerte par la belle-mère de Majorelle. La superficie du terrain est telle qu'elle permet d'envisager de construire une propriété familiale. C'est le Parisien Henri Sauvage, que Louis Majorelle connaît depuis plusieurs années, qui est chargé de ce projet — sa première commande architecturale —, en collaboration avec Weissenburger. Entre Nancy et Paris, la Villa Majorelle devient un travail d'équipe, avec pour résultat ultime une harmonie parfaite entre des hommes unis par une même conception de l'architecture, celle de l'Art nouveau.

Henri Sauvage, qui réalisera ensuite plusieurs autres bâtiments et villas en collaboration avec la famille Majorelle, dessine ici une structure imposante, avec des volumes qui ne sont pas sans

rappeler ceux d'une église, dotée de larges fenêtres, notamment à l'étage supérieur, qui laissent passer largement la lumière. Au dernier étage, Majorelle et Sauvage créent un atelier spacieux d'où l'on peut voir l'usine de meubles familiale.

La plupart du mobilier et des lambris, y compris l'escalier intérieur et les balcons, ont été dessinés par Majorelle, ainsi que les éléments de ferronnerie — balustrades, marquise de l'entrée principale, sans oublier les gouttières ouvragées. La réalisation des vitraux a été confiée à Jacques Grüber et la cheminée monumentale qui semble surgir du parquet dans la salle à manger est l'œuvre d'Alexandre Bigot.

Le destin flamboyant de Majorelle allait malheureusement subir un déclin à cause d'un incendie qui ravagea son usine et après les dommages qu'engendra la Première Guerre mondiale.

Classée Monument historique dans les années quatre-vingt-dix, la Villa Majorelle a été restaurée sous la houlette de la Ville de Nancy. Expression parfaite du mouvement Art nouveau, elle témoigne de la complicité sans faille entre deux talents qui ont su allier leurs créativités pour construire une œuvre expressive, sans rupture aucune. Une véritable gageure.

La Villa Majorelle est la première construction de style Art nouveau à Nancy. Sur trois niveaux, elle en illustre toutes les caractéristiques : exubérance des formes alliée au travail minutieux des encadrements de fenêtre, des balcons ouvragés, des détails de ferronnerie rappelant les rameaux et les vrilles de la nature qui entourent et embellissent la pierre.

*Les formes sculptées
et tournoyantes
des cheminées,
des escaliers et des
embrasures de porte
attirent le regard et
invitent à se déplacer
de pièce en pièce.*

à gauche :
rez-de-chaussée

1 **entrée**
2 **hall**
3 **cuisine**
4 **office**
5 **salle à manger**
6 **salon**
7 **terrasse**

à droite :
premier étage

1 **chambre**
2 **cabinet**
3 **salle de bains**
4 **toilettes**
5 **boudoir**
6 **terrasse**

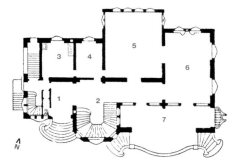

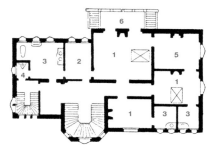

VILLA MAJORELLE

1903

CHARLES RENNIE MACKINTOSH

HILL HOUSE HELENSBURGH, DUNBARTONSHIRE, ÉCOSSE

Bâtie au tout début du XXᵉ siècle, Hill House concentre à elle seule plusieurs influences. Émergeant de l'époque victorienne et de son architecture néoclassique, elle incarne la volonté de passer à une approche plus moderne de la vie courante. Elle réussit à mêler harmonieusement les courants Art nouveau, Arts & Crafts et le modèle architectural des maisons des nobles écossais. Au-delà de cet exploit, Hill House est l'une des plus belles réussites d'un créateur de génie, Charles Rennie Mackintosh — à la fois architecte, designer et artiste —, dont le style unique est immédiatement reconnaissable, à l'instar de celui d'un Gaudí ou d'un Barragán.

Peu de constructions offrent une telle convergence entre l'ancien et la nouveauté. Les murs en grès enduit donnent une qualité sculpturale à la composition, unifiant la tour d'un escalier en colimaçon et les hautes cheminées à la courbure, franchement moderne, de la cage d'escalier principale semi-cylindrique, comme le kiosque d'un sous-marin.

L'intérieur de la maison possède une qualité poétique indéniable. Les proportions et la disposition des pièces proposent un parcours spatial

mis en valeur par la qualité de la lumière naturelle. L'ameublement et la décoration sont d'une originalité et d'une qualité remarquables. À Hill House, Mackintosh propose un projet global. Il s'occupe avec sa femme Margaret des moindres détails de l'agencement intérieur : luminaires, cheminées et mobilier construits sur mesure dont les très célèbres chaises Hill House à haut dossier, sans oublier le design des pincettes à feu en étain suspendues près de l'âtre.

La demeure est réalisée pour l'imprimeur Walter W. Blackie et sa femme Anna. En 1902, le couple veut quitter Dunblane pour emménager à Helensburgh, à une quarantaine de kilomètres à l'ouest de Glasgow. Pour ce faire, M. Blackie achète un ancien champ de pommes de terre. Il entend alors parler de Charles Rennie Mackintosh. Le futur occupant de Hill House explique en ces termes ce qu'il attend de l'architecte : «Je lui ai dit… que j'avais envie d'un crépi gris pour les murs extérieurs et d'un toit en ardoise ; et que chaque effet recherché en termes d'architecture doit faire partie d'un ensemble et non pas être un ornement accidentel [1]. »

Les pièces principales — salon, bibliothèque et salle à manger — donnent toutes sur la rivière Clyde. La décoration masculine de la bibliothèque et de la salle à manger contraste avec l'atmosphère romantique et féminine qui régit le salon aux murs décorés de peintures au pochoir et de tissus confectionnés sur mesure. Une banquette spacieuse placée sous une fenêtre offre une vue magnifique. Par ailleurs, la maison est dotée d'un confort pratique. Comme Voysey, Prior et d'autres architectes de l'époque, Mackintosh est un créateur pragmatique qui prévoit toutes les pièces nécessaires pour les domestiques et répond à tous les besoins d'une famille : à l'annonce d'un nouvel héritier chez les Blackie, alors que la construction de Hill House

est en cours, Mackintosh ajoute une chambre d'enfant. L'enchantement quasi magique qui se dégage à l'intérieur de la maison est associé à une compréhension réelle des exigences et des désirs de ses occupants dans leur vie quotidienne.

Au vu d'une telle réussite, il peut sembler curieux que Charles Rennie Mackintosh ne se soit vu confier que deux commandes d'habitations importantes — celle-ci et Windyhill à Kilmacolm — et que sa carrière d'architecte se soit mise à décliner après les travaux d'agrandissement de l'École d'art de Glasgow.

Si Mackintosh a pu se sentir incompris à son époque, son travail a eu un énorme retentissement à l'étranger et fit beaucoup d'adeptes. À l'heure actuelle, il est sans conteste reconnu comme une figure marquante d'une architecture nouvelle et les objets de style Mackintosh sont très recherchés.

1. James Macaulay, *Hill House, Charles Rennie Mackintosh*, Phaidon, 1994.

rez-de-chaussée

1 entrée
2 bibliothèque
3 salon de réception
   et de musique
4 salle à manger
5 vestiaire
6 hall
7 office
8 cellier
9 cuisine
10 blanchisserie
11 laverie

premier étage

1 chambre
2 salle de bains
3 pièce des enfants
4 dressing
5 office
6 pièce de rangement
7 vide sur le hall

combles

1 chambre
2 salle de bains
3 débarras
4 salle de classe

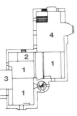

HILL HOUSE

L'horloge de l'entrée, les lampes à gaz et les chaises à haut dossier sont quelques-unes des pièces du mobilier dessinées par Mackintosh pour la maison.
Les propriétaires, respectant cet aménagement global, se sont permis peu d'écarts. Néanmoins, la salle à manger lambrissée accueille leurs propres meubles.

1905

EDWARD PRIOR

VOEWOOD HOLT, NORFOLK, GRANDE-BRETAGNE

Voewood est une demeure enracinée dans son environnement. Depuis toujours, Edward Prior, son architecte, s'intéresse à l'utilisation de matériaux locaux et à l'intégration d'éléments régionaux, sans jamais perdre de vue la faisabilité et les coûts. C'est ainsi qu'il fait creuser une gigantesque tranchée pour récupérer les matériaux — pierres, sable et gravillons — qui vont servir à l'édification de la maison, cette excavation permettant ensuite de créer des jardins en contrebas. Nées de la terre, les formes fluides de Voewood s'inscrivent parfaitement dans le paysage avec ses jardins et ses bâtiments annexes.

Pionnier du mouvement Arts & Crafts, Prior préfère mettre en avant le talent des maçons et des artisans, toujours prêts à promouvoir leur savoir-faire,

plutôt que le sien. Puisant son inspiration chez Norman Shaw, Philip Webb, William Morris et John Ruskin, il s'affirme comme un architecte progressiste, expérimental, et toujours en recherche de solutions structurelles.

Voewood est l'une des premières maisons construites en Grande-Bretagne en béton armé (fabriqué avec le sable et le gravier piochés dans le sol) : fondations, murs, poutres de soutènement et planchers. Les façades sont recouvertes de divers matériaux : silex du pays, brique, grès de Sandringham et tuiles minces en terre cuite du Cambridgeshire souvent disposées en chevrons autour des fenêtres ou plaquées sur les hautes souches de cheminée. Pour le plan de la maison, Prior a choisi une disposition en X, ou en ailes de papillon, en usage sous le règne d'Édouard VII. Une structure qu'il a déjà utilisée pour une commande antérieure, The Barn, réalisée en 1896 dans le Devon et qui deviendra très en vogue parmi les architectes du mouvement Arts & Crafts.

L'agencement intérieur est d'une grande créativité. La vaste pièce principale à double hauteur de plafond — le Hall si cher aux représentants de l'Arts & Crafts — est située au cœur du bâtiment avec son entrée orientée à l'ouest. Chacun des quatre niveaux a été réalisé avec un extraordinaire goût artistique, que l'on retrouve même dans les pièces servant d'office, de garde-manger, de buanderie et de cellier situées à l'arrière de la maison.

Rebaptisée « Home Place » pendant un certain temps, Voewood a été commandée à Edward Prior par le pasteur Percy Lloyd et sa femme. De santé fragile, cette dernière comptait bénéficier de l'air pur apporté par les brises du nord du Norfolk. Curieusement, Mrs Lloyd n'aima guère cette propriété, pourtant considérée, avec l'église St Andrew à Roker, comme l'une des plus belles réalisations de l'architecte. Les Lloyd la mirent en location.

Plus tard, les bâtiments seront transformés en école de garçons, en petit hôpital, puis en maison de retraite, une partie du domaine étant réservée à l'installation d'un complexe hospitalier. Voewood a été rachetée en 1998 par Simon Finch, un spécialiste de livres anciens, qui l'a restaurée avec minutie et lui a rendu sa vocation originelle de maison familiale tout en l'ouvrant au public. Les jardins, les greniers, les pièces semi-enterrées donnant sur les jardins ont retrouvé leur splendeur et

sont un témoignage de l'ampleur de la vision architecturale d'Edward Prior et de son extraordinaire œil d'artiste, attentif au moindre détail.

Aucun espace n'est perdu dans cette maison ingénieuse où chaque détail a été étudié avec soin : les zones triangulaires qui forment le départ des ailes accueillent chacun un escalier hélicoïdal à base carrée, ce qui permet deux arrivées au premier étage.

La maison est conçue pour faire la part belle aux relations avec les jardins, y compris celui clos de murs sur la façade est, ainsi qu'avec les deux vérandas, ou « cloîtres », qui ouvrent sur la grande terrasse surplombant les jardins. La configuration en ailes de papillon permet de faire entrer un maximum de lumière naturelle dans le bâtiment par les fenêtres, disposées souvent de chaque côté des pièces principales. Les ouvertures percées dans le mur du palier au premier étage (ci-dessous à gauche) donnent sur le grand hall, rappelant ainsi la tribune médiévale des musiciens.

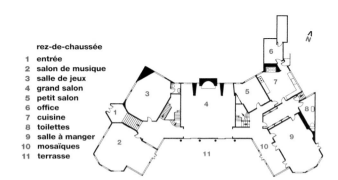

rez-de-chaussée
1 entrée
2 salon de musique
3 salle de jeux
4 grand salon
5 petit salon
6 office
7 cuisine
8 toilettes
9 salle à manger
10 mosaïques
11 terrasse

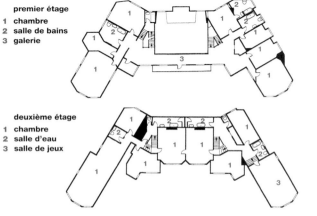

premier étage
1 chambre
2 salle de bains
3 galerie

deuxième étage
1 chambre
2 salle d'eau
3 salle de jeux

VOEWOOD

1906

CHARLES VOYSEY

THE HOMESTEAD FRINTON-ON-SEA, ESSEX, GRANDE-BRETAGNE

Références au passé et recherche de l'innovation sont les maîtres mots — contradictoires *a priori* — qui animent le mouvement Arts & Crafts. Charles Voysey est l'un des plus sûrs représentants de cette « école » architecturale. Il a bâti nombre de demeures magnifiques qui témoignent de cette combinaison : techniques artisanales, qualité d'exécution pré-victoriennes et conception progressiste réunies dans une pensée cohérente.

Ses réalisations conçues pour un siècle nouveau sont imaginées et réalisées avec une grande attention portée aux détails et au contexte, intégrant une gamme élaborée d'idées artistiques et de motifs décoratifs.

Sa modernité se voit dans l'utilisation de la lumière naturelle, dans la fluidité de l'agencement des pièces et aussi, à l'occasion, dans l'apport, toujours retenu, d'une technologie moderne à condition qu'elle ne nuise pas aux techniques artisanales ou à l'esthétique. Il apporte la même sophistication aux logements des domestiques et aux pièces de service, partie intégrante du plan de la maison dès les premières esquisses.

La beauté de ses demeures provient d'un grand sens de la retenue et de la simplicité. Une simplicité bien loin des motifs complexes qui ornent les papiers peints dont il est l'auteur reconnu et qui font dire à certains qu'ils ont favorisé l'émergence de l'Art nouveau.

Chacune des propriétés imaginées par l'architecte est indéniablement fonctionnelle. Tout, des poignées de porte aux rangements en passant par les gouttières et les conduits de ventilation, a été soigneusement pensé, et concrétisé ensuite en utilisant des matériaux simples et naturels. Ceci est particulièrement vrai pour The Homestead, projet commandé par Sydney Claridge Turner, directeur d'une compagnie d'assurances à Londres, qui lui donne carte blanche. Ce célibataire désire une résidence secondaire à Frinton, en bord de mer, qui lui permette d'aller à pied au golf voisin et de recevoir ses amis. Le site retenu est un

terrain d'angle situé dans un quartier de demeures opulentes. Le cœur de la maison se trouve au point le plus élevé, le long de Second Avenue, tandis que les pièces de service — cuisine, office et petites chambres à l'étage — suivent la pente douce.

Une grande partie du rez-de-chaussée est occupée par un vaste séjour sans cloisons, le salon bénéficiant de la lumière naturelle venant des fenêtres de part et d'autre de la pièce et d'un oculus qui ouvre vers la mer. L'un des murs accueille une grande cheminée entourée de carreaux en céramique, décorés d'oiseaux pour certains. L'autre côté de la pièce conduit à une véranda qui ouvre sur l'extérieur et permet un point de vue abrité sur le jardin.

L'ingéniosité et la réflexion portée à l'agencement intérieur sont remarquables. La plupart du mobilier

Une partie du terrain est légèrement en pente, caractéristique que Voysey met à profit par un plan en « L » déformé, parallèle aux deux rues adjacentes, avec un jardin créé à l'arrière.

Partout, on retrouve la même attention aux détails : de la boîte aux lettres en forme de cœur aux poignées et verrous qui ornent chacune des portes intérieures en bois.

est fait sur mesure avec de vastes rangements prévus dans l'ensemble de la maison. Chaque centimètre carré est parfaitement optimisé. La salle à manger de forme octogonale, en partie lambrissée, est agrémentée de placards profonds qui accueillent les services en porcelaine, l'argenterie, les verres et autres objets pour la table.

The Homestead est l'une des réalisations de Charles Voysey (avec The Orchard, sa propre maison) qui montrent le savoir-faire de l'architecte de la plus belle manière. La demeure spacieuse et aérée, chaleureuse, témoigne de sa maturité, de son inventivité et de son ingéniosité à résoudre les problèmes que pose toute construction. Tout cela en gardant une retenue et une belle simplicité.

Les pièces sont
spacieuses et bien
éclairées. Même la
cheminée est munie de
deux petites fenêtres
pour lui ôter tout côté
sombre. Les grilles
de ventilation sont
un modèle déposé
de Voysey, décoré de
motifs d'oiseaux et
d'arbres.

rez-de-chaussée

1 porche d'entrée
2 hall
3 salle à manger
4 salon
5 véranda
6 toilettes
7 vestiaire
8 office
9 cuisine
10 arrière-cuisine
11 cellier
12 garde-manger
13 cave à bois et à charbon

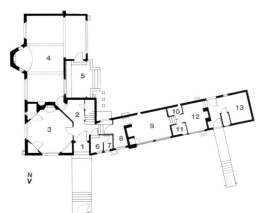

N
V

premier étage

1 chambre
2 dressing
3 salle de bains
4 toilettes
5 salon/bureau

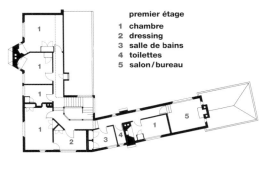

THE HOMESTEAD

51

L'attention portée aux détails et la qualité de la mise en œuvre sont la marque de fabrique de Charles et Henry Greene. Pour la Maison Gamble, l'idée fut de bâtir une maison intégrée au paysage et réalisée par les meilleurs artisans, avec un grand souci de la finition. Le résultat : une demeure au caractère unique jusque dans les moindres détails où chaque élément est fait sur mesure — mobilier, luminaires, jusqu'aux tapis qui recouvrent les sols.

À bien des égards, comme William Morris et John Ruskin avant eux, les Greene, partisans du mouvement Arts & Crafts, rejettent production de masse et industrialisation au profit de l'inventivité. La Maison Gamble est un mélange d'Arts & Crafts, de chalet suisse et d'influences

japonaises. Elle semble effectuer au niveau du style un retour en arrière, à l'âge préindustriel. Mais la Maison Gamble est aussi résolument tournée vers l'avenir. Les deux architectes, s'ils trouvent leur inspiration dans le passé, veulent néanmoins créer une architecture américaine pour le XXᵉ siècle, dans laquelle se retrouvent, harmonieusement mêlées, la beauté des matériaux naturels et la modernité domestique, qui n'oublie ni l'électricité, ni l'interphone, ni la cuisine dernier cri.

« Repartons de zéro, s'est exclamé un jour Charles Greene. Utilisons la brique, la pierre, le bois et le plâtre : des matériaux courants, simples et bon marché. Laissons-les apparents... Pourquoi vouloir les cacher ? Révéler la beauté de ces matériaux communs, voilà la véritable œuvre d'art [1]. »

C'est cette philosophie qui prévaut pour la construction des 750 m² sur trois niveaux. Les caractéristiques extérieures — charpente en bois pour le toit, bardeaux de séquoia pour les murs — en font probablement le plus beau spécimen américain d'une demeure Arts & Crafts. L'intérieur a été aménagé par les Greene, mais aussi par les artisans de la Peter Hall Manufacturing Company qui ont confectionné la plupart du mobilier. Certains objets ont été réalisés par le pionnier américain du mouvement Arts & Crafts, Gustav Stickley. Les fenêtres en vitrail sont l'œuvre d'Emil Lange.

Leurs clients, David Gamble, fils du fondateur de la compagnie pharmaceutique Procter & Gamble, et son épouse Mary, souhaitent faire bâtir une résidence d'hiver à Pasadena. La région, surnommée Little Switzerland (Petite Suisse) en raison de son air pur aux propriétés réputées curatives, leur semble idéale. Ils rachètent les terrains attenants au leur, sur lesquels ils font planter des orangers afin de couvrir les effluves d'une porcherie voisine !

Tout en bois, la maison tire parti de la ventilation naturelle et de larges toitures débordantes pour mieux faire barrière

à la chaleur. Une série de terrasses, couvertes de porches prolongeant les chambres à l'étage, offrent des vues sur le canyon Arroyo Seco.

À l'intérieur, la lumière naturelle, filtrée par le verre coloré des fenêtres, est complétée par un éclairage électrique qui avait pourtant, à l'époque, la réputation de présenter un danger pour la santé. Si la maison s'ouvre largement sur son environnement, les frères Greene ont su préserver l'intimité des occupants grâce à un aménagement de l'espace intérieur compartimenté, mais flexible.

Dans les années quarante, Cecil et Louise Gamble, les héritiers de David et Mary, prennent la décision de vendre la Maison Gamble. Sur le point de signer l'acte notarié, ils entendent le futur propriétaire déclarer qu'il compte la repeindre entièrement en blanc. Choqués, ils renoncent à la vente. Quelques années plus tard, ils font don de la propriété à la Ville de Pasadena et à l'université de Caroline du Sud. Classée Monument historique, la Maison Gamble reste pratiquement inchangée depuis l'époque de sa construction. Elle représente toujours la maison américaine idéale, conçue comme un tout, ergonomique, réalisée superbement dans les moindres détails.

1. Linda G. Arntzenius, *The Gamble House*, University of Southern California, School of Architecture, 2000.

Les toitures débordantes protègent la maison de la chaleur et servent aussi d'auvent à une série de porches surélevés qui prolongent les chambres principales au premier étage, formant de véritables espaces de repos extérieurs. Le dernier étage, discrètement en retrait, abrite une salle de billard.

À l'intérieur aussi, le bois règne en maître, avec l'utilisation de près d'une dizaine d'essences différentes, choisies pour leurs couleurs et leurs caractéristiques propres.
Chaque pièce de bois est adoucie par des angles arrondis, et personnalisée par des motifs déclinés à l'infini. Les assemblages sont laissés apparents pour révéler clairement le savoir-faire des artisans.

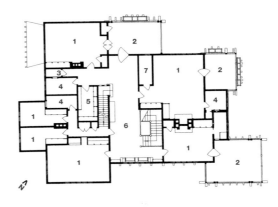

à gauche :
rez-de-chaussée

1 entrée
2 hall
3 cuisine
4 porche d'entrée
5 salle à manger
6 office du maître d'hôtel
7 chambre froide
8 cabinet
9 vestiaire
10 chambre d'amis
11 salle de bains
12 toilettes
13 fumoir
14 salon
15 terrasse

à droite :
premier étage

1 chambre
2 terrasse couverte
3 toilettes
4 salle de bains
5 lingerie
6 hall
7 cabinet

MAISON GAMBLE

Bien avant l'arrivée aux États-Unis de Walter Gropius, Ludwig Mies van der Rohe et Marcel Breuer, Rudolph Schindler entreprend une véritable révolution architecturale sur la côte Ouest. La maison qu'il dessine pour son propre usage, située à Los Angeles sur North King Road est de fait la première et véritable maison moderne américaine. Elle rompt avec toutes les traditions et pose les nouveaux fondements de l'architecture et du design. La Maison Schindler bouleverse toutes les règles de la construction en vigueur à l'époque et ouvre la voie à un nouvel idéal en architecture.

Après avoir travaillé pour Frank Lloyd Wright et supervisé pour lui l'édification de la Maison Barnsdall à Los Angeles (Maison Hollyhock), Schindler ouvre son propre cabinet d'architecture et envisage de bâtir sa maison. Sa femme Pauline et lui-même sont très amis avec Clyde Chace, un ingénieur et son épouse, Marian. Au point qu'ils décident de construire ensemble une propriété bon marché sur un grand terrain, en utilisant le béton, le verre et le bois comme matériaux et en appliquant les récentes techniques de préfabrication.

« L'idée de départ, écrit Schindler, fut d'oublier la distribution classique pour que chacun ait son propre espace. Il fallait aussi pouvoir préparer l'essentiel des repas sur une table, donnant ainsi à cette tâche quotidienne un aspect improvisé plutôt qu'un fardeau qui incomberait à une seule personne de la maisonnée [1]. »

La maison est construite sur un seul niveau avec trois espaces distincts qui partent d'une cheminée centrale. Les quatre occupants possèdent chacun un atelier qui se combinent pour créer un appartement pour chaque couple. La troisième partie est réservée aux pièces communes : cuisine, buanderie et autres pièces utilitaires. Elle accueille aussi une chambre d'amis et un garage. Comme le décrit Schindler, «les pièces ont la superficie d'un grand atelier avec trois

La Maison Schindler offre une fluidité d'espace remarquable. Les pièces principales sont prolongées par des patios et des vérandas. Chacun des «appartements» est orienté vers son côté du jardin paysager, lui-même conçu comme une série de pièces à vivre en plein air. Cette idée est renforcée par deux chambres à ciel ouvert sur le toit, protégées par un simple auvent de toile.

murs de béton et le quatrième en verre, qui ouvre en façade sur l'extérieur. Un arrangement parfait pour la Californie [2]. »

La construction offre la possibilité à chaque occupant de s'isoler dans un espace qui lui est propre, mais aussi de retrouver les autres membres de la maisonnée. Faisant fi de toutes les conventions, la Maison Schindler est le symbole d'une libération sociale, qui respecte la liberté individuelle de chaque résident et son envie ou non de se « socialiser », tout en gardant un lien avec la nature extérieure.

Même si cette demeure hors normes attire nombre de visiteurs et amis, sa réussite architecturale ne sera pas immédiatement reconnue à sa juste valeur. Pourtant, c'est une construction pionnière dans laquelle on retrouve l'influence de Frank Lloyd Wright, de l'architecture japonaise et aussi d'un

séjour des Schindler dans un… camping dans le parc national de Yosemite.

La Maison Schindler, véritable prototype d'un nouveau style de maison américaine, va influencer durablement les générations suivantes de maisons « modernistes » en Californie, jusqu'au programme des Case Study lancé après la Seconde Guerre mondiale — un projet expérimental de réalisation de maisons économiques mis en place pour faire face à la crise du logement — et même au-delà.

1. Kathryn Smith, *Schindler House*, Harry N. Abrams, 2001.
2. *Ibid.*

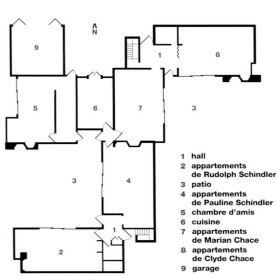

1 hall
2 appartements de Rudolph Schindler
3 patio
4 appartements de Pauline Schindler
5 chambre d'amis
6 cuisine
7 appartements de Marian Chace
8 appartements de Clyde Chace
9 garage

1929

AUGUSTE PERRET

ATELIER-RÉSIDENCE POUR CHANA ORLOFF PARIS, FRANCE

Auguste Perret est l'un des grands architectes novateurs de son temps. « Il joue un rôle, raconte Le Corbusier au sujet de son mentor. Il proclame à chaque visiteur qui vient à son atelier : "Je fais du béton armé". Cette petite phrase claque dans son bureau, comme la salve d'un canon ou comme un drapeau dans le vent [1]. »

À l'instar de Frank Lloyd Wright en Amérique, Auguste Perret est à cheval sur deux époques totalement différentes en termes d'architecture, entre lesquelles il assure la transition. Les fondations de cette architecture, qui deviendra le Mouvement moderne, sont réalisées — littéralement — avec du béton, matériau brut, salissant et prosaïque. Perret décide de le transformer en une matière poétique et raffinée, traçant ainsi le chemin de la libération des formes, tout en restant guidé, à bien des égards, par les principes classiques. Auguste Perret teste ses théories, surtout dans la période qui suit la Première Guerre mondiale, dans nombre de bâtiments industriels. Bientôt, il les applique pour des bâtiments institutionnels, des églises et des maisons particulières. Il conçoit ainsi une série d'ateliers-résidences avant-gardistes pour les intellectuels et les artistes qu'il fréquente : le peintre Georges Braque, l'affichiste Cassandre et le sculpteur Chana Orloff parmi d'autres.

Chana Orloff est née dans une famille juive d'Ukraine qui, fuyant les pogroms, émigre en Palestine alors qu'elle a 18 ans. Elle emménage à Paris en 1910, où elle étudie la sculpture et fait la connaissance de Modigliani et Soutine qui deviennent ses amis. Picasso, Matisse et les architectes Pierre Chareau et Auguste Perret poseront pour elle.

Son mari, le poète Ary Justman, meurt en 1919 de la grippe espagnole, deux ans seulement après leur mariage, la laissant avec un fils âgé d'un an. Elle devient une artiste figurative reconnue au cours des années 1920 et expose son travail en France et à l'étranger.

Chana Orloff demande à Auguste Perret de lui construire une habitation à l'ouest du parc Montsouris, dans le XIVe arrondissement de Paris, un quartier où vivent déjà de nombreux artistes, dont Braque.

L'architecte dessine un bâtiment sur trois niveaux, à l'ossature en béton armé, avec une façade cubiste uniforme que certains ont comparée aux traits d'un visage. La superficie est modeste : 62 m². Le rez-de-chaussée bénéficie de grandes portes d'entrée, pratiques pour faire entrer et sortir œuvres et matériaux. On pénètre dans une vaste pièce à double hauteur de plafond, avec une mezzanine éclairée par de larges pans de verre. L'appartement se trouve au deuxième étage : le salon donne sur la rue et bénéficie de la lumière naturelle fournie par une immense verrière zénithale. Les deux chambres sont à l'arrière.

L'ossature en béton armé à l'esthétique semi-industrielle libère les espaces intérieurs, dégageant le volume idéal pour créer un atelier et une galerie. Aujourd'hui banalisé par les espaces artistiques contemporains, cet agencement épuré est plutôt révolutionnaire pour l'époque, surtout avec sa façade moderniste abstraite.

Malheureusement, Chana Orloff doit quitter Paris et la villa Seurat lors de l'invasion allemande en 1940, pour se réfugier en Suisse. De retour à Paris après la guerre, elle aura la mauvaise surprise de découvrir que son atelier a été saccagé et bon nombre de ses œuvres détruites. L'expérience traumatisante qu'elle a vécue devient une source d'inspiration pour son travail : ses œuvres aborderont le thème du retour d'exil. Elle réintègre sa maison qu'elle occupe entre ses multiples voyages entre la France et Israël où elle décède en 1968.

1. Karla Britton, *Auguste Perret*, Phaidon, 2001.

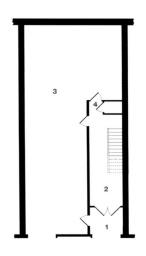

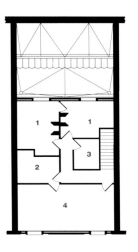

à gauche : rez-de-chaussée

1 entrée
2 galerie
3 atelier
4 toilettes

à droite : premier étage

1 chambre
2 cuisine
3 salle de bains
4 galerie d'exposition

ELIEL SAARINEN

MAISON SAARINEN CRANBROOK, BLOOMFIELD HILLS, MICHIGAN, ÉTATS-UNIS

Eliel Saarinen a contribué au monde de l'architecture et du design à plus d'un titre. Comme architecte et designer d'abord, avec de nombreux immeubles et intérieurs dans son pays natal, la Finlande, avant son arrivée aux États-Unis dans les années 1920. Ensuite, comme mentor et associé de son fils, Eero Saarinen, qui jouera un rôle de premier plan dans le mouvement moderne américain. Enfin, comme professeur pédagogue de la Cranbrook Academy of Art — dont il participa d'ailleurs à la création —, une école inspirée de celle du Bauhaus, qui devient un centre d'excellence pluridisciplinaire en matière de design. Florence Knoll, Harry Bertoia, Charles et Ray Eames comptent parmi ses anciens élèves.

Architecte en chef des projets de bâtiments scolaires de la ville de Cranbrook et responsable du département d'architecture et d'urbanisme, Saarinen dessine les plans de deux lycées, d'un institut de science et d'un musée d'art sous le patronage du philanthrope et magnat de la presse, George G. Booth. C'est sur ce campus de Cranbrook de 127 hectares que l'architecte va construire sa magnifique demeure familiale.

À l'instar de celles de Greene et Greene (voir p. 52) et de Mackintosh (voir p. 40), la Maison Saarinen est le résultat d'un projet conçu dans une globalité architecturale — une véritable œuvre d'art totale.

La maison de Loja et Eliel Saarinen a été pensée pour s'inscrire dans leur environnement professionnel — Loja, designer de textiles, dirige le département du Weaving and Textile Design qu'elle a fondé.

La construction est un mélange d'inspiration Arts & Crafts et Art déco, revu par le talent de Saarinen, par les imprimés de Loja et même par le travail de leur fils. De l'extérieur, le bâtiment en forme de « U » sur deux niveaux en briques est tout à fait Arts & Crafts avec ses deux ailes qui

Les lignes Arts & Crafts de la maison sont adoucies par la multitude des plantes grimpantes et des arbres qui l'enveloppent dans un manteau de verdure.
L'atelier et la véranda se font face et créent une cour intérieure ouverte sur laquelle donnent les pièces principales qui bénéficient ainsi d'un calme bienfaisant.

protègent la cour, conçue comme une pièce supplémentaire. En revanche, à l'intérieur, on retrouve dans les pièces l'influence Art déco dans ses aspects les plus débridés.

Les espaces de vie importants sont placés sur le devant de la maison : le salon, immense pièce de réception, ouvre sur l'entrée principale. À l'arrière, une des ailes de la demeure abrite une véranda. Dans l'autre aile, un atelier voûté sert de local de travail au couple ou, en cas de besoin et vu sa longueur, de pièce de réception.

Eliel et Loja Saarinen demandent à leur fils Eero, âgé de 20 ans, de concevoir la plupart du mobilier de la chambre principale au premier étage. La salle de bains attenante est un exemple parfait d'ornement Art déco.

De bien des manières, la maison des Saarinen sera le cœur du campus. Le couple l'habite jusqu'au début des années cinquante avant qu'elle ne devienne la résidence des présidents qui se succéderont à la Cranbrook Academy. Au début des années quatre-vingt-dix, la maison est entièrement restaurée et ouverte au public.

La demeure des Saarinen est l'incarnation d'un mélange d'inspirations Arts & Crafts et Art déco, mais aussi d'architecture traditionnelle finlandaise et d'une approche extrêmement innovante des structures et de l'espace. En cela, elle est clairement le précurseur du Mouvement moderne, ainsi qu'un modèle pour le jeune Eero Saarinen. Aujourd'hui nichée dans un écrin de végétation exubérante, la Maison Saarinen montre qu'elle a été une « entreprise familiale » d'une grande harmonie.

rez-de-chaussée
1 salon
2 salle à manger
3 office
4 cuisine
5 porche d'entrée
6 atelier

< N

Un long tapis, dessiné par
Loja Saarinen, conduit à la
cheminée du séjour.
La bibliothèque adjacente
est une pièce plus
intime tandis que la
salle à manger, de forme
octogonale, située au
centre de la maison, est
entièrement lambrissée.
L'alcôve, située à
l'extrémité de l'atelier
multifonctionnel, sert de
petit salon.
Les meubles en ébène,
noyer et bois de rose du
séjour ont été conçus par
Eliel Saarinen et réalisés
sur place à Cranbrook
par l'ébéniste suédois Tor
Berglund.

1931

LE CORBUSIER

VILLA SAVOYE POISSY, FRANCE

Pour beaucoup, Le Corbusier fut la figure de proue de l'architecture du XXe siècle, celui qui refaçonna entièrement notre perception de la forme et de l'espace. Il passe pour avoir redéfini l'architecture et articulé le Mouvement moderne aussi bien avec des édifices qu'avec des mots, mais il est également critiqué pour les occasionnels excès du mouvement dans ses phases les plus brutalistes. Quel que soit le regard qu'on lui porte, il est, avant tout, l'architecte moderniste par excellence.

La Villa Savoye, elle aussi, occupe une place privilégiée au sein des icônes familières du modernisme. Elle représente le point culminant d'une série de villas parisiennes réalisées par Le Corbusier dans les années 1920, la plupart en association avec son cousin Pierre Jeanneret. Parfaite expression de la villa « puriste », la Villa Savoye incarne les « Cinq points de l'architecture moderne » formulés par Le Corbusier, avec ses pilotis, son toit-terrasse, son plan libre, ses fenêtres en bandeaux et son mur-rideau (plusieurs de ces points étant rendus possibles par l'utilisation d'une structure en béton armé, supprimant la contrainte des murs porteurs).

Le plan extrêmement dynamique fait usage d'un escalier en colimaçon et de rampes d'accès intérieures curvilignes. Les schémas de circulation créatifs, les contrastes entre espaces ouverts et fermés, l'absence de limites entre extérieur et intérieur créent une impression de « promenade », jalonnée de multiples découvertes.

La villa avait été commandée par Pierre et Eugénie Savoye, qui habitaient Paris et désiraient une résidence secondaire. « Cette villa a été construite dans la plus grande simplicité, écrit Le Corbusier, pour des clients totalement dépourvus d'idées préconçues, ni modernes ni anciennes[1]. » Madame Savoye, toutefois, établit des critères très explicites, exigeant notamment des pièces réservées au service et aux invités.

Le Corbusier décrivait la maison comme une « boîte en l'air ». Les principaux espaces d'habitation occupent le niveau supérieur de la structure sur pilotis, optimisant ainsi les vues sur le paysage environnant. La rampe, qui traverse la maison et fait pendant à l'escalier, se prolonge au-delà du toit-terrasse de l'étage pour gagner un niveau supérieur plus modeste, abritant un solarium ombragé par des murs courbes.

Malheureusement, la maison prit l'eau et souffrit d'une humidité permanente, entre autres problèmes qui dégradèrent les relations entre l'architecte et ses clients. Il fut même question de poursuites judiciaires avant que la guerre ne vînt tout interrompre, laissant la maison à l'abandon. Ayant subi quelques dommages pendant les années de guerre, elle fut menacée de démolition avant d'être classée Monument historique en 1964.

La Villa Savoye est, bien sûr, beaucoup plus qu'une machine à habiter. C'est une œuvre d'art extrêmement travaillée en même temps qu'une maison ergonomique et fonctionnelle. C'est aussi le prototype d'un lieu sacré, voué à un nouveau mode de vie. « J'ai toujours gardé la même préoccupation à l'esprit, écrira Le Corbusier à la fin de sa vie. Rendre la famille sacrée, faire de la maison familiale un temple[2]. »

1. Jacques Sbriglio, *Le Corbusier : La Villa Savoye*, Birkhäuser, 2008.
2. D'après Le Corbusier, *Mise au point*, Forces vives, 1966.

La Villa Savoye — avec sa silhouette rectiligne, ses fins piliers ordonnés, ses vitrages horizontaux et ce qui ressemble à d'immenses tuyaux émergeant du toit — est souvent considérée comme le chef-d'œuvre de l'âge moderne.

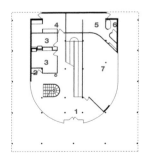

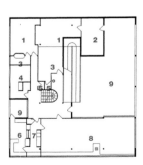

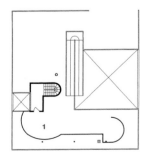

à gauche :
rez-de-chaussée

1 hall d'entrée
2 toilettes
3 chambre de bonne
4 blanchisserie
5 chambre du chauffeur
6 salle de bains
7 garage

au centre :
premier étage

1 chambre
2 boudoir
3 salle de bains
4 chambre d'amis
5 toilettes
6 cuisine
7 office
8 salle de séjour
9 terrasse

à droite :
deuxième étage

1 solarium

Le bâtiment « puriste »
se distingue par ses
aménagements et son
mobilier intégrés. La
baignoire encastrée de la
salle de bains principale se
double d'une méridienne
carrelée fixe dont la forme
rappelle la célèbre chaise
longue de Le Corbusier et
Charlotte Perriand, créée
à peu près à la même
époque.

1931

ARNE JACOBSEN

MAISON ROTHENBORG KLAMPENBORG, DANEMARK

À la fin des années 1920, Arne Jacobsen a le regard tourné vers le futur. Nourri de néoclassicisme scandinave et de style vernaculaire, à l'instar du Finlandais Alvar Aalto, il ressent le besoin de s'affranchir des formes traditionnelles. Lors de voyages à Paris et Berlin au milieu de la décennie, il découvre les travaux de Le Corbusier, Walter Gropius et Mies van der Rohe, qui lui ouvrent des perspectives nouvelles.

En 1929, Jacobsen construit à Charlottenlund la première de ses propres maisons, un bâtiment à toit plat aux lignes épurées. Peu après, en collaboration avec Flemming Lassen, il poursuit par un exercice futuriste pour une exposition à Copenhague sur le thème de la « maison du futur ». Ce projet — une construction circulaire au toit-terrasse aménagé en piste d'hélicoptère — est l'un des premiers qui lui donneront l'occasion de concevoir un bâtiment sous tous ses aspects, intérieur et mobilier compris. Son prototype aussi expérimental qu'insolite fait sensation et lui vaut une série de commandes.

La première est la Maison Rothenborg, à Klampenborg, petite ville côtière à quelques kilomètres au nord de Copenhague, bordée par le détroit du Sund qui sépare le Danemark de la Suède. L'avocat Max Rothenborg et sa femme demandent à Jacobsen une grande villa dans l'esprit le plus novateur de la modernité scandinave.

Avec la Maison Rothenborg, Jacobsen explore l'idée d'art total ; il est particulièrement séduit par la démarche, chère au mouvement Arts & Crafts et à des designers comme les frères Greene, d'envisager le bâtiment comme un tout harmonieux dont chaque détail ou presque doit être dessiné par l'architecte lui-même. Ce projet, comme d'autres par la suite, le voit donc appliquer ses talents à la création du mobilier, des éclairages et autres éléments selon un processus global, dynamique et totalement intégré.

Pour la construction proprement dite, Jacobsen dessine une structure complexe alternant les volumes à un et deux niveaux dans un plan en « U ». À l'avant, la maison s'ouvre sur le jardin ; un étagement de terrasses disposées sur le toit et sur des rehaussements de terrain renforce l'impression de continuité avec le paysage, tandis que les sculpturales formes blanches du bâtiment se détachent sur l'arrière-plan boisé. La façade arrière est plus discrète et intime ; l'aire d'entrée et l'allée d'accès s'inscrivent dans le creux du U formé d'un côté par le garage et de l'autre par un corps de bâtiment à étage.

La Maison Rothenborg est la plus grosse commande du début de carrière de Jacobsen. Il y trouve la liberté nécessaire pour développer une vision futuriste à travers un design très élaboré, et amorce à cette occasion une réflexion sur la relation entre structure et environnement (bâtiment, intérieurs et paysage) qui suscitera de nouvelles commandes et qu'il poussera plus avant dans ses projets ultérieurs.

Quelque peu transformée au fil des ans, la maison a fait l'objet d'une restauration attentive. Ainsi rénovée, elle incarne l'expérimentation audacieuse d'une esthétique moderniste conjuguant beauté des lignes et précision fonctionnelle, et consacre Jacobsen comme l'une des figures dominantes de ce mouvement : un pionnier du design scandinave dont les créations apportent encore une touche contemporaine aux intérieurs du XXIᵉ siècle.

Les principaux
espaces de vie, qui
communiquent avec
fluidité, occupent un
seul niveau ouvert
sur l'intimité de la
terrasse et du jardin.
Les pièces de service
et les chambres sont
regroupées dans l'aile à
deux niveaux.
Les travaux de
restauration ont
redonné un ton plus
contemporain aux
équipements et au
mobilier tout en
respectant l'intégrité
de la maison.

L'arrière-plan boisé met parfaitement en valeur les volumes extérieurs blancs aux lignes nettes, sculpturales. Les terrasses (dont une sur le toit) et la cheminée d'extérieur créent une continuité naturelle entre le dedans et le dehors. L'entrée principale se trouve dans la partie la plus abritée du bâtiment, encadrée par les deux ailes d'habitation et le garage.

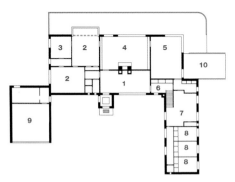

à gauche : rez-de-chaussé

1 hall d'entrée
2 chambre
3 salle de bains
4 salon
5 salle à manger
6 office
7 cuisine
8 chambre de bonne
9 garage
10 jardin d'hiver

au centre :
rez-de-chaussée surélevé

1 terrasse
2 salle de bains
3 chambre

à droite : sous-sol

1 chaufferie
2 cave
3 cave à vins
4 office
5 garde-manger
6 blanchisserie
7 pièce d'étendage

1933

La villa qui a transformé la carrière de Robert Mallet-Stevens fut un véritable coup de chance pour ce jeune architecte peu prolifique, essentiellement connu pour ses décors de films. Le vicomte et la vicomtesse de Noailles avaient initialement porté leur choix sur l'architecte Mies van der Rohe, qui s'était déclaré trop occupé, puis sur Le Corbusier. « Nous demandâmes alors conseil à M. Netman, directeur du musée des Arts décoratifs et ami de longue date de nos deux familles, écrit le vicomte. Il nous répondit sans hésiter que lorsqu'il avait organisé des expositions d'architecture moderne, le seul qui lui paraissait avoir du goût ou de l'imagination était Mallet-Stevens [1]. »

Au début, la commande d'une résidence de vacances dans le Sud de la France semblait relativement modeste — une maison de cinq chambres à construire sur un terrain hérité de la mère du vicomte. Mais la Villa Noailles devint un projet légendaire, qui s'étendit sur une dizaine d'années, n'en finissant pas de s'agrandir jusqu'à compter une soixantaine de pièces.

Les Noailles étaient des clients fascinants, en première ligne de l'avant-garde française et entourés d'un cercle de peintres, sculpteurs et réalisateurs qui séjournaient souvent des mois entiers dans la propriété (Man Ray y tourna même un film, *Les Mystères du château de dé*).

La villa devait occuper un site à flanc de coteau, dominé par les vestiges d'un château. Mallet-Stevens conçut une villa d'influence Art déco à côté des ruines, toute recouverte de crépi et dotée d'une série de terrasses et balcons orientés plein sud. Mais à peine la construction initiale fut-elle achevée que les Noailles réclamèrent des chambres supplémentaires puis une piscine, une salle de gymnastique et un court de squash, ce qui agrandit considérablement l'ensemble.

« Nous nous aimions bien, raconte le vicomte à propos de Mallet-Stevens. Il dessinait des plans que nous approuvions. En toute franchise, je lui trouvais des qualités créatives, mais un

goût trop prononcé pour l'inattendu[2]. »
Le «château cubiste» de Mallet-
Stevens lui valut une grande renommée
professionnelle et le plaça au cœur de
l'activité créatrice de l'époque. Après
cette villa commencée en 1923, il reçut
bien d'autres commandes.

  La villa fut réquisitionnée pendant
la guerre et endommagée. Elle a été
restaurée et abrite aujourd'hui un centre
artistique. Elle demeure un glorieux
exemple de l'architecture Art déco des
années 1920, et rend hommage à la vie
haute en couleur de ses créateurs.

1. Dominique Deshoulières, Hubert Jeanneau,
Maurice Culot, et al., Rob Mallet-Stevens :
Architecte, Archives d'Architecture Moderne,
1981.
2. Ibid.

1 entrée du centre d'art
2 serre
3 salle à manger secondaire
4 salle à manger principale
5 salon de lecture
6 hall d'entrée de la villa
7 salon rose
8 chambre du vicomte
9 chambre de la vicomtesse
10 chambre d'amis
11 salle de gym
12 piscine
13 galerie d'actualité
14 court de squash
15 pataugeoire
16 salles voûtées
17 jardin cubiste

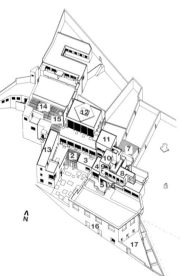

Les Noailles avaient voulu faire de leur villa une sorte de laboratoire d'art et de design. Travaillant en étroite collaboration avec Robert Mallet-Stevens, ils commandèrent des jardins d'inspiration cubiste auprès de Gabriel Guévrékian, ainsi qu'une pièce à ciel ouvert et du mobilier de Pierre Chareau, des sculptures de Giacometti et d'Henri Laurens et des vitraux de Joël et Jan Martel.

Toute sa vie, Berthold Lubetkin aura été fasciné par la capacité de l'architecture à changer la vie. À l'instar de ses confrères émigrés Serge Chermayeff et Erich Mendelsohn, il arrive en Grande-Bretagne dans les années trente avec une expérience déjà riche et une large palette de références et d'influences. Il croit aux effets positifs de l'architecture moderniste sur le bien-être, la santé et la cohésion sociale, et se passionne par ailleurs pour les capacités structurelles de la nouvelle ingénierie civile. L'enseignement d'Auguste Perret, dont il a fréquenté l'atelier à Paris, et la découverte des travaux de Le Corbusier l'ont conforté dans sa démarche.

Auteur de nombreux programmes de logements — dont les luxueux immeubles de Highpoint, à Highgate (Londres), où il crée son propre appartement-terrasse —, c'est néanmoins son travail sur le thème des zoos qui frappe l'imagination du public. Avec l'ingénieur Ove Arup, il construit le célèbre bassin des pingouins du zoo de Londres, très admiré pour ses rampes de béton aux courbes parfaitement fluides.

En marge d'autres commandes, Lubetkin continue de réaliser des bâtiments de zoo, à Whipsnade et à Dudley, comme pour expérimenter les idées et les thématiques qu'il appliquera plus tard à une tout autre échelle. Plébiscitées par les visiteurs, ces créations vont donner à son travail une très large audience. Mais la liberté artistique qu'il en retire sera rognée, dans les années d'après-guerre, par le poids de la bureaucratie et d'un conservatisme étroit. Au point qu'il abandonnera l'architecture. Pendant qu'il travaille à Whipsnade, Lubetkin commence à construire pour lui-même et sa famille une villa (il parle de «datcha») en bordure du parc zoologique. Comme il le fera avec l'appartement-terrasse de Highpoint, il utilise ce projet de modeste maison de week-end et le sentiment de liberté qui s'y attache pour mettre en œuvre ses idées sans esprit de concession. «Quand on est son propre client, dit-il, on peut chanter sa propre chanson [1].»

Sur une hauteur dominant un panorama spectaculaire, il creuse un terre-plein à flanc de colline et y positionne la maison, baptisée Hillfield, de façon à tirer le meilleur parti des superbes vues sur la vallée. Le séjour s'ouvre sur ce paysage, de même qu'une petite loggia en avancée sur la façade principale. La linéarité du plan en T, dont les chambres occupent la partie arrière, est subvertie par le mur courbe qui enveloppe l'aire d'entrée et crée un «piège à soleil» tout en adoucissant la ligne générale du bâtiment.

Il teste aussi certaines des innovations qu'il développera par la suite : par exemple, la plinthe en retrait qui trace une ligne d'ombre à la base des murs, comme s'ils flottaient au-dessus du sol, donnant ainsi à toute la structure une grande impression de légèreté, ou encore le couloir «en fuseau» — desservant ici les chambres — qui se resserre vers son extrémité de manière naturelle plutôt que de buter sur un mur. La décoration d'origine faisait également appel à la couleur, avec des touches de rouge et de bleu.

Lubetkin construit à proximité un second bungalow — le Bungalow B, ou Holly Frindle — à l'intention d'Ida Mann. Variante compacte du premier bâtiment, il suggère le caractère reproductible d'une «datcha» moderniste aux dimensions réduites mais au dessin simple et élégant. Une restauration conduite par Mike Davies et Rogers Stirk Harbour a redonné vie aux deux bungalows.

Lubetkin habitera peu son bungalow. Il aura en tout cas concentré dans le faible volume de cette maison de campagne une quantité d'innovations remarquables.

1. Malcolm Reading et Peter Coe, *Lubetkin and Tecton : An Architectural Study*, Triangle Architectural Publishing, 1992.

Pour une maison aux dimensions aussi modestes, le Bungalow A contient un nombre impressionnant d'innovations. Construit selon une technique d'ossature et panneaux, sa légère surélévation donne l'impression d'une structure flottant au-dessus du sol. L'utilisation occasionnelle de murs courbes, à l'intérieur comme à l'extérieur, adoucit la linéarité d'ensemble.

Le site de construction, en sommet de colline, a été préalablement aménagé par la création d'un terre-plein. La loggia, pourvue d'une cheminée d'extérieur, devient un espace privilégié pour profiter de la vue plongeante. La qualité des espaces extérieurs et la relation entre le dedans et le dehors évoquent davantage le modernisme californien que l'architecture anglaise des années trente.

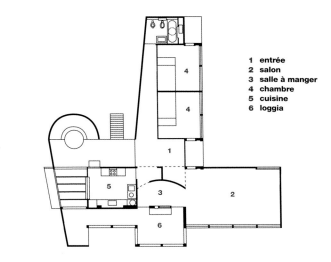

1 **entrée**
2 **salon**
3 **salle à manger**
4 **chambre**
5 **cuisine**
6 **loggia**

1936

SEELY & PAGET

PALAIS D'ELTHAM GREENWICH, LONDRES, GRANDE-BRETAGNE

Le palais d'Eltham est une demeure éblouissante et opulente voulue par les plus éblouissants et opulents des propriétaires. Stephen et Virginia Courtauld ont su y marier l'ancien et le nouveau dans des intérieurs foisonnants de luxeux détails Art déco et dotés des dernières technologies. Ce joyau londonien de l'Art déco s'enorgueillit aussi d'un passé fascinant.

Riche héritier d'un empire du textile, Sir Stephen Courtauld avait choisi de se consacrer à ses propres occupations, dont la direction des studios cinématographiques Ealing, la culture des orchidées et les voyages d'exploration. Il finança une expédition britannique dans l'Arctique, reçut la Military Cross pendant la Première Guerre mondiale et participa à la première ascension de l'arête Sans-Nom, dans le massif du Mont-Blanc.

D'un naturel discret et réservé, il avait épousé une femme extravertie, élégante et raffinée, qui arborait un tatouage de serpent. Ensemble, les Courtauld formaient un couple très en vue de la haute société. Dans les années trente, ils décidèrent de se faire construire une demeure à la mesure de leur fastueux train de vie.

Du règne d'Édouard II à celui de Charles Ier, Eltham fut une résidence royale. Henry VIII passa son enfance dans ce palais alors plus vaste que Hampton Court. Mais après la Guerre civile (1642-1651), l'endroit tomba peu à peu en ruine et sa grande salle fut même utilisée comme écurie de ferme. Il ne restait plus que ce corps de bâtiment lorsque les Courtauld l'acquirent en 1933. Une fois restaurée, la grande salle allait devenir la somptueuse salle de concert du nouveau palais.

Les Courtauld passèrent commande à John Seely et Paul Paget d'un luxeux manoir sur l'emprise du site existant, selon un plan en « U » comprenant la grande salle à l'une de ses extrémités et ouvert sur une vaste aire d'entrée à la jonction des deux ailes. Pour intégrer au mieux le bâtiment ancien, Seely et Paget donnèrent aux extérieurs un aspect Renaissance plus ou moins inspiré de la façade de Hampton Court par Christopher Wren, tout en créant une architecture extrêmement contemporaine. Les intérieurs de la nouvelle construction sont résolument modernes, tout en lignes pures et raffinées d'une beauté limpide. Entre la grande salle médiévale d'Édouard IV, l'architecture hybride et monumentale des extérieurs et l'esthétique « paquebot » des somptueux espaces intérieurs, les contrastes sont saisissants.

Fruit de la collaboration entre architectes, maîtres d'ouvrage et décorateurs, l'aménagement intérieur offre tout le confort qui sied à un palais du XXe siècle : sonorisation par haut-parleurs, téléphone intérieur, chauffage par le sol, centrale d'aspiration avec prises dans toutes les pièces… L'étonnant vestibule d'entrée éclairé par une coupole en verre et béton est l'œuvre du designer suédois Rolf Engströmer, avec des panneaux en marqueterie d'érable de Jerk Werkmäster. La salle à manger ainsi que la chambre et la salle de bains de Virginia Courtauld sont dues au décorateur en vogue de l'époque, Peter Malacrida.

Avec ses portes en laque signées Narini, ses tapis de Marion Dorn et son mobilier intégré Art déco qui préservent les lignes simples et amples des intérieurs, Eltham est un hymne au luxe le plus raffiné. Même le lémurien de compagnie des Courtauld, Mah-Jongg, pouvait y goûter le confort d'une cage sur mesure, chauffée et ornée de peintures de jungle.

Entouré de 8 hectares de jardins paysagers clos de douves, le palais d'Eltham est une éblouissante réinvention d'un site historique. Mais c'est derrière les façades de ce monument hybride que réside toute sa grandeur, avec pour chef-d'œuvre son vestibule aux formes tournoyantes, qui évoque à la fois le meilleur de l'Art déco, l'optimisme de l'avant-guerre et l'avènement d'un mode de vie somptueux mais moderne.

Traitées dans un curieux style « Wrenaissance » (terme forgé sur le nom de Christopher Wren, le grand architecte de la Renaissance anglaise), les façades du palais d'Eltham ne laissent rien soupçonner de l'éblouissante modernité des intérieurs. Les meubles de l'impressionnant vestibule d'entrée sont des copies des modèles créés spécialement par Rolf Engströmer.

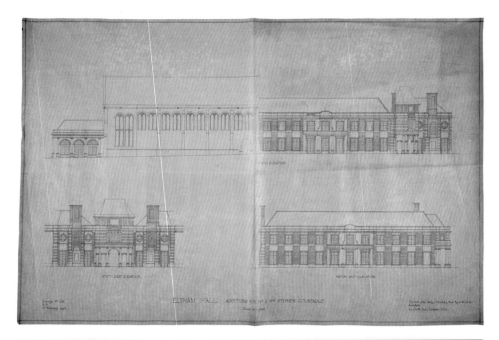

Encadrant la porte d'entrée, les panneaux de marqueterie de Jerk Werkmäster sont baignés de lumière par la coupole sommitale et la longue fenêtre en bandeau qui surplombe l'entrée. Avec ses nombreuses autres pièces de commande, dont la chambre et la salle de bains fastueusement ornées par Peter Malacrida et les portes en laque de Narini, le palais tout entier exhale l'esprit le plus raffiné du luxe Art déco.

1937

GIUSEPPE TERRAGNI

VILLA BIANCA SEVESO, LOMBARDIE, ITALIE

La carrière de Giuseppe Terragni fut aussi brève que riche en réalisations. Elle ne dura que seize ans, pendant lesquels l'architecte fut interrompu par la guerre avant de lui succomber. On a fait grand cas de ses relations avec le régime mussolinien et de la naïveté dont il fit preuve en se liant, par son travail architectural, à l'État fasciste. Mais cela ne doit pas occulter le génie et l'originalité qui caractérisent tout particulièrement ses réalisations résidentielles : en effet, sa triste réputation a fait l'objet d'une réévaluation globale et apolitique, destinée à le placer à l'avant-garde du mouvement moderniste italien.

La plus grande partie de l'œuvre de Terragni a été réalisée à Milan et à Côme, où il établit le siège de son cabinet. Entre ces deux villes repose le village de Seveso — terre natale de la famille Terragni et site de la maison qu'il construisit pour son cousin, Angelo Terragni. La Villa Bianca ne doit pas son nom à sa couleur, car le stuc dont elle était initialement revêtue était rose pâle, mais à la défunte fille du propriétaire.

La villa partage quelques caractéristiques avec la Maison pour un horticulteur de Terragni, une maison édifiée à la même époque pour le fleuriste Amedeo Bianchi, dans la ville proche de Rebbio. Bâtie sur pilotis, elle reprenait le concept moderniste du parallélépipède à toit plat, mais étiré et évidé, doté de rampes d'accès et surmonté d'une loggia donnant sur le paysage environnant. Certaines de ces idées furent expérimentées plus encore dans la Villa Bianca, bien qu'il s'en dégage une impression générale de masse et de solidité plus grande au sein d'une composition et de lignes plus simples et plus équilibrées.

Par certains égards, il s'agit d'une maison à deux facettes. À l'avant, Terragni créa une longue terrasse surélevée menant à un hall d'entrée central ; la salle à manger latérale se détache du bâtiment principal, encadrée

Plus on observe le profil et la composition de la Villa Bianca, plus on est frappé par la dextérité de son agencement. Cette structure de briques et de béton est bien plus qu'une boîte moderniste : elle contribue à enrichir l'idée même de maison familiale.

par le bandeau léger d'une structure extérieure sous la forme d'un large portique. À l'arrière, l'architecte reprit la rampe d'accès, comme dans la Maison pour un horticulteur, mais elle mène ici au rez-de-chaussée surélevé et au hall d'entrée.

L'étage abrite trois chambres et une terrasse à demi fermée, intégrée dans le profil de la maison, et faisant office d'espace intérieur/extérieur et de plate-forme panoramique. Quelques marches mènent à un grand toit-terrasse partiellement recouvert d'un auvent pare-soleil en porte-à-faux.

La Villa Bianca comporte plusieurs des éléments communs à la plupart des habitations néomodernistes européennes de l'époque : les longues fenêtres horizontales, l'auvent flottant et, surtout, la terrasse surélevée et intégrée dans le volume du bâtiment. En observant ces demeures, on ne peut ignorer le vrai talent de Terragni et la grande qualité de ses villas italiennes.

à gauche :
rez-de-chaussée

1 terrasse
2 hall
3 salle à manger
4 salon
5 rampe
6 pièce de service
7 cuisine

à droite :
premier étage

1 chambre
2 salle de bains
3 bureau
4 terrasse

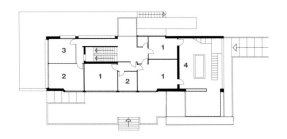

VILLA BIANCA

89

1938

SERGE CHERMAYEFF

BENTLEY WOOD HALLAND, EAST SUSSEX, GRANDE-BRETAGNE

La maison de Bentley Wood occupe un chapitre à part dans le roman d'une vie exceptionnelle. Designer, architecte, peintre, écrivain, Serge Chermayeff était un véritable « homme universel » au sens des auteurs de la Renaissance. Doué d'une pensée extrêmement originale et créative, il vécut sur plusieurs continents, changeant maintes fois de pays et de profession. Le projet de Bentley Wood lui tenait particulièrement à cœur. Il s'y investit passionnément et faillit ne pas s'en relever, mais cet épisode contribua finalement à lui faire prendre un nouveau départ.

L'idée de Chermayeff était incroyablement audacieuse et, tout au moins dans l'Angleterre d'alors, très en avance sur son temps : ce n'était rien de moins qu'un projet expérimental, un terrain d'essai pour ses ambitions modernistes. Par sa charpente en bois de jarrah, son bardage de cèdre rouge et sa relation très fluide entre espaces intérieurs et extérieurs, la maison évoque plus la Californie d'après-guerre que la douceur vallonnée du Sussex.

Au milieu des années trente, à l'époque où sa collaboration féconde avec Erich Mendelsohn trouve son aboutissement dans l'immense succès du pavillon De La Warr, à Bexhill,

Chermayeff acquiert un vaste domaine de plus de 32 hectares. C'est là, à Bentley Wood, qu'il décide de construire pour les siens une retraite campagnarde.

Après un premier refus et quelques modifications, le permis de construire est finalement accordé en 1937 — un délai que Chermayeff met à profit pour entreprendre les premiers aménagements paysagers. Si le choix d'une structure en bois, sur lequel il n'a jamais varié, a un parfum bienvenu de couleur locale, sa mise en œuvre est d'une nouveauté radicale.

La maison à deux niveaux s'inscrit dans un rapport très sensible au site et au paysage. Le vaste salon ouvre sur une grande terrasse par des baies vitrées coulissantes qui assurent une transition douce entre l'intérieur et l'extérieur. Les jardins sont créés avec le paysagiste Christopher Tunnard selon une approche intégrée du projet architectural. Ils conduisent le regard vers une sculpture spécialement commandée à Henry Moore (aujourd'hui exposée à la Tate Gallery). À l'étage, les chambres alignées donnent sur un long balcon avec vue sur les collines des South Downs.

Le garage et les espaces de service se trouvent à l'arrière du bâtiment principal avec lequel ils forment un L abritant l'allée d'accès et l'entrée. Les intérieurs, d'une conception particulièrement élégante et luxueuse — Bentley Wood est la « Rolls des maisons », a-t-on pu lire —, offrent un niveau de confort exceptionnel : système de diffusion de musique, chauffage encastré, sonnettes à bouton et téléphone intérieur dans les chambres, avec appel direct des autres postes, bars sur mesure et autres aménagements intégrés. Parmi les œuvres d'art, on trouve des toiles de John Piper, Ben Nicholson et Pablo Picasso.

Par la qualité de son architecture et de ses intérieurs, Bentley Wood restera le projet en solo le plus original et le plus marquant de Chermayeff. C'est aussi celui qui va le ruiner. Il vend la

maison un an après l'achèvement des travaux et met le cap sur les États-Unis pour y commencer une nouvelle vie d'enseignant.

Ce départ met un terme à une carrière d'architecte aussi brillante qu'éphémère en Angleterre, prolongée outre-Atlantique par un parcours universitaire et critique remarqué. Bentley Wood continue de séduire pour sa composition rigoureuse, ordonnée et cependant pleine de verve et de sensibilité, qui combine à la perfection le versant sensuel du modernisme avec un mode de vie opulent et raffiné. Chermayeff n'a sans doute pas laissé dans l'architecture domestique la même trace que les pionniers californiens de l'après-guerre, mais l'avant-gardisme de Bentley Wood n'a rien à leur envier, et son itinéraire personnel est digne d'un scénario d'Hollywood.

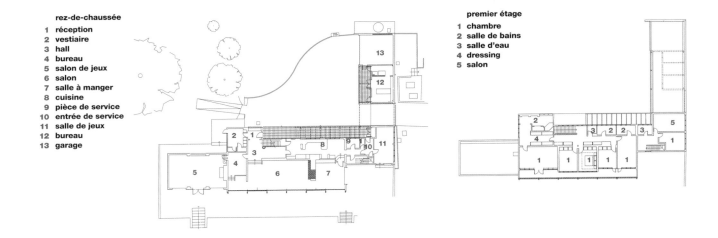

rez-de-chaussée

1 réception
2 vestiaire
3 hall
4 bureau
5 salon de jeux
6 salon
7 salle à manger
8 cuisine
9 pièce de service
10 entrée de service
11 salle de jeux
12 bureau
13 garage

premier étage

1 chambre
2 salle de bains
3 salle d'eau
4 dressing
5 salon

La fluidité entre les
espaces intérieurs,
les jardins et le site
est étudiée avec un
soin particulier ; les
terrasses, les balcons et
les baies vitrées créent
une relation forte avec
le paysage champêtre et
verdoyant.

1938

Walter Gropius n'aimait guère l'expression de «Style international». Ce qu'elle implique de négation du contexte local et des formes régionales heurtait sa sensibilité au paysage, à l'environnement et à l'histoire. Sa maison de Lincoln passe aux yeux de beaucoup pour un parangon du Style international — voire du modernisme —, mais c'est aussi un bâtiment éminemment contextuel, spécifiquement conçu pour le site qui l'accueille et très différent, par exemple, des maisons qu'il construisit en Allemagne dans les années 1920 pour lui-même et les autres professeurs du Bauhaus.

La Maison Gropius illustre avec bonheur les principes-clés du Bauhaus et du modernisme. Pour autant, Gropius a tenu à construire une maison américaine, une maison de la Nouvelle-Angleterre, ancrée dans son environnement et sa culture, avec sa véranda, son ossature bois, son bardage blanc et sa cheminée en briques.

« Lorsque j'ai construit ma première maison aux États-Unis, écrit-il, je me suis efforcé d'intégrer à ma propre démarche ces caractéristiques de l'architecture traditionnelle de la Nouvelle-Angleterre qui me semblaient toujours vivantes et pertinentes. La fusion de l'esprit régional et d'une approche contemporaine du design a produit une maison que je n'aurais jamais construite en Europe, dans un contexte climatique, technique et psychologique entièrement différent [1]. »

Gropius s'installe aux États-Unis en 1937. Il prend la direction de l'École d'architecture de Harvard et entame une longue collaboration, tant comme enseignant que comme architecte, avec son ancien collègue du Bauhaus Marcel Breuer. C'est alors qu'une propriétaire philanthrope, Mrs Helen Storrow, lui offre un petit budget et 1,5 hectare de terre près de l'étang de Walden, à une demi-heure du campus de Harvard, pour qu'il s'y construise une maison.

Gropius choisit un emplacement légèrement surélevé, au milieu d'un verger. Il se montre très attentif non seulement au site, qui offre un superbe point de vue sur un paysage boisé, mais aussi aux souhaits de sa femme et de leur fille adoptive Ati. Tout en puisant dans le vocabulaire vernaculaire, la maison à deux niveaux est indéniablement moderne et avant-gardiste, avec son toit plat, ses formes cubiques et son auvent d'entrée au dessin angulaire. L'agencement du rez-de-chaussée est fluide : le séjour et la salle à manger appliquent le principe du plan libre, séparés du bureau par une cloison de briques de verre. Sur les 210 m² de surface totale, Gropius trouve l'espace nécessaire à un logement de service, de l'autre côté de la cage d'escalier. À l'étage, il crée trois chambres et un dressing. Une partie de l'étage devient un grand toit-terrasse. Judicieusement, il prévoit à l'intention de sa fille et de ses amis un accès indépendant à cette «cabane dans les arbres» par un escalier hélicoïdal extérieur.

La Maison Gropius, puis celle que Marcel Breuer se construit à proximité, auront été des incubatrices d'idées architecturales adaptées à l'environnement de la Nouvelle-Angleterre. Elles vaudront à leurs auteurs une série de commandes privées.

Pour Gropius et sa famille, c'est d'abord une maison aimée, spécialement pensée pour eux. Ati Gropius Johansen se souvient : «Pendant la phase de conception, aucun problème ne fut ignoré, aucun ne reçut une solution banale ou inefficace. Aucune occasion de jouir de la beauté, qu'elle soit l'œuvre de la nature ou de la main de l'homme, ne fut négligée. Pour beaucoup de mes amis, dans ma jeunesse, cette maison était une curiosité. Ils adoraient visiter notre maison insolite, si différente de la leur. Je me souviens d'une femme disant un jour à ma mère : "Madame Gropius, est-ce que ce n'est pas épuisant de vivre constamment en avance sur son temps ?" [2] ».

1. Walter Gropius, *Architektur*, Fischer, 1956.
2. Ati Gropius Johansen, in *Historic New England Magazine*, automne 2003.

Tout en puisant dans le vocabulaire moderniste, cette maison novatrice se rattache au contexte régional et au site par son ossature bois et son bardage de planches blanches. Certains traits traditionnels sont réinventés ou réinterprétés, comme l'étonnant auvent de l'entrée ou le toit-terrasse partiellement couvert auquel on accède également par un escalier hélicoïdal extérieur.

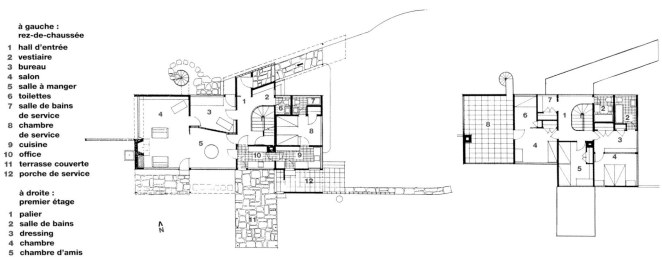

à gauche :
rez-de-chaussée

1 hall d'entrée
2 vestiaire
3 bureau
4 salon
5 salle à manger
6 toilettes
7 salle de bains
  de service
8 chambre
  de service
9 cuisine
10 office
11 terrasse couverte
12 porche de service

à droite :
premier étage

1 palier
2 salle de bains
3 dressing
4 chambre
5 chambre d'amis
6 alcôve
7 lingerie
8 toit-terrasse

MAISON GROPIUS

1938

En plein cœur historique du quartier cossu de Hampstead Village, la maison du 66 Frognal Road nous rappelle quel objet de scandale — et quelle révolution — l'architecture moderniste a pu représenter en Angleterre. L'historien d'art Nikolaus Pevsner a vu dans ce bâtiment un «petit chef-d'œuvre» ; l'homme politique Robert Tasker, «l'un des pires actes de vandalisme jamais perpétrés à Londres».

Son auteur est l'architecte Colin Lucas. Quelques années auparavant, Amyas Connell et Basil Ward — ses futurs associés de l'agence Connell, Ward & Lucas — s'étaient attiré les foudres conservatrices à l'occasion de leur premier projet commun, High and Over. Il s'agissait alors, il est vrai, du premier bâtiment inspiré du modernisme européen à voir le jour dans l'Angleterre rurale. À l'arrivée de Lucas dans l'agence, les réactions indignées des tenants de la tradition devinrent une sorte d'habitude.

Le projet Frognal valut aussitôt à Lucas — mais aussi à son client, l'avocat Geoffrey Walford — un feu nourri de critiques. Lucas s'intéressait depuis longtemps aux capacités structurelles du béton et avait construit dans le Buckinghamshire l'une des premières maisons entièrement en béton du Royaume-Uni, la Maison de Noah. Walford porta son choix sur Connell, Ward & Lucas en raison de leur travail original sur la forme, la structure et la masse, mais aussi pour leur connaissance du béton armé, sur laquelle il comptait beaucoup pour obtenir les espaces fluides et modulables et les fenêtres en bande continue auxquels il tenait particulièrement.

Les esquisses d'une maison de deux étages pour Walford, sa femme Ursula et leurs quatre enfants débutèrent avant même le choix du site et ne subirent aucune modification substantielle une fois retenue la parcelle d'angle de Hampstead. Côté rue, la façade publique présente une composition cubiste de plans rectangulaires percée de fenêtres en bandeau, tandis que la façade arrière s'ouvre largement sur le jardin, rythmée par de grandes baies vitrées et une série de terrasses et de balcons évoquant — comme la villa E-1027 d'Eileen Gray (voir p. 17) — les ponts superposés d'un paquebot.

La demande de permis de construire fut un combat difficile émaillé de vives polémiques. L'architecte et son client durent en appeler aux autorités métropolitaines du London County Council, puis à la justice. Walford plaida lui-même l'affaire devant le tribunal et finit par obtenir entière satisfaction.

«Je ne peux que regretter, écrivit-il plus tard, que cet édifice heurte la sensibilité de certaines personnes et dépasse les frontières de l'entendement pour d'autres. En ce qui me concerne, il s'est révélé une intense source d'intérêt et de satisfaction [1].»

Le plan futuriste du projet d'origine reçut ultérieurement quelques modifications pour accueillir une piscine au rez-de-chaussée et agrandir les espaces du deuxième étage en gagnant sur l'ancien toit-terrasse. La restauration d'Avanti Architects comporte de nouvelles transformations mais respecte pour l'essentiel le projet original de Lucas.

La maison de Frognal n'a vu le jour qu'au prix d'une lutte acharnée, dans une Angleterre marquée par un conservatisme dont l'influence se fait encore sentir aujourd'hui. Ce sont toujours les mêmes vieux arguments qui sont invoqués pour justifier la demande de démolition de Greenside, un autre bâtiment de Lucas. En imposant leur projet malgré toutes les oppositions, Lucas et Walford n'auront pas seulement doté Londres d'une œuvre d'avant-garde ; ils auront grandement servi la cause du modernisme anglais.

1. Article paru dans le *Journal of the Royal Institute of British Architects*, reproduit par Dennis Sharp et Sally Rendel, in *Connell, Ward & Lucas : Modern Movement Architects in England 1929-1939*, Frances Lincoln, 2008.

Le bâtiment s'élève sur pilotis, libérant au sol un espace de garage couvert. Le rez-de-chaussée, qui ne contenait à l'origine qu'un vestibule d'entrée et une salle de jeux, a ensuite été complété par une piscine. Les pièces d'habitation sont situées à l'étage ; les espaces de service donnent sur la rue, tandis que la spacieuse salle de séjour et la chambre principale s'ouvrent sur le jardin à l'arrière.

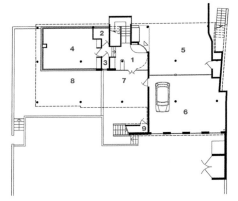

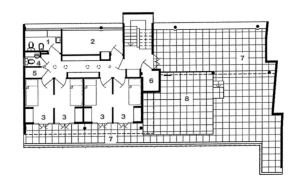

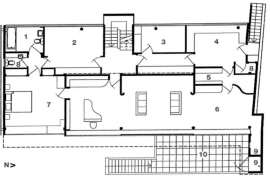

N>

en haut à gauche :
rez-de-chaussée

1 entrée
2 salle d'eau / wc
3 vestiaire
4 salle de jeux
5 aire de stationnement
6 garage
7 terrasse haute
8 terrasse basse
9 pièce de rangement

en bas à gauche :
premier étage

1 salle de bains
2 dressing
3 chambre de bonne
4 cuisine
5 office
6 salon
7 chambre
8 toilettes
9 pièce de rangement
10 terrasse

ci-dessus :
deuxième étage

1 salle de bains
2 studio
3 chambre
4 toilettes
5 salle d'eau
6 local technique
7 terrasse
8 terrasse surélevée

Le deuxième étage abritait à l'origine quatre chambres d'enfant assez petites, modulables grâce à des cloisons coulissantes. Le toit-terrasse qui s'étendait autrefois sur toute la longueur a été raccourci pour agrandir l'espace habitable. Les balcons et les quelques hublots de la façade arrière rappellent les ponts superposés d'un paquebot.

1939

FRANK LLOYD WRIGHT

MAISON SUR LA CASCADE (FALLINGWATER) BEAR RUN, PENNSYLVANIE, ÉTATS-UNIS

À une époque où l'on est de plus en plus sensible à l'environnement, la splendeur esthétique et conceptuelle de la Maison sur la cascade — reflet du lien intime de Frank Lloyd Wright à la nature et au paysage — prend une dimension plus forte encore. Avec la Villa Savoye de Le Corbusier (voir p. 64), la Maison sur la cascade est indéniablement l'une des maisons phares du XXe siècle, et à coup sûr la plus admirée. Face à un Le Corbusier parfois controversé, Wright fait l'unanimité, ou peu s'en faut, avec sa Maison sur la cascade.

« Confronté à une véritable architecture organique, un paysage n'est jamais dénaturé mais au contraire enrichi, écrit Wright. Une architecture de qualité rend le paysage encore plus beau qu'il n'était avant la construction. » Avec la Maison sur la cascade, Wright affirme plus que jamais sa perception romantique du site et du paysage ainsi que sa conception organique et globale de l'architecture.

Lorsqu'il reçoit cette commande, Wright a largement passé la soixantaine. Sa stature de grand homme de l'architecture se double d'une biographie digne d'un scénario hollywoodien. Fallingwater ajoute une touche très singulière à ce remarquable parcours et marque un sommet de la troisième et dernière période de sa carrière. En porte-à-faux au-dessus du torrent Bear Run, qui donne son nom au site, la maison tire une force prodigieuse du paysage dans lequel elle s'inscrit. Son commanditaire Edgar J. Kaufmann, propriétaire d'un grand magasin de Pittsburgh, cosmopolite et grand voyageur, possédait autrefois un chalet de vacances dans cette gorge des Appalaches. Sa famille adorait les jeux et les baignades dans le torrent parsemé de chutes qui finit sa course dans les eaux de la rivière Youghiogheny. C'est le fils de Kaufmann, qui étudiait l'architecture à la fondation Taliesin, l'école communautaire de Wright, qui initia son père à l'œuvre de son maître.

« [Kaufmann] adorait le site où l'on a construit la maison, et il aimait écouter le bruit de l'eau, écrit Wright. Ce fut le point de départ de toute la conception de la maison. Je crois bien que rien qu'en regardant les plans, on peut entendre la cascade. En tout cas, la maison est là, et il vit intimement avec ce qu'il aimait [1]. » Wright dessine un bâtiment sur trois niveaux, niché au milieu des arbres, avec une série de terrasses en béton moulé — plus une partie de la salle de séjour — qui se projettent en porte-à-faux au-dessus du torrent. Les éléments verticaux en pierre locale et les rochers du site qui font saillie dans la maison par endroits accentuent encore le sentiment d'interpénétration de l'architecture et de la nature.

Le niveau inférieur abrite un vaste espace de séjour et salle à manger en plan libre, dallé de pierre, qui se prolonge à l'est et à l'ouest par deux terrasses suspendues au-dessus du courant. Le premier étage contient trois chambres, donnant elles-mêmes sur des terrasses, le niveau supérieur étant occupé par un cabinet de travail et une galerie. On trouve à proximité une maison d'amis et un garage.

Les inquiétudes de Kaufmann sur la viabilité du site et les prouesses structurelles que Wright demandait au béton armé — dont on connaissait encore mal les limites — provoquèrent quelques frictions entre l'architecte et son client. De fait, le bâtiment a connu au fil des ans de graves problèmes de structure (l'ajout de fers à béton supplémentaires ayant peut-être contribué à surcharger la structure plus qu'à la renforcer) qui ont exigé de très lourds travaux de consolidation. Ils ont été menés à bien en 2002 par le Western Pennsylvania Conservancy, organisme de protection de l'environnement auquel le fils de Kaufmann a fait don de la maison en 1963. Quoi qu'il en soit, l'architecte et son client partageaient pleinement l'ambition de fusion de la maison avec le site, et Wright réussit à

intégrer à son projet plusieurs demandes supplémentaires de Kaufmann, comme le bassin creusé en bordure du torrent.

Au-delà de l'évidente réussite de cette approche organique, les larges baies vitrées, l'implantation si particulière du bâtiment et ses nombreuses terrasses en font un prodigieux observatoire de la nature sauvage qui l'entoure.

Fallingwater constitue, à bien des égards, une réponse magistrale à l'idéal de résidence de campagne néoclassique dont Wright détestait la voyante intrusion dans le paysage. À l'inverse, sa Maison sur la cascade vit en symbiose avec la nature et la respecte absolument. Elle reste une source d'inspiration inépuisable pour les partisans d'une architecture durable et sensible, qui allie beauté, caractère, jeu des textures et des techniques, raffinement et audace.

1. Patrick J. Meehan (ed.), *The Master Architect : Conversations with Frank Lloyd Wright*, Wiley, 1984.

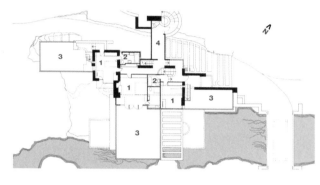

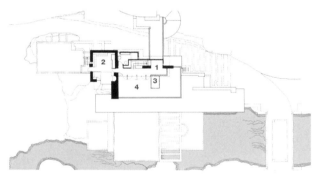

en haut : rez-de-chaussée	au centre : premier étage	en bas : deuxième étage
1 entrée	1 chambre	1 espace nuit
2 vestiaire	2 salle de bains	2 bureau
3 espace repas	3 terrasse	3 jardinière
4 séjour	4 pont	4 terrasse
5 service		
6 cuisine		
7 terrasse		
8 fontaine		
9 bassin		
10 pont		

1939

ALVAR AALTO

VILLA MAIREA NOORMARKKU, FINLANDE

La Villa Mairea est un bâtiment d'exception engendré par la relation proche et féconde entre un architecte d'avant-garde et des clients éclairés.

La résidence d'été imaginée par Aalto pour ses amis et clients Maire et Harry Gullichsen est une maison expérimentale qui traduit sa double passion pour la modernité et la nature, une œuvre d'art organique mêlant toute une gamme d'influences : le modernisme, le vernaculaire américain et finlandais, l'esthétique japonaise, mais elle est aussi un hommage à la Maison sur la cascade de Wright (voir p. 100). Aalto

réalise là l'un de ses bâtiments les plus créatifs, qui exprime un modernisme chaleureux et adouci en harmonie avec les matériaux naturels et le paysage sylvestre, et marque aussi sa rupture avec le carcan du fonctionnalisme.

L'architecte et ses clients se connaissent déjà depuis longtemps. Fille de l'industriel finlandais Walter Ahlström, Maire est passionnée de peinture et collectionne l'art moderne. Son mari dirige la société de bois et papier Ahlström, qu'il a reprise à la mort de son beau-père. Résolument progressistes, les deux époux partagent le même

intérêt pour l'art, mais aussi pour les questions sociales. Déjà clients d'Aalto pour plusieurs projets de la société Ahlström, ils sont aussi ses partenaires en affaires, en tant que cofondateurs avec Nils-Gustav Hahl de la société de meubles Artek qui commercialise de nombreuses créations d'Aalto.

À la fin des années trente, les Gullichsen commandent à Aalto une villa d'été à Noormarkku, sur les terres de la famille Ahlström : une demeure de grand luxe pour une génération éprise de modernité. Aalto reçoit carte blanche, mais en réalité ses clients participent

La Villa Mairea se présente comme une structure à deux niveaux en « L », mais cette description ne rend pas justice à l'ingéniosité de la composition spatiale ni à la façon dont la linéarité d'ensemble est constamment assouplie, modelée, par la courbe d'un mur, la sinuosité des colonnes porteuses ou encore la diversité des matériaux utilisés : bois, brique, pierre, béton, acier, verre…

étroitement à l'élaboration du projet, discutant chaque détail et obtenant même des modifications substantielles jusque dans la phase de construction.

Comme souvent chez Aalto, le souci du détail est omniprésent. Il dessine lui-même une quantité d'objets, entre autres les poignées de porte et la table roulante (qui deviendra l'une de ses créations les plus célèbres). Sa femme, Aino Marsio-Aalto, participe elle aussi à la conception d'une partie des intérieurs — la cuisine, notamment.

La radicalité du projet ne l'empêche pas de répondre spécifiquement aux attentes des Gullichsen, en intégrant par exemple des lieux d'exposition pour Maire ou une bibliothèque dans laquelle Harry puisse tenir des réunions d'affaires. Baies coulissantes et cloisons mobiles ajoutent à la modularité de l'espace.

« Selon toute évidence, ils se sont incités l'un l'autre à rechercher des idées de plus en plus ambitieuses à mesure que le projet progressait, écrit leur fils Kristian Gullichsen. Le résultat final reflète clairement la façon dont l'architecte déchiffrait la personnalité de ses clients [1]. »

Devenue l'une des maisons les plus célèbres du XXᵉ siècle, la Villa Mairea correspond parfaitement aux conceptions actuelles de l'intégration de l'architecture à son environnement. Elle nous rappelle qu'une maison moderniste peut être un lieu de beauté, de plaisir, de confort et de sensualité tout en célébrant la fonctionnalité et la géométrie.

1. Juhani Pallasmaa (ed.), *Alvar Aalto : Villa Mairea 1938-1939*, Fondation Alvar Aalto / Fondation Mairea, 1998.

à gauche : rez-de-chaussée

1 entrée principale
2 hall d'entrée
3 toilettes
4 vestiaire
5 bibliothèque
6 salon de musique
7 jardin d'hiver
8 salon
9 salle à manger
10 bureau
11 cuisine
12 service
13 sauna
14 dressing
15 piscine

à droite : premier étage

1 atelier
2 salon supérieur avec cheminée
3 chambre
4 espace enfants / jeux
5 chambre d'amis
6 terrasse

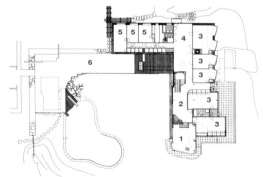

Avec son ami et collègue Rudolph Schindler, Richard Neutra est le pionnier de l'idée de symbiose entre la maison californienne moderne et son cadre naturel. Pour Neutra, les bâtiments ne sont pas seulement des espaces architecturés, mais aussi des lieux de bien-être capables d'influer en profondeur sur notre état physique et psychique. Dépassant largement les considérations d'ergonomie, il s'attache à créer des édifices esthétiques, marqués par une approche soigneusement intégrée des intérieurs et des extérieurs, et conçus sur mesure pour les besoins de ses clients.

L'affirmation du lien essentiel entre le dedans et le dehors reste l'une des grandes leçons des modernistes californiens, et de Neutra en particulier. Cette fluidité s'observe dans la plupart de ses projets majeurs, comme la Maison Lovell (ou Health House, 1929), première maison individuelle à ossature acier des États-Unis, ou la Maison Miller, à Palm Springs, mais elle trouve incontestablement son expression la plus aboutie avec la Maison Kaufmann.

Ici, la souplesse de conception déjoue magistralement les limites entre intérieur et extérieur, assurant une ventilation naturelle traversante et une circulation fluide vers le jardin et la piscine. Synthèse harmonieuse de l'intérêt de Neutra pour l'architecture japonaise, les maisons cubiques en adobe des *pueblos* du désert et le Style international, la Maison Kaufmann se compose de plusieurs pavillons disposés en hélice et reliés par des passages couverts portés par des sortes de pattes d'araignée et d'étroites zones d'intersection.

La paroi de verre du grand salon s'escamote entièrement par un procédé révolutionnaire pour donner accès à la terrasse et à la piscine. Contournant habilement l'interdiction locale de construire en étage, Neutra crée un toit-terrasse à demi fermé et abrité du soleil par un écran de lames d'aluminium, la

« gloriette ». Équipée d'une cheminée et d'un monte-plats, elle devient un deuxième séjour qui offre une vue à couper le souffle sur le paysage déchiqueté et les imposantes montagnes de San Jacinto.

Cette demeure de 300 m² est une commande du propriétaire du grand magasin Edgar J. Kaufmann, celui-là même pour qui Frank Lloyd Wright avait construit Fallingwater une décennie plus tôt (voir p. 100). Située à deux pas de la maison dessinée pour Raymond Loewy par Albert Frey, elle a été voulue comme une résidence hivernale destinée à être occupée seulement en janvier, lorsque les jours sont chauds et les nuits très fraîches. Sa réalisation en pierre, acier et verre s'articule autour d'une cheminée centrale en grès d'où rayonnent les ailes de l'hélice, abritant, un peu à l'écart du cœur de la maison, des espaces séparés réservés au personnel et aux invités.

Neutra, pour qui « une maison bien conçue affecte tous nos sens », agrémente de plantations et d'un jardin aquatique le passage reliant la salle de séjour à l'appartement d'amis. Pour pallier la fraîcheur du soir, un système de chauffage radiant équipe les sols, les murs et les plafonds, et se prolonge même sous la terrasse, autour de la piscine, pour favoriser les soirées en plein air.

Fruit d'une collaboration étroite entre l'architecte et son client, la Maison Kaufmann a été conçue sur mesure pour satisfaire aux moindres exigences de son propriétaire. La restauration minutieuse de l'agence Marmol Radziner, réalisée dans les années quatre-vingt-dix, lui a restitué une apparence aussi fidèle que possible à la vision originale de Neutra et Kaufmann.

La maison déploie dans la splendeur du paysage désertique une présence envoûtante et saisissante. Toute la problématique de la contextualité imprègne cette œuvre au graphisme lisse et futuriste, et cependant

extraordinairement intégrée et liée à son environnement naturel. Dans les années quarante, Neutra affirmait déjà que le bien-être et le respect de l'environnement peuvent se conjuguer avec la modernité la plus achevée. C'est une leçon que le XXIe siècle est en train de réapprendre.

La Maison Kaufmann se compose d'un ensemble de plusieurs corps de bâtiment reliés par des passages couverts et des points d'intersection. Elle se découpe sur un paysage de montagnes, de désert et de palmiers. Avec sa « gloriette » perchée sur le toit-terrasse et ses pièces principales — notamment la salle de séjour — qui se prolongent naturellement vers le jardin et la piscine, elle offre un espace estival exceptionnel.

1 bungalow de piscine
2 piscine
3 spa
4 pièce de service
5 chambre
6 chambre d'amis
7 salle d'eau
8 espace séjour
9 espace repas
10 cuisine
11 aire de stationnement

<N

La pittoresque ville de New Canaan dans le Connecticut, facilement accessible en train depuis New York, devint l'un des premiers centres d'architecture moderniste des années quarante et cinquante. Près de quatre-vingts maisons modernistes y furent construites, la plupart conçues par des membres des « Cinq de Harvard » — Marcel Breuer et quatre de ses anciens camarades de Harvard, dont Eliot Noyes et Philip Johnson, qui créa à New Canaan sa célèbre Maison de verre en 1949 (voir p. 126).

La maison que Breuer dessina pour lui-même, son épouse Constance et leur jeune fils, est très différente de celle qu'il avait créée peu après son arrivée aux États-Unis. La Maison Breuer I avait été bâtie près de la maison de Walter Gropius à Lincoln, dans le Massachusetts, grâce au généreux accord passé avec sa bienfaitrice Helen Storrow (voir p. 94). C'était un bâtiment de taille modeste, mais doté d'un spectaculaire salon en double hauteur et imprégné du style Bauhaus, bien que Breuer eût commencé à utiliser des matériaux naturels comme la pierre.

La Maison Breuer II, plus ambitieuse en termes d'envergure et d'échelle, s'inspire en quelque sorte du cottage des Chamberlain conçu par Breuer et Gropius à Wayland, dans

le Massachusetts — une boîte en bois à deux étages construite sur un soubassement de pierre à flanc de colline. Dans les deux bâtiments, l'étage supérieur, lambrissé de bois, abrite toutes les principales pièces à vivre, et se trouve en porte-à-faux au-dessus du soubassement ; dans la Maison Breuer II, toutefois, le corps de bâtiment est étiré au maximum, et agrémenté d'un balcon en saillie sur la façade.

« Dans nos maisons modernes, dit Breuer, le rapport avec l'environnement extérieur constitue un élément déterminant. Il existe deux approches radicalement différentes, toutes deux capables de résoudre efficacement un problème : il y a la maison qui repose sur le sol et vous permet d'en sortir à n'importe quel endroit, depuis n'importe quelle pièce [...]. Et il y a la maison bâtie sur pilotis, qui surplombe le paysage environnant, à la manière d'un appareil photo sur trépied [...]. Ma solution préférée est celle qui combine ces deux sensations contraires : c'est la maison à flanc de colline[1]. »

Breuer, qui était en Afrique du Sud pendant la construction, dut faire face à un certain nombre de problèmes techniques qu'il chargea Noyes et Harry Seidler de résoudre. Le balcon en porte-à-faux, notamment, suspendu par des câbles d'acier, se révéla

difficile à réaliser, et un mur de soutien fut ultérieurement ajouté en dessous, gâchant quelque peu l'effet flottant. Plus tard, une aile fut également ajoutée à l'arrière de la maison.

Quelques années plus tard, Breuer et les siens s'installèrent dans un bungalow de New Canaan, mais la maison à flanc de colline resta l'idée forte et photogénique que l'on retrouva ultérieurement dans le Cottage Caesar, la Maison Stillman III et la Maison Starkey (Alwarth), entre autres réalisations de Breuer. Professeur, mentor, designer et architecte extrêmement influent, Breuer demeure une figure mythique de l'architecture, et la Maison Breuer II — du moins dans sa conception originale — reste l'une de ses réalisations les plus réussies.

1. Joachim Driller, *Breuer Houses*, Phaidon, 2000.

Marcel Breuer aimait l'idée d'une longue maison sur pilotis, sise au sommet d'une colline, et bénéficiant de vues imprenables sur la nature.

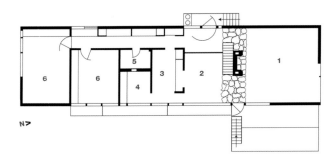

rez-de-chaussée
1 salon
2 salle à manger
3 cuisine
4 pièce de service
5 salle de bains
6 chambre

1948

GEOFFREY BAWA

LUNUGANGA DEDDUWA, BENTOTA, SRI LANKA

Pour Geoffrey Bawa, le domaine, les bâtiments et les jardins de Lunuganga représentent l'œuvre d'une vie. Lorsqu'il achète cette plantation d'hévéas à l'abandon, en 1948, il vient de mettre fin à sa première carrière d'avocat et n'a pas encore entrepris ses études d'architecte.

En 1948, le domaine consistait en une plantation de 10 hectares et un bungalow assez ordinaire. Lunuganga — « la rivière salée » — enflamme l'imagination de son nouveau propriétaire mais il n'y réalise d'abord que des travaux limités. Néanmoins, de la fin des années cinquante aux années quatre-vingt-dix, l'ancienne plantation donne graduellement naissance à une demeure, des jardins et un paysage qui inspirent et enrichissent les autres projets de Bawa. Cependant, Lunuganga demeure le résultat d'une vision unique et globale.

Tout en étant profondément ancrée dans la culture sri-lankaise, l'œuvre de Bawa réalise la synthèse d'un large éventail de références et de traditions. On le perçoit très clairement à Lunuganga, où l'art du jardin de la Renaissance italienne se mêle aux principes vernaculaires et où l'architecture traduit l'esprit de l'Asie, mais aussi diverses influences européennes, dont certains canons du modernisme, dans l'élan d'une pensée originale et subtile.

Surtout — et c'est sans doute là sa grande force —, le travail réalisé par Bawa à Lunuganga trouve son origine dans une sensibilité particulière au site, à la nature, au climat et au passage des saisons. Les mêmes préoccupations transparaissent dans des projets tels que le Bungalow Polontawala (1965), où les roches du site sont intégrées aux matériaux de la maison et à sa structure et contribuent même au soutien de la

À Lunuganga, Bawa crée un ensemble de bâtiments complémentaires à l'architecture délicate, agrémentés de pavillons, de jardins et de terrasses. Il exploite parfaitement l'écrin de verdure et d'arbres aux formes sculptées de cette ancienne plantation de canneliers, puis d'hévéas, pour en faire une retraite tropicale.

toiture ; ou à l'Hôtel Kandalama (1994), où la végétation s'enchevêtre à la construction dans une symbiose tout à fait saisissante.

Le domaine s'étend sur deux modestes collines, dans une région luxuriante du Sri Lanka nichée entre le lac Dedduwa, le fleuve Bentota et des rizières, à moins de deux kilomètres de l'océan Indien. Le lieu est extraordinairement fertile et verdoyant.

Bawa transforme l'architecture du bungalow en intégrant l'enveloppe du bâti existant à l'intérieur d'une structure recomposée que complètent une série de terrasses et de vérandas. Dans les années soixante-dix et quatre-vingt, il construit en outre un atelier, un pavillon et une maison d'amis, puis de nouvelles extensions du bâtiment principal.

Tout au long de ce processus créatif, l'architecture et les jardins se sont nourris mutuellement, ouvrant des percées visuelles, créant des points de vue ou dévoilant des points de repère, comme le temple de Katakuliya que l'on distingue au loin. Pourtant, l'effet produit est si naturel que le visiteur croit contempler l'œuvre de la nature et du temps et non celle d'un maître occulte du paysage et de la construction, une authentique fusion de la nature et de l'architecture pour laquelle Bawa restera célèbre. Il retrouve aujourd'hui une grande actualité en tant que pionnier de l'architecture durable, soucieux avant la lettre des enjeux environnementaux — paysagers, mais aussi climatiques, avec l'optimisation de la ventilation naturelle et de la relation intérieur/extérieur. Mais son œuvre n'en est pas moins une recherche du plaisir, du confort et de la beauté. Rien d'étonnant, donc, à ce que Lunuganga abrite désormais un hôtel et un centre d'art.

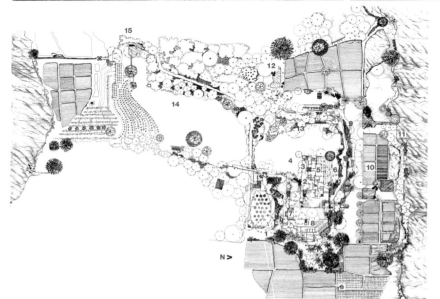

N >

1 entrée du site
2 allée et escalier d'accès
3 terrasse sud et entrée de la maison
4 vue sur Cinnamon Hill
5 maison
6 terrasse nord
7 aile et pavillon des invités
8 terrasse et galeries est
9 roches
10 promenade
11 jardin d'eau
12 prairie des vases Ming
13 terrasse ouest
14 Cinnamon Hill
15 maison de Cinnamon Hill

Depuis l'entrée
jusqu'au pavillon de
jardin ou « Sandella »,
où l'architecte
aimait se retirer
pour travailler, les
différents bâtiments
de Lunuganga
trouvent leur unité
dans la cohérence
de la démarche et du
vocabulaire de Bawa.

1949

CHARLES ET RAY EAMES

MAISON EAMES/CASE STUDY N° 8 PACIFIC PALISADES, LOS ANGELES, CALIFORNIE, ÉTATS-UNIS

Pour atteindre cette maison, il faut emprunter un chemin privé dans les collines de Pacific Palisades, un faubourg de Los Angeles. Son emplacement, dont Charles et Ray Eames tombèrent amoureux, est idéal : il surplombe Santa Monica et, de la maison, on entend le grondement incessant du Pacifique qui souffle une agréable brise marine. Le bâtiment est posé dans une clairière plantée d'eucalyptus. Le cadre est un élément architectural à part entière pour cette maison prototype extraordinaire — dont la renommée sera internationale — qui faisait partie de Case Study (Études de cas) : une série de maisons préfabriquées, faciles à assembler à partir d'un kit d'éléments industrialisés.

Des trente-quatre maisons californiennes expérimentales faisant partie du programme commandé par John Entenza, rédacteur en chef du magazine *Arts and Architecture*, la Maison Eames est la plus belle réalisation. Les Case Study devaient servir de modèles pour des maisons contemporaines qui seraient, théoriquement, tout à la fois abordables et facilement constructibles grâce à une production industrielle des matériaux.

John Entenza achète quelques hectares à Pacific Palisades dans le cadre de ce programme architectural novateur, dans le but d'y faire construire deux maisons, la sienne et celle de ses amis, les Eames, à qui il a revendu une partie du terrain. En 1945, en collaboration avec Eero Saarinen, un ami et confrère, le couple publie les plans des deux constructions dans *Arts and Architecture*. Cependant la réalisation se fait attendre : la période d'austérité de l'après-guerre jointe à la difficulté de trouver de l'acier — matériau de l'ossature — retarde grandement les travaux. Au démarrage du projet, ils prévoient une maison en forme de « L » et un atelier contigu qui avance dans la clairière, avec les principales pièces à vivre intégrées dans une sorte de pont suspendu au-dessus du site. Mais Charles Eames tombe par hasard sur un plan similaire de Mies van der Rohe et craint qu'on ne l'accuse d'un manque d'originalité. Il décide alors de changer radicalement son projet initial, avec la contrainte d'utiliser les matériaux en acier commandés depuis longtemps.

La maison est placée sur un talus à une extrémité du terrain et la terre excavée est utilisée pour créer un remblai, faisant écran entre la maison des Eames et celle d'Entenza prévue de plain-pied. Un mur de soutènement de 53 m de long est bâti et la maison et l'atelier sont alignés, séparés par un petit patio. L'ossature principale en acier est montée en une journée et demie seulement, puis la structure sur deux niveaux est remplie de vitrages et de panneaux cimentés ou de couleurs vives, créant une composition moderniste à la Mondrian. L'arrière de la maison s'ouvre en une véranda spectaculaire intégrée dans la structure d'ensemble, adoucie par une rangée d'eucalyptus plantée en parallèle.

L'intérieur de la maison révèle une profonde influence japonaise. La salle de séjour en double hauteur contraste avec des pièces plus petites et plus intimes. D'une manière générale, l'espace est utilisé comme toile de fond pour les collections d'art du couple : objets originaux, éclectiques et autres curiosités. L'atelier possède

Les couleurs des panneaux de façade qu'on a comparées parfois à une peinture de Mondrian scintillent entre les eucalyptus, véritable écran de verdure odorant qui garantit l'intimité et offre une ombre bienfaisante. Une oasis de calme dans le quartier animé de Pacific Palisades.

lui aussi une double hauteur de plafond coupée par une mezzanine. Il servira de quartier général aux Eames pendant de nombreuses années jusqu'au moment où il deviendra trop exigu.

Pour le couple, cette demeure, en constante évolution, fut un objet de plaisir permanent. Et elle définit clairement plusieurs aspects de la maison californienne « organique » moderne : une communication fluide entre l'extérieur et l'intérieur, une intégration de la lumière et de l'environnement et, enfin, une grande richesse spatiale...

La Maison Eames continue de prouver que la préfabrication des matériaux n'oblige ni à des compromis ni à une perte d'esthétisme ou de qualité.

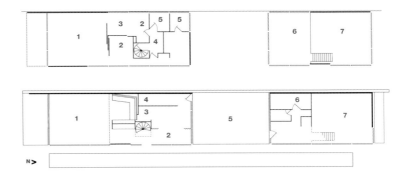

N >

en haut : premier étage
1 vide sur le séjour
2 chambre
3 dressing
4 palier
5 salle de bains
6 mezzanine
7 vide sur l'atelier

en bas : deuxième étage
1 salon
2 salle à manger
3 cuisine
4 pièce de service
5 patio
6 pièce obscure
7 atelier

L'interaction entre les volumes importants et les espaces plus intimes est saisissante. L'atelier bénéficie d'une double hauteur de plafond comme le séjour de l'habitation principale, situé de l'autre côté du patio. Il accueille une vaste collection de livres, de mobilier et d'objets d'art. On accède à la mezzanine par un escalier en bois et métal au design empreint de légèreté.

PHILIP JOHNSON

MAISON DE VERRE NEW CANAAN, CONNECTICUT, ÉTATS-UNIS

La Maison de verre est emblématique du Mouvement moderne de la seconde moitié du XXᵉ siècle. Peu de constructions ont été aussi provocantes, et cette « boîte en verre » semble toujours contemporaine. De fait, elle reste un modèle d'architecture copié dans le monde entier.

Avec cette maison hors pair, Philip Johnson montre comment simplicité et retenue peuvent générer de la substance. Située sur un promontoire qui surplombe un jardin aménagé tout en subtilité descendant vers un lac, la Maison de verre est autant une habitation qu'une plate-forme d'observation. Construit de plain-pied, ce belvédère rectangulaire est entièrement vitré, sans cloisons intérieures. Seul un cylindre en briques dissimule une petite salle de bains et les installations techniques.

Cette construction n'est qu'une page d'un journal intime visuel révélant une approche décalée de l'architecture — comme la définit lui-même

Johnson —, un parc de structures bâties en évolution constante, d'une superficie de 19 hectares, acquis peu à peu avec son partenaire, David Whitney. En vis-à-vis de la Maison de verre, il installe au même moment son antithèse, la Maison de Briques, bâtisse volontairement opaque. Au fil des ans, l'architecte implante dans le paysage de nouveaux bâtiments comme la Galerie de peinture souterraine (1965), la Galerie de sculpture (1970), la Bibliothèque-Atelier (en 1980). Il parsème le terrain de sculptures et d'œuvres d'art et crée un Pavillon du lac (Lake Pavilion) en 1962, inspiré des temples classiques, dont les colonnades se reflètent sur l'eau en un magnifique trompe-l'œil. Ces « pièces » supplémentaires lui permettent d'étendre son espace vital et culturel tout en maintenant l'intégrité de la Maison de verre qui ne subira aucune transformation jusqu'à sa mort.

À l'intérieur de la maison, Philip Johnson a utilisé de manière subtile le mobilier et les tapis afin de diviser l'espace et créer différentes zones d'habitation sans aucune cloison : espaces salle à manger, salon et chambre à coucher. La plupart des meubles ont été conçus par Mies van der Rohe. L'influence de cet architecte, avec qui il s'associe pour bâtir à New York l'immeuble Seagram, un des plus beaux gratte-ciel de l'époque, est clairement visible. D'ailleurs, les deux hommes construisent leur maison en même temps, et même si celle de Mies van der Rohe, la Maison Farnsworth (voir p. 136), sera achevée plus tardivement, les deux bâtiments ont beaucoup de similarités.

« Je considère ma maison, pas tellement comme la mienne propre (même si elle l'est de fait), mais plutôt comme un atelier d'idées en friche qui pourront s'épanouir plus tard dans mes nouveaux projets ou ceux des autres[1]. » Mais peu de projets ultérieurs, même ceux qu'il implantera sur le domaine de New Canaan, atteindront la pureté abstraite de cette maison.

Toujours prompt à expérimenter d'autres voies stylistiques, Johnson explorera ensuite les pistes du postmodernisme et des références classiques, au grand dam de ceux qui ont admiré la puissance de son travail suscité par les concepts du Bauhaus. Après sa mort en 2005, le domaine de la Maison de verre est placé sous la responsabilité du National Trust for Historic Preservation qui entreprend un programme de restauration avant de l'ouvrir au public.

Référence ultime de l'architecture contemporaine, cette maison, la plus belle réussite de Johnson, demeure d'une beauté inégalée.

1. Stephen Fox, *et al.*, *The Architecture of Philip Johnson*, Bulfinch, 2002.

Les 19 hectares de la propriété ôtent toute crainte d'être vus aux habitants de la Maison de verre. Et la maison, ouverte sur la nature de manière sublime, permet de visualiser au cours d'une même journée les changements de lumière et, au fil des mois, le cycle des saisons.

MAISON DE VERRE

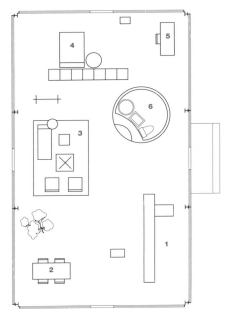

1 cuisine
2 espace repas
3 espace séjour
4 espace nuit
5 bureau
6 salle de bains

L'aménagement intérieur a été conçu comme un espace ouvert. Meubles, séparations basses et tapis servent à délimiter les différents espaces d'habitation. Seul le cylindre qui contient la salle d'eau offre une intimité. Heureusement, la Maison de briques, au bout de l'allée, offre de manière discrète d'autres pièces de service essentielles !

Quand Harry Seidler arrive à Sydney en 1948, il n'est pas sûr de vouloir y rester ! Lorsqu'il habitait aux États-Unis, il avait étudié et travaillé sous la direction des grands architectes « exilés » du Bauhaus : Walter Gropius, Marcel Breuer et Josef Albers. Et en chemin pour l'Australie, il s'était arrêté au Brésil pour collaborer avec Oscar Niemeyer. Après de telles expériences, nul doute que l'Australie d'après-guerre lui semble provinciale…

Pourtant le continent australien va se révéler le lieu où il va pouvoir exprimer ses convictions modernistes. C'est sa mère, Rose, qui l'a persuadé de venir en lui proposant de financer son premier projet. Grâce à cette maison, Harry Seidler va poser les fondations de sa doctrine architecturale et faire découvrir aux Australiens une vision globale et futuriste de l'habitat.

Près de Sydney, il trouve un terrain de 6,5 hectares à Wahroonga, en lisière du magnifique parc national de Ku-ring-gai qui va servir d'écrin à la maison dont il a eu l'idée en 1947. Il travaillait alors dans le cabinet de Marcel Breuer à New York et en avait publié les plans dans la revue *Arts and Architecture*. À quelques modifications près, rendues nécessaires pour s'adapter au lieu et aux contingences locales, la construction est fidèle aux plans de l'époque.

D'une superficie d'environ 200 m^2, elle suit la topographie sinueuse du terrain. La majeure partie de la maison est surélevée, soutenue par des colonnes métalliques et des murs en grès. Le rez-de-chaussée, en retrait, comporte le garage et l'entrée. Cette surélévation permet de jouir pleinement de la vue sur le parc national. Les grandes baies vitrées laissent entrer largement la lumière ainsi que la terrasse à l'arrière qui rompt la géométrie carrée de l'ensemble et permet aux pièces principales de bénéficier aussi d'une belle clarté naturelle.

La structure, recouverte de bardeaux de bois, est construite sur un plancher de béton suspendu. On accède à la maison de trois manières : par le rez-de-chaussée, directement au premier étage par une porte sur le côté gauche ou, enfin, par une rampe de l'autre côté qui rejoint la terrasse. La rampe deviendra un élément caractéristique du style de l'architecte. L'agencement intérieur est d'une grande fluidité. La majorité des pièces à vivre forment un espace ouvert, avec les chambres disposées sur l'avant. Le moindre détail a été soigneusement pensé et réalisé, fait assez rare pour une première commande. Seidler dessine une partie du mobilier et fait aussi appel à Eames, Hardoy et Saarinen.

Il confirme son attention pour les détails avec cette anecdote : « Il n'y a pas de client plus docile qu'une mère. La mienne a été d'accord pour vendre son mobilier viennois, mais elle a refusé de se séparer de sa ménagère en argent ciselé. Néanmoins, lorsque je venais dîner, j'exigeais qu'elle utilise les couverts Russel Wright en inox que j'avais apportés de New York [1]. »

Sur la terrasse, Seidler peint une grande fresque, dans le style de celles de Le Corbusier pour son Unité de camping à Cap-Martin entre autres. Il utilise une harmonie de couleurs qui rappelle les teintes de l'aménagement

intérieur. Ainsi, la construction forme un ensemble cohérent et exemplaire, artistique et géométrique, sur un site qu'elle épouse parfaitement.

Seidler ajoutera deux autres bâtiments pour sa famille, léguant le tout en définitive au Monuments historiques. Ayant passé le reste de sa vie aux antipodes, il deviendra le père de l'architecture australienne contemporaine. L'impact de son style architectural, déjà très accompli avec cette première réalisation, dépassera largement les frontières de son pays adoptif.

1. Kenneth Frampton et Philip Drew, *Harry Seidler : Four Decades of Architecture*, Thames & Hudson, 1992.

La Maison Rose Seidler intègre de nombreuses idées architecturales mises en œuvre par Le Corbusier : construction sur pilotis, rampe d'accès, toit-terrasse et aménagement intérieur fluide. Mais ce qui fait de cette construction une réussite, outre la maîtrise des principes de l'école moderne, c'est la manière dont elle fait corps avec son environnement.

La terrasse, avec son discret pare-soleil et ses peintures murales aux couleurs éclatantes, permet d'avoir une vue panoramique sur la nature. Elle agit aussi comme un puits de lumière, apportant la clarté naturelle dans l'espace intérieur, peu cloisonné.

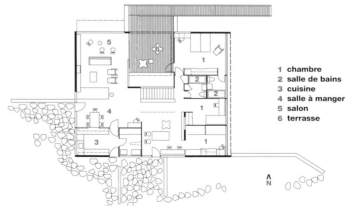

1 chambre
2 salle de bains
3 cuisine
4 salle à manger
5 salon
6 terrasse

N
Λ
N

Aujourd'hui emblème de l'architecture moderne — et aussi du Style international —, la Maison Farnsworth a pourtant fait l'objet de relations tendues entre son architecte, Ludwig Mies van der Rohe, et sa cliente, le Dr Edith Farnsworth... Il est quelque peu ironique que cette demeure aux lignes si sereines située dans un lieu exceptionnel ait pu provoquer une telle tension pendant sa construction !

Mies van der Rohe conçoit des plans d'une extraordinaire originalité pour l'époque, en déclinant ses idées déjà mises en pratique dans le Pavillon de Barcelone construit pour l'Exposition universelle de 1929 où il a appliqué deux principes architecturaux qu'il affectionne : le « plan libre » et l'idée d'une « maison qui flotte ». Des concepts radicalement différents de la construction individuelle américaine d'alors. Cette ambition avant-gardiste, cette puissance esthétique alliée à la rigueur intellectuelle de son travail, continuent à l'heure actuelle à susciter le débat autant que l'enthousiasme.

Le Dr Edith Farnsworth, néphrologue à Chicago, souhaite une résidence secondaire d'importance. Dans ce but, elle achète 2,8 hectares près de Plano dans l'Illinois, à environ 90 km au sud-est de Chicago. Bordant la rivière Fox, le site est composé de prairies et d'arbres.

En 1945, le plan prévoit un bâtiment de plain-pied, d'une seule pièce, surélevé d'1,5 m car le terrain est inondable. Le dessin est suffisamment succinct pour laisser ensuite la créativité de l'architecte se révéler au fur et à mesure des idées qui lui viendront en collaboration avec sa cliente.

La structure des 140 m^2 est composée de deux dalles qui forment le sol et le toit, soutenues par huit poutrelles en acier léger. Toutes les façades sont vitrées. Un tiers de la superficie est réservé à une terrasse couverte à l'entrée de la maison. On y accède par une première terrasse construite parallèlement. L'intérieur est organisé de façon à ce que l'espace soit le plus ouvert et fluide possible. L'architecte conçoit deux blocs en bois

d'une simplicité quasi monastique qui agissent comme de véritables éléments de mobilier et délimitent de manière implicite les différentes zones : le « noyau dur » de la maison est composé d'une cuisine-salle de bains et le second, plus petit, permet de délimiter le coin chambre par un dressing.

Le point primordial pour Mies van der Rohe, c'est l'ouverture sur la nature, à l'instar de la Maison de verre de Philip Johnson (voir p. 126). La construction se transforme alors en une structure conçue pour admirer le paysage.

« Si vous observez la nature par les murs vitrés de Farnsworth, soulignait Mies, celle-ci gagne une signification plus profonde que si vous la regardiez du dehors. De cette manière, on en apprend plus sur la nature — elle devient une partie d'un ensemble plus vaste [1]. » Pourtant, Edith Farnsworth déclare que la demeure n'est pas pratique. Les relations entre la cliente et son architecte — amoureuses un temps ? — s'enveniment avant même la fin de la construction. Procès et contre-procès s'ensuivent. Lorsque l'architecte obtint gain de cause, les protagonistes ne se revirent plus. Une fois installée dans la maison, sa propriétaire eut à faire face à des problèmes d'entretien et à plusieurs inondations, nécessitant des réparations considérables. Néanmoins, Edith Farnsworth y vient en week-end jusqu'en 1972, date à laquelle elle la revend à un particulier. En 2006, ce chef-d'œuvre d'architecture moderne, classé Monument historique, est ouvert au public.

Pour Mies et ses disciples modernistes, cette maison est un moment-clé : un prototype de délimitation imperceptible d'espaces sans interruption, qui fut repris plus tard pour d'autres constructions et qui aidera à promouvoir l'ouverture de l'espace.

1. Claire Zimmerman, *Mies van der Rohe*, Taschen, 2006.

La terrasse et le porche de Farnsworth (décollés du sol) sont reliés par une série de quelques marches, créant une séquence de sous-espaces savamment orchestrés qui permettent de franchir progressivement la frontière entre extérieur et intérieur.

1 terrasse
2 porche d'entrée
3 cuisine
4 salle d'eau
5 salle de bains
6 chaufferie
7 cheminée
8 salon
9 espace repas

N

La Maison Farnsworth a
contribué à promouvoir le
« plan libre » et aussi l'idée
d'un bloc domestique. Ici,
il comporte une cuisine en
long, une salle d'eau, des
toilettes, la chaufferie et l'âtre
de la cheminée. Le reste de
la surface au sol est laissé
libre, délimité seulement par
le mobilier, les revêtements
de sol et les placards. Les
longs rideaux sur tringles
coulissantes, qui permettent
une certaine intimité, furent
l'un des points litigieux entre
l'architecte et sa cliente !

1954

OSCAR NIEMEYER

MAISON CANOAS RIO DE JANEIRO, BRÉSIL

Les bâtiments d'Oscar Niemeyer se parent d'une allure remarquablement contemporaine. À une époque dominée par les formes dynamiques et les acrobaties architecturales et techniques, ses structures sinueuses ne laissent pas indifférent. Et elles ont d'autant plus de mérite qu'elles ont été créées bien avant que la conception assistée par ordinateur n'ait favorisé une nouvelle ère d'expérimentation et de fantaisies visuelles.

« Je n'ai aucune attirance pour les angles ou pour la ligne droite, dure et inflexible, créée par l'homme, explique Niemeyer. J'aime les courbes fluides et sensuelles. Les courbes que je retrouve dans les montagnes de ma terre natale, dans la sinuosité de ses rivières, dans les vagues de l'océan et sur le corps de la femme aimée [1]. » Cette séduisante forme d'architecture a joué un rôle prépondérant dans l'élaboration de

l'image moderne et progressiste du Brésil : sur les affiches touristiques, en effet, l'œuvre de Niemeyer invite les voyageurs à savourer le meilleur de la culture brésilienne. Les immeubles de Brasilia, que l'on doit en grande partie à Niemeyer, sont une leçon d'allégresse et de flamboyance architecturale, une façon d'afficher la capacité de l'architecture à façonner une identité.

Mais toutes les réalisations de Niemeyer n'ont pas l'échelle monumentale de ses églises et musées. À leur façon, ses maisons ont largement contribué à sa carrière, rendant son œuvre plus accessible et rapportant ses thèmes et ses idées à l'échelle domestique.

Dans sa propre demeure de Canoas, Niemeyer a combiné son amour des formes fluides avec une grande sensibilité envers la nature et l'environnement. Le niveau principal

de la maison est bas et discret, et disparaît sous la canopée de verdure qui surplombe les formes curvilignes du toit et de la modeste piscine située juste devant.

Le plan libre des espaces habitables n'est entravé à une extrémité que par une cuisine cachée derrière une cloison en bois galbée. Un escalier discret descend vers les chambres à demi souterraines, logées à flanc de colline et percées d'une extraordinaire série de hublots et de fenêtres sculptées, telles des lentilles cubistes.

La maison partage quelques idées communes avec celle d'Alberto Dalva Simão, que Niemeyer construisit à peu près à la même époque, mais l'intégration de la Maison Canoas dans le flanc de la colline lui donne un caractère spectaculaire. On pourrait, d'une certaine manière, la comparer à la Résidence Elrod de John Lautner,

Oscar Niemeyer sculpte le béton pour créer ses édifices si distinctifs, toujours liés à leur situation géographique — ici une verdoyante forêt à proximité de l'océan.

construite en 1968 (voir p. 182), un bâtiment à la beauté fluide qui semble s'être littéralement confondu avec les versants abrupts et rocheux sur lesquels il repose.

Niemeyer, s'adressant à l'*Architects' Journal* en 2007, déclara : « Selon moi, tout architecte devrait avoir sa propre architecture et construire ce qu'il aime et non ce que les autres voudraient qu'il construise [2]. » Véritable pionnier en termes de forme et de matériaux, et grand humaniste, Oscar Niemeyer occupa une place très particulière dans l'architecture du XXe siècle. La Maison Canoas — à l'instar de bon nombre de ses réalisations — paraît un demi-siècle en avance sur son temps.

1. Alan Hess et Alan Weintraub, *Les Maisons d'Oscar Niemeyer*, Actes Sud, 2007.
2. Entretien avec Hattie Hartman, *Architects' Journal*, 22 mars 2007.

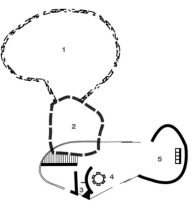

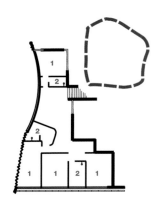

à gauche :
rez-de-chaussée

1 piscine
2 rocher
3 cuisine
4 espace repas
5 espace séjour

à droite :
niveau inférieur

1 chambre
2 salle de bains

Un immense rocher
se dresse derrière la
maison comme pour
l'envelopper, mais les
larges surfaces vitrées
apportent clarté et
transparence.

Jean Prouvé est connu pour son travail expérimental en matière d'habitat préfabriqué, pour ses structures de construction innovantes ainsi que pour ses collaborations multiples avec d'autres grands architectes du Mouvement moderne. Néanmoins, sa maison à Nancy — qui est peut-être d'ailleurs le projet qui a reçu le plus d'éloges et dont l'influence sera considérable — est une réalisation très personnelle, conçue pour sa famille, et qui restera unique.

Prouvé était en avance sur son temps à plus d'un titre. Ses ateliers à Maxéville, véritables laboratoires d'architecture, produisent des prototypes, principalement en acier et aluminium, pour promouvoir des habitations «usinées», réalisées en série, et des structures révolutionnaires. Ses maisons préfabriquées, qui ont pour vocation principale de répondre à la pénurie de logements dans la France d'après-guerre, comprennent entre autres les Maisons à portiques — ou «maisons transportables» —, les Immeubles industrialisés de Meudon dans les Hauts-de-Seine et les Maisons tropicales destinées au Niger et au Congo.

Mais ses constructions en kit trouvent difficilement des acquéreurs et elles ne seront pas produites en grand nombre. En 1952, de nouveaux actionnaires prennent le contrôle de son usine de Maxéville et il est alors dépossédé de son poste de directeur. Il perd aussi les copyrights de la plupart de ses prototypes. Cette période très difficile est l'occasion d'un nouveau départ où il rebâtit sa carrière et développe de nouveaux projets. La Maison Prouvé, qu'il construit lui-même, est au centre de cette renaissance.

Il choisit de la placer sur les hauteurs de Nancy, sa ville natale, qui restera une présence constante dans sa vie. Il creuse à flanc d'une colline à très forte déclivité pour installer une étroite terrasse sur laquelle il pose la structure de la maison, d'une grande légèreté, arrimée à chaque extrémité par un mur de pierre. La construction, de plain-pied, est

La façade mélange transparence et opacité, avec les fameux panneaux à hublots recouverts d'aluminium empruntés aux maisons tropicales, et une série de murs-cloisons en bois percés de fenêtres venus des Immeubles industrialisés de Meudon. Le toit est fait de minces panneaux de bois recouverts d'aluminium.

réalisée avec peu de moyens et prévue, à l'origine, pour une durée de vie de dix ans.

À l'intérieur, un seul couloir de 27 m court à l'arrière de la maison, adossé à la pente et revêtu de panneaux en acier. Bordé d'un mur de rangements continu intégrant placards et étagères, il relie entre elles toutes les pièces de la maison. Les chambres et la salle de bains sont d'une superficie modeste et situées à une extrémité, laissant ainsi la place à un grand séjour en avancée sur le paysage grâce à un grand volume de verre, cassant la linéarité du plan d'ensemble.

Cette maison singulière, composée d'éléments préfabriqués disparates issus de l'industrie, devint la véritable vitrine des talents de son créateur, davantage finalement que les constructions industrialisées que son imagination débordante avait conçues. Par la suite, Jean Prouvé va concevoir des bâtiments d'exception pour son époque : en 1954, le Pavillon du centenaire de l'aluminium à Paris ; en 1956, la Maison de l'abbé Pierre, dite « la Maison des jours meilleurs », et l'étonnante Buvette de la source Cachat à Évian (en collaboration avec l'architecte Maurice Novarina), mais aussi de nombreuses maisons particulières.

Toutes les réalisations de Jean Prouvé vont marquer des générations de bâtisseurs. Elles influeront particulièrement sur l'émergence du mouvement high-tech qui repousse toujours plus loin les frontières formelles et technologiques tout en redécouvrant les potentialités de la préfabrication. La Maison Prouvé reste le meilleur exemple de l'innovante interdisciplinarité du travail de son créateur. C'est un testament unique de son imagination féconde.

Pour la construction,
Jean Prouvé a utilisé
peu d'éléments faits
sur mesure. Il a recyclé
des composants
conçus pour des projets
antérieurs qui, par la
grâce de son savoir-
faire, forment un tout
cohérent.

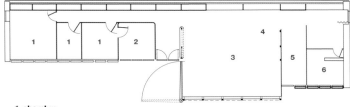

1 chambre
2 salle de bains
3 espace séjour
4 espace repas
5 cuisine
6 bureau

1957

Eero Saarinen savait mieux que personne combien l'architecture pouvait forger une identité, y compris celle de sociétés comme General Motors, IBM, Bell ou John Deere, pour lesquelles l'architecte conçut de spectaculaires édifices, en même temps qu'il inventait le concept du « campus d'entreprise » — un ensemble de bâtiments de bureaux adaptés à différents usages. Mais, bien sûr, l'architecture peut également être révélatrice de l'identité d'un individu. Cela se manifeste notamment dans la Maison Miller à Columbus, dans l'Indiana — une ville à laquelle Saarinen et son père, Eliel, étaient très attachés. De fait, père et fils contribuèrent très

largement à façonner le caractère unique de ce qui est aujourd'hui devenu la Mecque de l'architecture moderniste.

C'est en 1955, alors qu'Eero Saarinen vient de terminer le siège de l'Irwin Union Bank, que son président Joseph Irwin Miller et son épouse Xenia Simons Miller lui demandent de dessiner pour eux une demeure privée.

Si l'on a tendance à considérer certains des édifices les plus connus de Saarinen comme des chefs-d'œuvre de modernisme organique, l'architecte a toutefois été critiqué pour son manque de style défini, probablement dû au fait qu'il répondait d'abord aux besoins de ses clients. La Maison Miller est un

De vastes surfaces vitrées et des portes coulissantes ouvrent la Maison Miller sur son environnement naturel, notamment sur le bois qui jouxte le jardin.

vaste bâtiment de plain-pied d'environ 745 m², avec un grand toit plat ponctué de verrières translucides calées sur une trame. Quatre pavillons se dressent à chaque coin de la maison, abritant des espaces privés ou réservés au service. La zone « libre », située au centre, est occupée par le salon principal, pourvu d'une « fosse de conversation » encastrée. Le surplomb du toit protège les terrasses qui entourent la maison, tandis que le jardin paysager de Dan Kiley, très rigoureux, suit aussi un agencement quadrillé.

La maison a plus d'affinités avec la Case Study n° 9, conçue avec Charles Eames, qu'avec les formes flamboyantes du terminal TWA, notamment. On peut aussi la rapprocher du bâtiment de la Irwin Union Bank, conçu comme une structure ouverte et accueillante, à l'opposé de l'image de forteresse imprenable à laquelle on associe généralement la banque.

La Maison Miller était un projet d'une grande cohérence, avec beaucoup de meubles conçus par Saarinen lui-même, mais exécuté en étroite collaboration avec les Miller ; un certain nombre de

plans furent d'ailleurs rejetés au stade de
la conception. Elle incarne aujourd'hui
l'idée du « sur-mesure », avec une
configuration et un caractère intimement
adaptés à l'identité de ses propriétaires.
Au-delà de cet aspect, elle reste, par sa
simplicité de forme, sa richesse spatiale
et son adéquation avec le paysage,
l'un des projets les plus influents de
Saarinen. Récemment acquise par le
Musée d'art d'Indianapolis, la maison est
vouée à demeurer l'une des commandes
domestiques les plus célèbres et les
mieux préservées de l'architecte.

1 entrée
2 espace séjour
3 fosse
4 cuisine
5 espace repas
6 chambre
7 chambre d'amis
8 salle de bains
9 espace enfants / jeux
10 petit salon
11 aire de stationnement

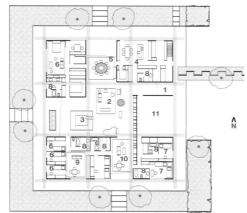

1961

LOUIS KAHN

MAISON ESHERICK CHESTNUT HILL, PHILADELPHIE, PENNSYLVANIE, ÉTATS-UNIS

L'existence mouvementée de Louis Kahn prouve combien l'avant-garde est un territoire difficile pour l'architecte qui en fait l'expérience. Confronté dès la naissance à l'adversité et aux difficultés matérielles, Kahn ne cessa de lutter pour vivre, peinant périodiquement à assurer ses projets et commandes. Il mourut d'ailleurs très endetté.

Il est essentiellement connu pour ses bâtiments de briques et de béton, colossales structures évoquant le gigantisme et la massivité des temples et autres édifices antiques. Mais outre ses vastes projets de campus, tel le complexe gouvernemental de Sher-e-Bangla à Dacca (Bangladesh), communément considéré comme son chef-d'œuvre, Kahn travailla également

sur une série de logements sociaux et sur quelques résidences particulières.

La Maison Esherick fut l'un des premiers bâtiments qu'il réalisa après une période décisive passée à Rome au début des années cinquante, où il s'inspira des sites classiques pour développer ses idées d'architecture moderne et monumentale.

La maison de 230 m² est une commande de Margaret Esherick, bibliophile, nièce du sculpteur Wharton Esherick, lui-même ami de Kahn. La conception du bâtiment impose une puissante présence géométrique, tout en cultivant un certain nombre de contrastes en matière d'espaces comme de matériaux.

L'édifice est en blocs de béton enduits, que vient rehausser le bois

d'apitong formant l'encadrement des baies en retrait de la façade. Le bâtiment est construit sur deux niveaux selon un plan rectangulaire qui se subdivise en deux unités symétriques. L'une est dominée par un salon en double hauteur, avec bibliothèque intégrée. L'autre abrite une spacieuse salle à manger en bas et une chambre-bureau à l'étage. Entre les deux unités s'étend une étroite aire de distribution comprenant les entrées avant et arrière, l'escalier et les balcons encastrés de l'étage. Toutes les pièces techniques sont confinées dans une bande latérale, discrète et séparée. Particulièrement travaillées, les finitions intérieures trahissent une influence Arts & Crafts et la touche artisanale de Wharton Esherick. Elles insinuent également que la théâtralité des

L'architecture de Louis Kahn est sans concession ; elle est expérimentale sur le plan structurel et joue avec la lumière et l'obscurité, les pleins et les vides, la géométrie et la nature. Ici, de vastes surfaces vitrées ouvrent la maison sur un jardin de 2 000 m².

bâtiments de Kahn n'empêche nullement une approche minutieuse des détails intérieurs. Même s'il lui arrivait d'être exigeant et difficile avec ses clients, Kahn a toujours respecté l'utilisateur final et ses besoins.

Kahn et son œuvre ont exercé une influence considérable sur certains disciples comme Robert Venturi, avec lequel il travailla un moment ; son ascendant est également visible dans l'œuvre de Mario Botta et Tadao Ando, entre autres. La Maison Esherick conjugue élégance et monumentalité. On y décèle les notions de masse, d'échelle et de précision géométrique qui domineront la carrière de Kahn, mais également une grande attention portée au site et aux besoins, à l'ergonomie et à l'artisanat.

premier étage
1 salle de bains
2 chambre-bureau
3 dressing
4 salon
5 salon supérieur

rez-de-chaussée
1 entrée
2 salon
3 salle à manger
4 cuisine
5 pièce de service
6 cabinet de service
7 salle de bains

Certains voient en Basil Spence l'un des architectes britanniques les plus talentueux et novateurs des années soixante et soixante-dix, et l'auteur d'une série de bâtiments expérimentaux et emblématiques parmi lesquels la nouvelle cathédrale de Coventry et les casernes de la cavalerie à Hyde Park. Pour d'autres, il n'est qu'un iconoclaste invétéré dont les bâtiments « brutalistes » l'ont fait détester de ceux qu'il était censé servir — les habitants de ses tours du quartier des Gorbals, à Glasgow, par exemple. Peu d'architectes auront été aussi controversés.

Ses admirateurs le jugent profondément incompris, sous-estimé, et s'insurgent de lui voir imputé l'échec de ses programmes de logement social de Glasgow. Ils mettent en exergue la cathédrale de Coventry, mais aussi des projets plus modestes comme sa propre maison de Beaulieu.

Passionné de voile, Spence choisit le site pour sa proximité immédiate du fleuve Beaulieu, qui offre un accès aisé au détroit du Solent. Les grands arbres abritent la maison sous une voûte de verdure. Le bâtiment imaginé par Spence peut être résumé à une boîte en bois surélevée par deux murs de briques, qui permettent à cette structure à toit plat de s'étendre en porte-à-faux au-dessus d'une partie de la terrasse de la piscine qui longe la façade principale.

À l'origine, le module de bois qui constitue le premier étage — et bénéficie de vues dégagées sur le paysage — regroupait l'ensemble des pièces à vivre, avec les chambres et les salles de bains à l'arrière et la salle de séjour à l'avant, dominée par une sculpturale cheminée en pierres et briques. Dans l'espace laissé vacant au-dessous de l'habitation, Spence aménage tout d'abord des ateliers et un garage à bateau.

Par la suite, la famille se trouvant un peu à l'étroit, il va transformer les ateliers du niveau inférieur en salle à manger et en cuisine et créer une chambre supplémentaire à l'étage. Un escalier hélicoïdal enclos dans un cylindre de bois est ajouté sur un côté de la maison pour relier les deux étages.

L'ambiance intérieure est scandinave. Le séjour est revêtu de bois au sol, aux murs et au plafond, et s'ouvre par une série de fenêtres sur le fleuve à l'arrière-plan et sur la terrasse et la piscine en contrebas. Certains ont comparé la maison de Beaulieu aux bâtiments d'Alvar Aalto et Arne Jacobsen. Il est vrai que l'on observe ici une attention pour les matériaux naturels et le paysage, qui fait écho à celle des maîtres scandinaves et contraste avec la monumentalité de certains projets publics et résidentiels de Spence.

Très modestement, le personnage haut en couleur qu'était Spence, avec son éternel cigare et son nœud papillon, qualifie de « cabane » cette résidence de campagne conçue au sommet de sa gloire, un an après son anoblissement. Finalement, la famille Spence n'utilisera Beaulieu que pendant cinq ans environ. Dans les années soixante-dix, l'architecte se retire à Yaxley Hall (Suffolk), un manoir du XVIᵉ siècle — curieuse décision pour un pionnier du modernisme !

Si les programmes d'immeubles de grande hauteur réalisés par Spence dans les années soixante — les tours des Gorbals, entre autres — ont été vilipendés de toutes parts, il en va tout autrement de la maison de Beaulieu. Son influence a marqué la nouvelle génération de l'architecture anglaise — dont John Pardey, qui a restauré la Maison Spence pour un client privé et lui a adjoint une aile supplémentaire. On retrouve dans les maisons construites par Pardey et d'autres de ses confrères un sens du contexte, du site et des matériaux, très similaire à celui dont témoigne Spence avec cette réinvention contemporaine de la maison de campagne anglaise. Sa « cabane » en bois offre un remarquable exemple d'architecture rurale sensible et attentive à l'environnement.

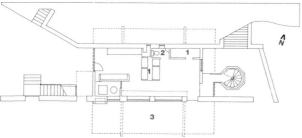

rez-de-chaussée

1 cuisine et espace repas
   (anciennement atelier et rangements)
2 toilettes
3 terrasse

premier étage

1 chambre
2 salle de bains
3 espace séjour
4 balcon

L'accent mis sur les matériaux naturels — notamment le bois — renforce la tonalité scandinave de la maison. Le projet de Spence exprime aussi une grande attention au site.

Le terme de « brutalisme », popularisé par le critique Reyner Banham, a fait son apparition dans les années cinquante pour décrire le travail d'Alison et Peter Smithson. Leur démarche — qui se nourrissait des utopies et des querelles théoriques de l'après-guerre et qui ne s'embarrassait pas de compromis — reçut un accueil parfois houleux. Ce fut le cas de leur grand ensemble de logements de Robin Hood Gardens, à Londres, où ils imposèrent notamment l'idée de « rues en l'air », des coursives suspendues censées renforcer le lien social.

Comme leur confrère « brutaliste » Basil Spence, les Smithson ne doivent pas seulement leur — bonne ou mauvaise — réputation à une approche profondément formaliste et structurale de l'architecture, mais aussi à une certaine extravagance personnelle. Les idées des Smithson commencent à trouver une diffusion plus large à travers leur « Maison du futur » en plastique préfabriqué — sur le modèle de la production en série de l'industrie automobile —, présentée à l'Exposition de la maison idéale de 1956.

Tout aussi expérimental, le Pavillon sur la pelouse (appelé également « Pavillon solaire ») est en revanche un projet relativement simple, individualisé et parfaitement adapté à son environnement rural. À la fin des années cinquante, les Smithson achètent une petite maison paysanne en ruine et sa cour close de murs, au milieu des champs et des bois, sur les terres du domaine de Fonthill. Ils décident d'y construire une résidence secondaire en conservant les restes de l'ancienne maison, comme pour garder en filigrane la mémoire du lieu.

Ils utilisent notamment un pan du mur nord et le contrefort d'une cheminée, autour desquels va s'élever une sorte de poste d'observation rectangulaire, ouvert sur de superbes vues. La structure à deux niveaux et à toit plat est formée par une ossature bois encadrant de grandes surfaces vitrées et couverte d'un bardage de zinc gris. Comme dans les projets plus ambitieux du couple, la structure et les éléments techniques restent apparents, tandis que les détails architecturaux sont réduits au minimum. Le niveau supérieur devient le principal espace de vie, un belvédère permettant aux Smithson d'observer jour après jour le passage des saisons depuis leur « Pavillon solaire ». Au rez-de-chaussée, la maison s'ouvre par toute une série de portes vitrées coulissantes en teck. Elles offrent une vue sur le paysage et les terrasses, dont l'une est bordée sur un côté par un pan de l'ancien mur qui abrite la maison des regards.

Les deux niveaux sont agencés avec simplicité et économie sur un plan très peu cloisonné. Les Smithson se satisfont d'un confort minimal, déroulent leurs matelas pour dormir et campent dans la maison comme ils le feraient dans une grange ou un hangar. De fait, cet esprit rural assez brut mais proche de la nature a beaucoup contribué, au cours des dernières années, à l'apparition d'un nouveau type de résidence secondaire contemporaine qui associe influences modernistes et formes vernaculaires rurales. L'idée de garder la mémoire des usages et des matériaux d'un site en les intégrant au nouveau bâtiment, comme pour relier le passé au présent, participe de la même démarche.

Les Smithson ont vendu la maison au début des années quatre-vingt. La restauration réalisée par l'agence Sergison Bates Architects pour les nouveaux propriétaires respecte scrupuleusement les matériaux et l'intégrité du bâtiment, tout en s'efforçant de remédier au manque d'isolation thermique. L'installation de poêles à bois, de vitrages isolants et d'un chauffage au sol contribue à un meilleur confort hivernal.

Par la suite, les Smithson ne cesseront jamais de commenter, de défendre et d'évoquer avec tendresse le Pavillon sur la pelouse et le rôle qu'il a joué dans leur

carrière. Malgré son apparente modestie, il représente un véritable manifeste architectural et occupe dans leur œuvre une place aussi significative que certains projets d'une tout autre ampleur.

Les Smithson réutilisent certains éléments de la maisonnette paysanne qui s'élevait sur le site, dont le contrefort central d'une cheminée de pierre et un pan du mur de clôture. L'espace habitable est fluide, agencé en plan libre. Les travaux de restauration ont conservé à l'étage sa fonction d'espace de séjour principal et lui ont ajouté un poêle à bois.

1 entrée
2 jardin
3 puits
4 escalier vers la terrasse
5 terrasse

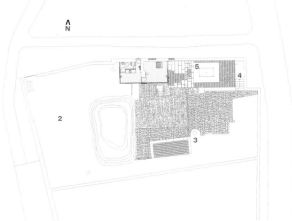

1964

La maison construite pour sa mère par Robert Venturi défie toutes les classifications. C'est en partie, d'ailleurs, ce qui explique le retentissement considérable de ce bâtiment, qui prend ses distances avec le modernisme et emprunte librement ses thèmes, son vocabulaire et ses symboles à la tradition architecturale la plus large.

Comme Venturi l'écrit lui-même, son projet pour cette maison embrasse une série de contradictions : « Elle est à la fois complexe et simple, ouverte et fermée, grande et petite. Certains de ses éléments sont bons d'un certain point de vue et mauvais d'un autre ; son ordre intègre les éléments génériques de la maison en général et les éléments propres à une maison en particulier [1]. » Il ne s'agissait pas seulement pour Venturi de délivrer un manifeste, mais aussi de construire une maison fonctionnelle pour un client déterminé. Il avait trois priorités : « Exprimer mes idées sur l'architecture, faire plaisir à ma mère et créer un cadre approprié pour ses meubles, m'adapter au site et au contexte. »

Vanna Venturi travaillait pour une entreprise de décoration et s'intéressait à l'art et à l'architecture. À la mort de son mari, elle demanda à son fils de concevoir pour elle une maison adaptée aux nécessités pratiques de sa nouvelle vie.

« La maison de ma mère, précise Venturi, a été conçue pour une personne veuve et âgée, avec sa chambre au rez-de-chaussée, mais pas de garage parce qu'elle ne conduisait pas, et pour une employée de maison et éventuellement une garde-malade. Mais la maison devait aussi convenir à ses beaux meubles qui m'ont vu grandir. Cela mis à part, ma mère n'avait aucune exigence particulière [...] quant au programme [...] ou à l'esthétique de la maison [2]. » Le projet de Venturi apporte une quantité d'idées expérimentales à ce qui reste, fondamentalement, une maison modeste. L'impression initiale de rigoureuse symétrie géométrique qui se dégage de la façade est perturbée à dessein par la distribution irrégulière des fenêtres, l'asymétrie du porche d'entrée, la cheminée décentrée, etc. À l'intérieur, le rez-de-chaussée s'articule autour d'un îlot regroupant l'escalier et la cheminée, point de convergence commun à la salle de séjour centrale et à la maison elle-même ; l'escalier conduit à un petit étage occupé par une chambre secondaire.

« [La maison] reflète mes idées de l'époque sur la Complexité et la Contradiction, en associant à la fois le contexte banlieusard particulier de Chestnut Hill, la stratification esthétique que m'a enseignée la Villa Savoye, le toit à deux pans inspiré de la Maison Low de Bristol (Rhode Island), le fronton brisé inspiré du fronton supérieur du palais de Blenheim, la composition double de l'immeuble Casa Girasole de Rome et des éléments décoratifs plaqués explicites. Mais c'est une maison moderne ; ma mère s'y plaisait et était heureuse d'y recevoir tous les jeunes architectes qui demandaient à la visiter [3]. » Cette richesse de vocabulaire, alliée à l'exubérante originalité du bâtiment, a assis la réputation de Venturi et fait de la maison une référence incontournable pour quiconque défend la nécessité d'une architecture créative et ouverte. Souvent imitée, notamment pendant l'âge d'or du postmodernisme des années quatre-vingt, la Maison Vanna Venturi est devenue l'emblème d'une imagination architecturale sans entraves.

1. Robert Venturi, *The Mother's House : The Evolution of Vanna Venturi's House*, in Frederic Schwartz (ed.), *Chestnut Hill*, Rizzoli, 1992.
2. Robert Venturi, « Stories of Houses — Vanna Venturi House », www.storiesofhouses.blogspot.com.
3. Robert Venturi, *ibid.*

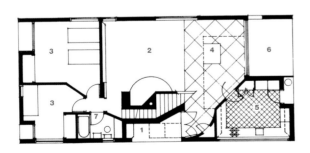

rez-de-chaussée

1 entrée
2 salon
3 chambre
4 salle à manger
5 cuisine
6 porche
7 salle de bains

premier étage

1 chambre / atelier
2 terrasse

1964

ALBERT FREY

MAISON FREY II PALM SPRINGS, CALIFORNIE, ÉTATS-UNIS

L'une des principales qualités de la Maison Frey II est sa modestie. Avec ses 90 m² à peine, ce petit bâtiment presque entièrement de plain-pied est discrètement tapi à flanc de montagne. Son agencement ouvert réunit dans un même espace la chambre, le séjour et le coin-repas surélevé où la table à dîner fait aussi office de table à dessin. Ce plan ramassé, où l'ameublement intégré en contreplaqué d'acajou libère l'espace, n'est pas sans évoquer le cher cabanon de bois de Le Corbusier — le mentor d'Albert Frey —, à Cap-Martin, près de Monaco.

Mais la maison impressionne aussi par la force de ses contrastes. Si la construction est modeste, le site du canyon Tahquitz dégage une incroyable puissance. À quelque 70 m au-dessus de Palm Springs, il offre un spectaculaire point de vue sur la ville et sur les villages du désert qui s'étend au-delà. Les façades vitrées ouvrent la maison sur ce panorama à couper le souffle, tandis qu'un énorme rocher, derrière lequel s'élève un escarpement imposant, s'invite jusque dans l'espace de vie.

À l'époque où Albert Frey construit ici sa seconde résidence de Palm Springs, il s'est déjà accordé une semi-retraite qui lui permet de choisir ses projets. Tout au long de sa carrière, dont une part importante est liée à l'essor que connaît Palm Springs dans les années quarante et cinquante, il a de temps à autre expérimenté des structures plus flamboyantes et audacieuses, comme la station-service du tramway — devenue office de tourisme —, dont le toit effilé salue de son long porte-à-faux les automobilistes qui arrivent de Los Angeles par la route 111. Mais la Maison Frey II représente peut-être la forme la plus aboutie d'une expression plus subtile de son œuvre : l'invention d'un « modernisme du désert ». Avec ses projets antérieurs, comme la Maison Loewy (1946) et la Maison Carey (1956), Frey avait déjà démontré une rare sensibilité au site et

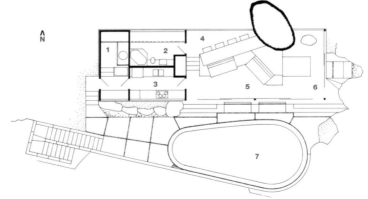

1 pièce de service
2 salle de bains
3 cuisine
4 salle à manger
5 salon
6 chambre
7 piscine

au contexte. Cette fois, il pousse plus loin encore cette intelligence du lieu, et façonne entièrement sa maison selon la topographie et le paysage. Elle devient un belvédère ouvert sur la ville et le désert.

« J'ai étudié la position du soleil pendant une année entière, raconte-t-il. Avec mon associé, nous avons planté en terre une perche de trois mètres, mesuré l'ombre qu'elle projetait et tracé un diagramme pour connaître la position du soleil à cet endroit à chaque époque de l'année. Le plan a été conçu de telle manière que, par exemple, les parois de verre ne soient pas exposées aux rayons du soleil pendant la chaleur d'été. C'est ce qui a déterminé les débords du toit. En hiver, quand le soleil est beaucoup plus bas, il pénètre et chauffe la maison [1]. »

La terrasse creusée d'une piscine en forme de goutte d'eau qui s'étend devant la maison a été réalisée dans une teinte de béton qui se fond avec la pente montagneuse. De même, le toit de tôle ondulée et le revêtement extérieur d'aluminium — appliqué sur une structure en acier — sont teintés pour s'harmoniser avec la roche, tandis que le plan épouse soigneusement la forme du rocher qui fait saillie à l'intérieur du bâtiment. Malgré la modernité sans concession de sa forme, de son plan et de ses matériaux, la Maison Frey II illustre une recherche d'immersion maximale dans le paysage.

Léguée au musée des Beaux-Arts de Palm Springs situé en contrebas, la maison est devenue un emblème du « modernisme du désert », mais aussi d'une approche originale et sensible du paysage, attentive aux enseignements de l'architecture vernaculaire et soucieuse d'apporter des solutions économiques et rationnelles à des problèmes tels que l'exposition solaire — une donnée essentielle en climat désertique. Grâce à de tels chefs-d'œuvre, l'influence de Frey s'étend bien au-delà de la ville qu'il avait faite sienne.

1. Entretien avec Jennifer Golub, *Albert Frey : Houses 1 + 2*, Princeton Architectural Press, 1999.

1965

CHARLES DEATON

MAISON SCULPTURE GENESEE MOUNTAIN, GOLDEN, DENVER, COLORADO, ÉTATS-UNIS

Parfois, l'architecture fait son cinéma… et des maisons d'architectes se retrouvent à jouer un rôle : la Résidence Elrod de John Lautner (voir p. 182) dans le James Bond, *Les diamants sont éternels* ; l'immeuble Bradbury de George Wyman pour *Blade Runner* ou encore la Maison Sculpture de Charles Deaton qui tient la vedette en 1973 dans *Sleeper (Woody et les robots)*, la célèbre comédie d'anticipation de Woody Allen.

Après ce film, cette Maison Sculpture, symbole du futur, fut d'ailleurs souvent rebaptisée Maison Sleeper. Outre son statut emblématique, cette construction aux formes sinueuses avant-gardistes à son époque reste contemporaine à l'heure actuelle où les lignes fluides deviennent communément tendance.

Charles Deaton commence à dessiner une forme sculpturale qui doit prendre place sur un spectaculaire terrain escarpé de 6 hectares au milieu des montagnes Rocheuses dans le Colorado. Puis il décide d'en faire sa

maison, en en redessinant les plans et les détails pour la transformer. C'est le seul projet résidentiel qu'il entreprendra de toute sa carrière, mais il utilisera ces formes futuristes pour d'autres commandes, notamment l'immeuble Key Savings & Loan Association d'Englewood (Colorado), conçu au même moment.

« Au début, je voulais que la forme soit suffisamment simple et puissante pour pouvoir être exposée dans une galerie d'art, explique-t-il. Je savais, bien sûr, lorsque j'ai commencé cette sculpture, qu'elle évoluerait vers une maison. Néanmoins, je voulais éviter de concevoir des plans avec une coquille autour. En fait, je n'ai pas cherché à donner d'échelle jusqu'à ce que la sculpture soit aboutie [1]. »

La maison, avec sa coquille qui s'ouvre sur le paysage vallonné en contrebas, est à l'opposé de l'esthétique rectiligne des Case Study à l'œuvre dans l'Ouest du pays. Elle a plus en commun avec l'approche expérimentale de Lautner ou les structures pionnières en béton de Félix Candela. Elle est amarrée au sol par un piédestal cylindrique de béton et d'acier sur lequel est posée une « cage » en grillage et acier, enduite de béton projeté et d'une couche d'Hypalon (un polyéthylène) mélangé à un pigment blanc et des coquilles de noix.

« À Genesee Mountain, déclarait Charles Deaton, j'ai trouvé un terrain en altitude d'où je pouvais ressentir l'immensité du territoire. Je voulais que la forme de [cette maison] puisse chanter librement sa chanson. »

Malgré l'énorme publicité que lui valut cette maison, Charles Deaton n'en finit jamais l'aménagement intérieur et il la revendit à la fin des années quatre-vingt.

Elle fut laissée plus ou moins à l'abandon avant d'être rénovée de fond en comble au début des années deux mille, et agrandie, triplant ainsi sa superficie, en suivant les plans de Deaton lui-même. Les travaux ont été supervisés par sa fille, Charlee Deaton, et son gendre, Nicholas Antonopoulos.

Aujourd'hui, la Maison Sculpture, symbole du futur lorsqu'elle fut construite, est peut-être, avec cet agrandissement, plus fidèle que jamais à la vision originale de Deaton. Il aura fallu plus de quarante ans pour que son concept architectural soit compris, mais finalement, dans une période de sophistication technique et d'expérimentation structurelle, elle demeure une source d'inspiration pour ses formes organiques et naturelles.

1. Philip Jodidio, *Architecture Now ! 3*, Taschen, 2004.

L'arrondi de la structure est décliné aussi dans l'aménagement intérieur : escaliers, murs et fenêtres suivent les mêmes formes organiques. Des caractéristiques spatiales communes avec les réalisations de John Lautner aux États-Unis, de Félix Candela au Mexique et d'Antti Lovag en France.

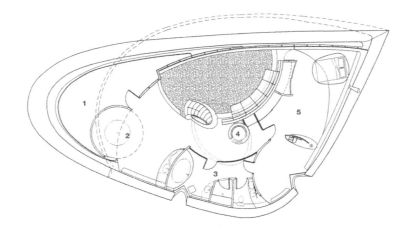

1 balcon
2 bureau
3 salle de bain
4 ascenseur
5 chambre

MAISON SCULPTURE

1966

CHARLES GWATHMEY

MAISON ET ATELIER GWATHMEY AMAGANSETT, HAMPTONS, LONG ISLAND, ÉTATS-UNIS

La maison radicale imaginée par Charles Gwathmey pour ses parents dans les Hamptons a lancé sa carrière et suscité une myriade d'imitations dans les stations balnéaires de Long Island et au-delà. Ce bâtiment, modeste à bien des égards et réalisé avec des moyens très simples, a eu un impact absolument hors de proportion avec son coût de construction de 35 000 dollars.

Ayant terminé ses études, Gwathmey parcourt l'Europe, s'arrêtant en France pour découvrir les bâtiments de son guide spirituel, Le Corbusier, avant de rejoindre l'agence d'Edward Larrabee Barnes. Mais il démissionne bientôt pour se consacrer entièrement à la commande que lui passent ses parents, le peintre Robert Gwathmey et son épouse Rosalie, ancienne photographe devenue designer de textile.

Au milieu des années soixante, le district des Hamptons était encore une région préservée, un repaire de fermiers et de peintres. Les Gwathmey purent acheter pour un prix modique 4 000 m² près d'Amagansett. Après avoir fixé un budget maximal et formulé quelques exigences de base concernant la surface habitable, la chambre principale et l'espace nécessaire pour accueillir quatre petits-enfants, ils laissèrent carte blanche à leur fils.

Le projet de Gwathmey est un objet au dessin très élaboré, une composition de cubes et de cylindres posée sur un sol de dunes broussailleuses. Le béton s'avérant trop cher, il opte pour une ossature bois revêtue d'un bardage de cèdre posé verticalement, mais même dans ces conditions le chiffrage le plus optimiste atteint quasiment le double de son budget. C'est ainsi que l'architecte décide de construire lui-même la maison avec l'aide d'un artisan local, tout en enseignant au Pratt Institute de New York.

Détail important, il peut à l'époque construire sur trois niveaux pour profiter de la vue sur l'océan. Son bâtiment culmine à 12 m, ce qu'interdiraient

aujourd'hui les règles locales. La maison ne totalise que 110 m² (pour une emprise au sol d'environ 7 × 8 m), que Gwathmey utilise de façon optimale tout en créant des espaces généreux et de multiples relations et vues vers l'extérieur.

Le rez-de-chaussée accueille une chambre — divisée à l'origine par un placard central avec, de part et d'autre, deux lits superposés destinés aux petits-enfants et le petit atelier de Rosalie Gwathmey, aux allures de cuisine de bateau, blotti sous l'escalier en spirale. Au niveau supérieur, la salle de séjour s'ouvre sur une petite terrasse intégrée dans le volume du bâtiment. Les grandes

baies vitrées inondent la maison de lumière.

L'année suivante, Gwathmey ajoute à la maison une construction séparée mais complémentaire de la première, dans la même palette de matériaux simples et sobres, contenant une chambre d'amis au rez-de-chaussée et l'atelier de son père à l'étage.

Robert et Rosalie Gwathmey adoptèrent bientôt la maison comme résidence principale, tandis qu'autour d'eux les Hamptons se transformaient peu à peu en destination de week-end à la mode. Après avoir hérité de la maison, Charles Gwathmey et sa femme lui ont apporté des modifications mineures, ajoutant quelques ouvertures au bâtiment principal, un dallage en marbre, une haie autour de la maison et une rangée de tilleuls sur un côté du terrain.

La maison reçut un accueil mitigé de la population locale à l'époque de sa construction, mais la renommée rapide et la carrière florissante de son auteur firent bientôt taire les critiques. On a glosé çà et là sur sa ressemblance avec un silo et ses réminiscences vernaculaires largement liées à l'emploi du bois et de matériaux traditionnels, mais l'objectif premier de Gwathmey résidait bien dans l'expérimentation des formes et des volumes.

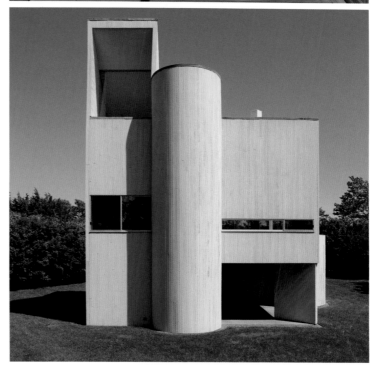

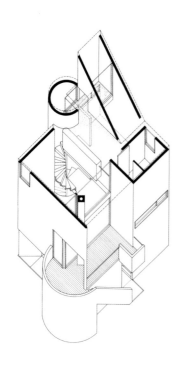

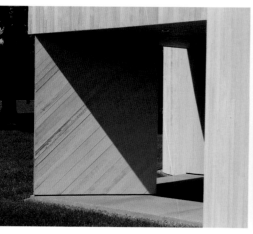

Malgré sa taille assez modeste, la maison offre une généreuse sensation d'espace. Gwathmey crée une terrasse surélevée au niveau supérieur et exploite habilement la hauteur du bâtiment en construisant à l'étage une mezzanine qui accueille la chambre principale.

1966

JOSEPH ESHERICK

ESHERICK HEDGEROW SEA RANCH, COMTÉ DE SONOMA, CALIFORNIE, ÉTATS-UNIS

Implantée sur le terrain d'un ancien élevage d'ovins et donnant sur le Pacifique, la communauté de Sea Ranch est une opération pionnière en matière d'écologie. Située à quelque 150 km au nord de San Francisco, près de la petite ville californienne de Gualala, elle offre un idyllique paysage escarpé et, depuis sa fondation dans les années soixante, s'attache à respecter et préserver la beauté de son environnement naturel. Ici, point de jardins paysagers ni de clôtures bien ordonnées ; on privilégie les plantations locales et l'on adopte une approche naturaliste qui donne à ces jardins mitoyens et à ces espaces communautaires un petit air de réserve naturelle. Les installations publiques sont enfouies et l'éclairage extérieur, limité. L'architecture, elle aussi, se caractérise par un grand respect du site.

Sea Ranch est né en 1963, sur un lot de 1 600 hectares. Il est le fruit d'une collaboration entre l'architecte et urbaniste Al Boeke et les promoteurs Oceanic California, Inc. Avec l'architecte et paysagiste Lawrence Halprin, Boeke effectua une étude minutieuse de la région, puis travailla sur le développement d'une stratégie cohérente à long terme, fondée sur des principes de développement durable et de respect de la topographie. L'idée directrice était de ne pas imposer la nouvelle communauté à ce magnifique tronçon de côte, mais de travailler avec le paysage, tout en allégeant l'impact des constructions à venir.

Les premiers bâtiments du site furent commandés à Charles Moore, Donlyn Lyndon, William Turnbull et Richard Whitaker de chez MLTW Architects, ainsi qu'à Joseph Esherick, qui devinrent ensemble les pères fondateurs de la communauté. Leurs réalisations initiales s'avérèrent cruciales dans le développement de ce qui allait prendre le nom de « style Sea Ranch », un style gouverné par une série très stricte de codes de construction auto-imposés. Les principes des Sea Ranch convenaient parfaitement à Esherick, fervent disciple des bâtiments adaptés au site, répondant aussi bien aux attentes du client qu'à celles de l'environnement, et n'affichant pas la signature de l'architecte. Il conçut une série de maisons-témoins, ainsi que le Sea Ranch Store, le long d'une haie brise-vent qui avait été plantée sur la propriété en

1916. Ces Hedgerow Houses (« Maisons contre la haie »), habillées de bardeaux, étaient fortement influencées par la tradition vernaculaire des granges et des fermes, mais Esherick réinterpréta cette esthétique pour créer des bâtiments à la fois contemporains, adaptables et parfaitement intégrés.

La toute dernière et plus petite de la série était la propre résidence d'Esherick, également connue sous le nom de Maison Friedman/Stassevitch, une modeste habitation de trois pièces s'élevant à flanc de colline, donnant à l'avant sur un ruisseau traversé par un petit pont et à l'arrière sur des prairies.

Esherick mit tout son talent dans cette petite maison de 81 m², qui consiste essentiellement en un seul niveau, plus

Discret et cohérent, le style Sea Ranch procède d'un ensemble auto-imposé de lignes directrices et de codes de construction. Les maisons sont en bois et bardeaux naturels, les toits à l'aplomb des murs et les jardins dépourvus de clôtures.

une troisième chambre en mezzanine. En bas, la cuisine s'ouvre sur une généreuse terrasse donnant sur l'océan ; elle est flanquée d'un côté par le porche de l'entrée, et de l'autre par une chambre à coucher dotée d'une terrasse privative. Un grand salon occupe l'arrière de la maison, sur presque toute la longueur.

Le bâtiment s'intègre parfaitement à son environnement. À l'instar des autres maisons de style Sea Ranch, la Maison Esherick présentait une approche novatrice en termes de développement durable et de respect de la nature — thèmes essentiels de cette nouvelle génération d'architectes. D'après Esherick, «le bâtiment idéal est celui qu'on ne voit pas». Sa propre maison en est une parfaite illustration.

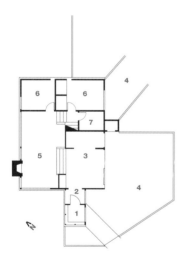

rez-de-chaussée

1 **porche**
2 **vestiaire**
3 **cuisine et espace repas**
  (sous la chambre en mezzanine)
4 **terrasse**
5 **salon**
6 **chambre**
7 **salle de bains**

Très compacte, la maison tire grand parti de sa situation de bord de mer, et optimise l'espace intérieur disponible avec de nombreux éléments intégrés et réalisés sur mesure, dont une chambre en mezzanine.

1968

LUIS BARRAGÁN

ÉCURIES DE SAN CRISTÓBAL LOS CLUBES, MEXICO, MEXIQUE

Dans son discours prononcé à l'occasion de la remise du Pritzker Prize 1980, Luis Barragán évoquait l'importance des valeurs romantiques, poétiques et artistiques de l'architecture : « Les mots Beauté, Inspiration, Magie, Fascination, Enchantement, ainsi que les concepts de Sérénité, Silence, Intimité et Surprise. Tous sont incrustés dans mon âme, et bien qu'étant pleinement conscient de ne pas leur avoir entièrement rendu justice dans mon œuvre, ils n'ont jamais cessé de me guider [1]. » Si l'œuvre de Barragán est ancrée dans le modernisme, elle est aussi profondément enracinée dans l'histoire, la culture et l'art du Mexique. Puisant dans cette intarissable source d'inspiration, il devint l'un des plus grands modernistes régionaux et le père de la nouvelle architecture mexicaine.

L'œuvre de Barragán réinvente des thèmes typiquement mexicains et hispaniques, comme les murs texturés monumentaux, l'usage dynamique de la couleur et un rapport sensible à la nature et au paysage, notamment dans l'utilisation de l'eau dans l'aménagement de jardins et de cours parfaitement intégrés à l'architecture des bâtiments. Barragán revisite et réinterprète les anciens couvents, églises et haciendas du Mexique. « J'ai toujours été touché par la paix et le bien-être que l'on éprouve dans ces cloîtres déserts et ces cours solitaires. Comme j'aurais aimé que ces sentiments aient laissé leur empreinte sur mon œuvre [2]. »

Le projet préféré de Barragán, et le plus illustre, San Cristóbal, est né de ce riche contexte, mais s'inspire également d'un amour partagé — par l'architecte et son client, Folke Egerström — pour les chevaux. Le haras de San Cristóbal, toujours en exploitation, est une hacienda d'un genre nouveau, enrichie par des bassins, des fontaines et un usage extraordinaire de couleurs vives, qui semblent faire le lien entre la nature et l'architecture.

Conçu en collaboration avec Andrés Casillas, San Cristóbal se compose d'une maison et d'écuries situées à Los Clubes, à la périphérie de la tentaculaire ville de Mexico. Passionné d'équitation depuis son plus jeune âge, Barragán a toujours été attiré par les clients et les projets liés aux chevaux, et lui-même avait d'ailleurs les siens à Los Clubes.

Les ranchs et les haciendas constituent l'une de ses plus profondes sources d'inspiration, tout comme les hauts murs d'écuries, les enclos, les abreuvoirs et les bassins pour chevaux qui font partie de leur configuration traditionnelle. L'agencement de San Cristóbal est essentiellement rectangulaire et abrite la maison et la piscine, ainsi que les écuries, la grange à foin, les paddocks et le bassin réservé aux chevaux. La maison est une composition cubiste blanche, qui contraste avec les roses profonds ornant les murs des écuries et de la cour centrale.

Barragán a réussi à établir un rapport très complémentaire entre l'espace habitable et le domaine des chevaux, mais c'est surtout sa façon de fondre ces deux entités dans le paysage, en unifiant jardins, cours et patios par un langage commun et l'usage dynamique de la couleur et de l'eau, qui force l'admiration.

L'image célèbre de ce pur-sang sur fond de mur rose fuchsia est devenue emblématique de l'architecture du XXᵉ siècle à son apogée. L'œuvre de Barragán allait exercer une profonde influence sur l'architecture mexicaine, notamment sur le travail de Ricardo

Legorreta, mais elle eut aussi un impact international, combinant ce que l'on peut considérer comme une approche minimaliste et une réponse imaginative à l'ombre et à la lumière, à la couleur et à la texture, à l'eau et au paysage — une approche empreinte de richesse et de sentimentalité.

« Ce qui sous-tend tout ce que j'ai accompli, explique Barragán, ce sont les souvenirs du ranch de mon père, où j'ai passé mon enfance et mon adolescence. Dans mon œuvre, je me suis toujours efforcé d'adapter les nécessités de la vie moderne à la magie de ces lointaines et nostalgiques années [3]. »

1. Luis Barragán, discours d'acceptation du Pritzker Prize, The Hyatt Foundation, 1980.
2. *Ibid.*
3. *Ibid.*

Dans la cour centrale du complexe, le bassin des chevaux, alimenté par une fontaine, contraste avec les murs monumentaux. La pureté de l'œuvre de Barragán — riche en couleurs et en textures, mais dépourvue de tout ornement superflu — crée une puissante toile de fond à la vie quotidienne du haras.

1968

JOHN LAUTNER

RÉSIDENCE ELROD PALM SPRINGS, CALIFORNIE, ÉTATS-UNIS

En tant qu'architecte, John Lautner tourna résolument le dos aux cubes, qu'il associait aux prisons et aux chenils, non aux habitations. Si bon nombre de ses contemporains californiens passèrent leur temps à définir la «maison de rêve» de l'époque — forme rectangulaire, toit plat et façade vitrée —, Lautner, lui, laissa son imagination et sa passion pour l'ingénierie le guider vers d'autres voies.

Les maisons de Lautner se distinguent par une insolite approche de la forme ; certaines d'entre elles sont totalement dépourvues d'angles droits. Ce sont des bâtiments à la géométrie variée — hexagones, cônes ou sphères — et aux courbes sensuelles et organiques, parfaitement exprimées par le béton ou le bois. Elles s'inspirent quelque peu des œuvres de Frank Lloyd Wright. Mais la vision de Lautner, fraîche et unique, est affranchie par la clémence du climat californien, par l'ouverture d'esprit de la région et par son désir d'intégrer l'architecture au paysage environnant.

La Résidence Elrod de Palm Springs est l'une des plus célèbres maisons de Lautner, et l'une des plus riches expressions de son art. Perchée sur le mont Smoke Tree qui surplombe la ville désertique de Palm Springs, et enclavée dans le flanc de la montagne à la manière d'un bunker, la villa ne se voit pas aisément d'en dessous. De l'extérieur, elle présente une certaine modestie, sa carapace de béton se mêlant à la roche calcinée par le soleil.

C'est à l'intérieur, toutefois, que la maison révèle sa véritable beauté, notamment dans l'extraordinaire salon circulaire de 18 m de diamètre. Là, un vaste plafond se compose d'une série de panneaux de béton géants séparés par des verrières, évoquant les pales d'un ventilateur. Ces imposants pétales semblent flotter, telle une soucoupe volante, et contrastent avec la grande paroi vitrée courbe coulissante qui donne accès à la piscine et s'ouvre sur le paysage ainsi que sur la ville en contrebas.

La maison a été commandée par Arthur Elrod, le décorateur d'intérieur des stars. «Après m'avoir montré le site, révélera plus tard Lautner, Elrod m'a dit : "Montrez-moi ce que l'on peut tirer de ce terrain". Il voulait de l'architecturalement exceptionnel. »

Le bâtiment est relativement abrité de la route d'accès et se cache derrière une grille de cuivre pivotante. Un jardin de sculptures s'étend juste derrière, puis une grande porte d'entrée vitrée mène au splendide salon. La cuisine occupe l'arrière, avec un sol en ardoise noire et une vaste cheminée en béton encastrée sur un côté. Ayant remarqué de gros affleurements rocheux, Lautner creusa sur près de 2,5 m pour les exposer et les intégrer dans l'aménagement de la maison.

La qualité organique de ces ardoises et de cette pierre contraste avec les grandes dalles de béton et la légèreté du verre. «La nuit, lorsque les lumières sont tamisées, explique Lautner, l'ardoise noire du sol semble disparaître dans l'obscurité et on a l'impression d'être dans l'espace, à contempler les lueurs scintillantes de Palm Springs. »

Plus tard, Elrod demanda à Lautner d'ajouter une aile séparée pour les invités. Évoquant la proue d'un énorme bateau, cette annexe s'étage à flanc de colline à partir de la maison principale. Conquis, Bob et Dolores Hope demandèrent à Lautner d'en construire une pour leur propriété, située dans la même enclave résidentielle. La Résidence Elrod a également servi de toile de fond au film *Les diamants sont éternels*.

Les constructions de Lautner semblent chacune façonnées par une grande idée directrice ; dans le cas de la Résidence Elrod, il s'agit du spectaculaire plafond de béton et de la façon dont le paysage pénètre dans le salon, comme au travers d'une lentille géante. Mais le bâtiment reflète également toute l'originalité spatiale et visuelle de l'œuvre de Lautner, livrant découvertes et sensations au fil de ses espaces extraordinairement complexes et contrastés.

Le plafond du salon constitue l'un des procédés architecturaux les plus remarquables de l'époque. Le toit, soutenu par de discrets piliers de béton, semble flotter, tandis qu'une paroi vitrée coulisse pour ouvrir la vue panoramique sur le paysage environnant.

rez-de-chaussée

1 entrée
2 salon
3 cuisine
4 chambre
5 salle de bains
6 piscine
7 terrasse
8 chambre d'amis

niveau toiture
1 jardin intérieur
2 toit-terrasse

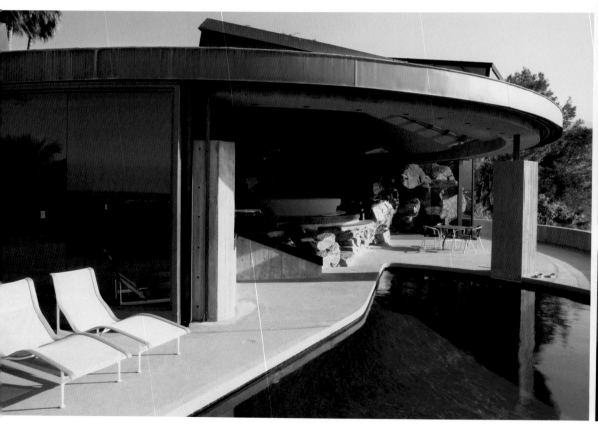

184

L'audacieux écrin de béton permet des espaces intérieurs sculpturaux et des jeux de lumière. Les motifs floraux de la cuisine, réalisés par l'artiste verrier Dale Chihuly, ajoutent des touches de couleur.

1969

RICHARD ROGERS

MAISON DU DR ROGERS WIMBLEDON, LONDRES, GRANDE-BRETAGNE

Située dans une enclave verdoyante du sud-ouest de Londres, cette maison fut l'une des premières commandes de Richard Rogers après la dissolution de son partenariat avec Norman et Wendy Foster et Su Rogers. L'agence Team 4 avait passé six ans à dessiner et construire Creek Vean en Cornouailles — une maison complexe, faite de blocs de béton savamment travaillés, située sur un site escarpé dominant une crique. La maison que Richard Rogers réalisa pour ses propres parents, toutefois, se révéla très différente et exerça une influence considérable sur la nature et la direction de sa carrière. Les idées et les thèmes qu'il insuffla dans cette maison, en effet, furent repris dans d'autres grands projets ultérieurs, tel le Centre Pompidou.

Le Dr Nino Rogers et son épouse Dada avaient émigré d'Italie en 1939, avec Richard, pour s'installer dans la banlieue de Surrey où ils vécurent de longues années. Mais la passion de l'architecture, du design contemporain et de l'art moderne était restée ancrée en eux, et dans les années soixante, ils demandèrent à leur fils de construire une maison pour leur retraite. Ayant déniché une bande de terrain dans un jardin situé en face de Wimbledon Common, ils commandèrent une maison de plain-pied, dotée d'une petite salle de consultation pour le Dr Rogers, d'un atelier de poterie pour son épouse et de deux chambres à coucher.

Après son année d'études à Yale, Rogers avait visité bon nombre des Case Study en Californie, et admirait beaucoup les maisons à structure d'acier des Eames, ainsi que l'œuvre de Craig Ellwood, Raphael Soriano et Rudolph Schindler. Il appréciait l'adaptabilité de ces édifices et voulait que cette qualité imprègne la maison de Wimbledon, qui serait construite avec des matériaux industriels et courants.

La maison, donc, consiste en une simple structure d'acier apparente, à l'arrière et à l'avant de laquelle s'intègrent des rangées de vitres.

Les pignons, contigus aux limites du terrain, sont faits de panneaux préfabriqués en aluminium et plastique, assemblés au néoprène. L'intérieur de la maison, très ouvert, comporte des cloisons modulables. La structure apparente et les éléments fixes, comme la cuisine, sont peints de couleurs vives. Au fond du jardin, un deuxième pavillon abrite l'atelier de poterie et une chambre d'amis.

« C'était pratiquement un prototype, explique Rogers. On peut établir un lien direct entre la maison de Wimbledon et le Centre Pompidou. Tout est là — l'ossature acier, les couleurs vives et l'espace adaptable. L'idée était de faire une maison facilement extensible et modifiable. »

La maison préfigurait également un modèle d'habitations qui pourraient être produites à grande échelle et qui répondraient aux besoins de logements de l'époque — thème qui n'a cessé d'être exploré par le cabinet de Rogers.

Pour l'architecte, l'une des plus grandes surprises fut la façon dont sa mère fit fusionner la maison et le jardin, optimisant la transparence de la structure et les différentes connexions entre intérieur et extérieur, un peu à la manière des Case Study. « C'est l'une des grandes réussites de ce bâtiment », reconnaît Rogers.

« Les mots qui définissent nos réalisations, continue Rogers, sont la transparence, la souplesse, l'adaptation, l'isolation et le lien entre intérieur et extérieur. Je compare toujours les bâtiments aux enfants — on n'a jamais d'enfant préféré. Mais le bâtiment que j'ai le plus apprécié est la maison de mes parents, parce qu'elle contenait, au stade embryonnaire, les idées qui n'allaient cesser de nous influencer, du Centre Pompidou à la Lloyd's en passant par l'aéroport de Madrid. Il existe véritablement un lien entre ces projets. »

La flexibilité était un élément-clé du concept, et la maison l'a parfaitement bien supporté, mais elle s'est aussi toujours révélée capable de s'adapter aux différentes circonstances.

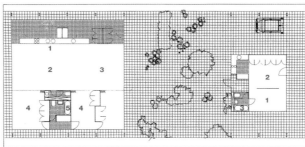

maison principale

1 **cuisine**
2 **espace repas**
3 **salon**
4 **chambre**
5 **salle de bains**

atelier

1 **atelier de poterie**
2 **chambre d'amis**
3 **salle de bains**

1970

CRAIG ELLWOOD

MAISON PALEVSKY PALM SPRINGS, CALIFORNIE, ÉTATS-UNIS

Issu de l'industrie du bâtiment et façonné par son expérience sur le terrain, Craig Ellwood aborda l'architecture avec un point de vue d'ingénieur. Il fut toutefois capable de combiner ses connaissances en matière de construction et de structure innovantes avec une capacité à saisir le potentiel exceptionnel et prestigieux de l'architecture moderniste californienne.

Ellwood conjugua sa quête de la simplicité structurelle du pavillon de verre — incarné par le Pavillon de Barcelone et la Maison Farnsworth (voir p. 136) de Mies van der Rohe, qui a toujours exercé une forte influence sur l'œuvre d'Ellwood — avec une profonde affinité pour le style de la côte Ouest. Menant grand train au volant de ses Ferrari ou Lamborghini, il avait lui-même adopté ce mode de vie luxueux qu'il proposait à ses clients. Il était en parfaite adéquation avec le rêve californien d'après-guerre. Il passait même, aux yeux de certains, pour « le Cary Grant de l'architecture ».

La plupart des maisons d'Ellwood ne sont autres que des variations autour du grand classique du modernisme californien — le très design pavillon de verre à structure d'acier s'ouvrant sur de grands espaces naturels. Mais certaines villas explorent d'autres thèmes, comme celui du patio intérieur, si bien incarné par la Maison Palevsky de 1970, l'une des dernières et parmi les réalisations les plus accomplies de sa carrière. Au milieu des années soixante, Ellwood avait conçu l'usine de production de la compagnie informatique SDS que dirigeait Max Palevsky. Les deux hommes se lièrent d'amitié et, lorsque Palevsky et son épouse décidèrent de faire construire une maison dans la très sélecte station balnéaire de Palm Springs, Ellwood fut naturellement choisi comme architecte. Palevsky était déjà propriétaire d'un appartement à Palm Springs, dans un immeuble conçu par

A. Quincy Jones, mais il rêvait d'intimité et décida de faire construire un ensemble muré dans un site spectaculaire à proximité de la ville.

« Craig nous avait parlé des maisons murées marocaines, se souvient Palevsky, et nous sommes donc allés au Maroc, avec Craig et Gloria [Ellwood]… Nous avons parcouru tout le pays puis sommes allés en Tunisie… Nous avons vu beaucoup de maisons[1]. »

Avec son associé Alvaro Vallejo, Ellwood créa une enceinte d'environ 200 x 90 m au sein de laquelle il plaça la résidence principale, à ossature acier, de sorte qu'elle donne sur la terrasse et la piscine à l'avant ainsi que sur le désert qui, au-delà, s'étendait à partir du plateau soutenant la maison. À l'arrière, il ajouta une annexe pour les invités, avec deux chambres dos à dos, ainsi qu'un garage. Cet agencement autour de la cour intérieure préservait l'intimité tout en accueillant la lumière naturelle et offrait de splendides vues sur le paysage escarpé.

« Cette maison est pour moi un merveilleux lieu de vie », raconte Palevsky, qui l'avait soigneusement ornée d'œuvres d'Andy Warhol, Roy Lichtenstein, Alexander Calder et autres.

« Elle est très simple et ne demande que très peu d'entretien. Les choses ne se cassent pas… Cette maison m'enchante[2]. »

Et il était si content qu'il donna 10 000 dollars à Ellwood, sous forme d'actions dans la nouvelle société qu'il était en train de fonder, après avoir vendu SDS à Xerox. La nouvelle entreprise fut baptisée Intel, et cinq ans plus tard, Ellwood put, avec ses très conséquents intérêts, financer un divorce, fermer son cabinet et s'installer en Italie pour y adopter un nouveau style de vie.

1. Neil Jackson, *Craig Ellwood*, Laurence King, 2002.
2. *Ibid.*

La Maison Palevsky s'agence dans une enceinte qui rappelle les haciendas mexicaines. Ici, toutefois, les murs comportent des ouvertures qui encadrent les vues et, au-delà de la terrasse et de la piscine, les barrières légères et transparentes permettent une vue panoramique sur le désert.

La résidence principale
est conçue selon un
plan fluide qui intègre
de vastes surfaces
vitrées, à l'avant et
à l'arrière, le long
de couloirs d'accès
parfaitement pensés.
Les séparations entre
les chambres ont été
réduites au minimum,
des demi-cloisons
séparent la cuisine et
la chambre à coucher
principale, et l'espace
salle à manger/salon est
totalement décloisonné.

maison des invités
1 chambre d'amis
2 salle de bains

maison principale
1 chambre
2 salle de bains
3 cuisine
4 espace repas
5 salon
6 terrasse de la piscine

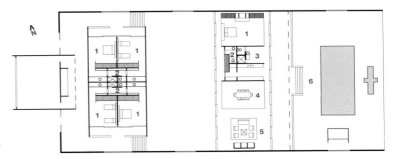

MAISON PALEVSKY

1970

AGUSTÍN HERNÁNDEZ

MAISON HERNÁNDEZ MEXICO, MEXIQUE

« Pour être créatif, il faut être original », déclarait Agustín Hernández. Et il ne fait aucun doute que sa voix est l'une des plus originales de l'architecture mexicaine, comme en témoignent la série de pittoresques bâtiments dont il est l'auteur. Intégrant l'influence des cultures précolombiennes avec les leçons du modernisme et une bonne dose d'imagerie futuriste, Hernández a créé tout un éventail de structures monumentales à Mexico et au-delà. Dans nombre de ses réalisations majeures, dont le collège militaire de Mexico et le centre de méditation de Cuernavaca, le passé, le présent et le futur semblent s'amalgamer dans des formes abstraites particulièrement spectaculaires. « J'ai essayé d'être différent, dit-il. J'ai essayé de chercher une véritable architecture mexicaine, une façon de revisiter les racines précolombiennes de notre histoire. Il s'agissait de chercher une identité. Il s'agissait de synthétiser les différentes cultures du Mexique. En outre, j'adore la science et la science-fiction. » Œuvre phare parmi ses réalisations, la maison personnelle et l'atelier d'Hernández occupent le verdoyant quartier résidentiel de Bosques de las Lomas, à Mexico. Fidèle à sa maxime, selon laquelle « la géométrie est mon dieu », l'architecte et sculpteur y a érigé une vaste tour couronnée d'un dynamique engin spatial en béton. Le bâtiment est scellé dans le flanc d'une colline, son unique pilier porteur s'enfonçant dans la pente, et le pont d'entrée débouchant près du sommet de la « fleur » de béton, où il rejoint la route qui longe le faîte de la colline. Cette couronne vaste et abstraite — donnant sur toute la vallée en contrebas — abrite les espaces d'habitation et l'atelier d'Hernández.

La Maison Hernández — ou, comme on l'appelle aussi, l'Atelier d'architecture — fait partie des quelques « machines flottantes » de l'architecte, parmi lesquelles figure aussi la Casa en el Aire de 1991, construite pour son cousin. Il s'agit toujours de structures extraordinaires, aux fonctions sibyllines et aux allures high-tech. La plupart des composants renforcent cette impression « âge des machines » : les spacieuses portes d'entrée métalliques, par exemple, ou l'escalier hélicoïdal revêtu d'acier, qui évoque un ressort ou un rouage géant enchâssé dans un gigantesque moteur.

La maison a été conçue comme une entité cohérente, avec des intérieurs sur mesure entièrement équipés, et des meubles dessinés par Hernández lui-même pour les conformer à l'originalité des espaces. « La structure, la forme et la fonction sont réunies, explique-t-il. Tout est question d'unité. »

La solidité de la structure de la tour d'Hernández a été éprouvée plus d'une fois lors des séismes qui secouent périodiquement la ville : c'est à peine si elle déplore une fissure. La Maison Hernández restera sûrement très longtemps parmi les bâtiments les plus fascinants qui soient.

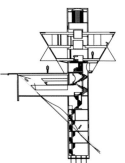

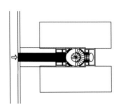

niveau d'entrée

niveau 1

niveau 2

niveau 3

MAISON HERNÁNDEZ

1970

PAULO MENDES DA ROCHA

MAISON MILLÁN SÃO PAULO, BRÉSIL

L'œuvre de Paulo Mendes da Rocha se distingue par l'échelle monumentale, d'aucuns diraient héroïque, de ses structures. Celles-ci ont tendance à prendre des allures de sculptures abstraites, dont la qualité brute et industrielle est animée par des poutres géantes, des colonnes imposantes, de vastes fenêtres ou des murs monolithiques. Souvent, les grands blocs qui forment ses édifices paraissent flotter de manière improbable, tel le musée brésilien de la Sculpture ou encore la chapelle Saint-Pierre. À l'échelle domestique, cette méthodologie — propre aux halls d'usine ou aux entrepôts — peut parfois paraître aliénante et oppressive, et l'on ne s'étonne pas que Mendes da Rocha

soit généralement catalogué parmi les adeptes de l'école brutaliste. Et pourtant, ses espaces sont empreints d'une grande théâtralité, de par leur échelle et leur ouverture. Ils mêlent la force de structures imposantes avec une approche minimaliste de la couleur et des finitions, qui laisse la texture du béton et du ciment poli apparaître dans son état le plus brut.

La résidence de plain-pied de Mendes da Rocha, achevée en 1960, faisait usage de composants de béton industriels et préfabriqués. La Maison Millán de 1970, quant à elle, s'inscrit dans une échelle beaucoup plus monumentale.

Conçue pour le marchand de tableaux Fernando Millán, proche ami de l'architecte, elle comprend un patio et une piscine abritée à l'avant, d'où un escalier conduit à un toit-terrasse orné d'un bassin. L'extérieur donnant sur la rue n'est qu'une simple façade de béton, presque entièrement dépourvue de fenêtres ou de portes — sorte d'entrepôt monolithique posé au milieu d'une enclave verdoyante de São Paulo.

À l'intérieur, la maison révèle tout son génie par le contraste marqué entre des volumes simples — relativement confinés — et d'imposants espaces en double hauteur, éclairés par des verrières. Mais le clou reste l'escalier en colimaçon qui monte depuis la partie en double hauteur du salon vers une galerie en balcon donnant sur le cœur de la structure.

La maison a été vendue à un autre négociant en art, Eduardo Leme, qui, avec Mendes da Rocha, a entrepris de modestes travaux de rénovation. Les chambres ont été agrandies et des fenêtres ajoutées à l'étage. La maison, toutefois, a conservé toute sa pureté monastique, avec ses murs nus et sans couleur, parfaitement adaptés à la mise en valeur des œuvres d'art. De fait, un peu à l'image des réalisations plus récentes de John Pawson et Claudio Silvestrin, et bien que dépourvu de la concentration de matériaux naturels

Le bloc de béton rectangulaire qui forme la Maison Millán est encastré dans le flanc d'une colline. Son aspect luxueux ne procède pas de matériaux fins ou d'une décoration élaborée, mais exclusivement de son volume.

et de finitions artisanales (voir p. 240), le minimalisme de la Maison Millán dégage une atmosphère de galerie d'art. Toute ornementation a été bannie, et l'imposante ossature laissée telle quelle.

Les espaces de Mendes da Rocha ont influencé — et continuent d'influencer — la jeune génération d'architectes, intéressée d'une part par cette approche brute et sans entrave et, de l'autre, par la maîtrise du contraste entre espace et lumière. Aujourd'hui, une interprétation modernisée de la beauté brutaliste inventée par Mendes da Rocha s'exprime dans bon nombre de centres urbains.

L'avant-gardisme qui
imprègne tout le travail
de Mendes da Rocha
tient à la radicalité et à
la monumentalité de ses
volumes.

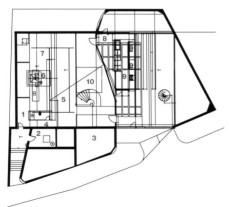

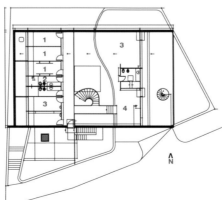

à gauche : rez-de-chaussée

1 entrée
2 local technique
3 piscine
4 toilettes
5 salon
6 cheminée
7 bibliothèque
8 salle à manger
9 cuisine
10 jardin d'hiver

à droite : premier étage

1 office
2 salle de bains
3 chambre
4 atelier

MAISON MILLÁN

201

La Maison Goulding est une sculpture flottante surplombant la rivière, mêlant la transparence du verre à l'opacité du cèdre.

La Maison Goulding est une sculpture flottante surplombant la rivière, mêlant la transparence du verre à l'opacité du cèdre.

Il existe des maisons pour lesquelles l'environnement ajoute une dimension colossale à l'architecture, devenant partie intégrante de la structure. Quand on se remémore, par exemple, la Maison sur le ruisseau d'Amancio Williams, qui franchit le Brook à Mar del Plata en Argentine, ou la Maison sur la cascade de Frank Lloyd Wright (voir p. 100), ou encore les résidences défiant les lois de la pesanteur de John Lautner (voir p. 182), on se rend compte à quel point

une réponse imaginative à la topographie peut façonner un bâtiment et transformer l'ordinaire en extraordinaire.

La Maison Goulding de Scott Tallon Walker en est un exemple typique. Cet intrigant parallélépipède s'allonge en porte-à-faux au-dessus des eaux vives de la Dargle, à Enniskerry, en Irlande, d'une façon qui paraît presque improbable à première vue. Le bâtiment à structure d'acier, revêtu d'un mélange de cèdre et de verre, devient ainsi un étonnant belvédère flottant au-dessus du paysage boisé.

L'édifice a été commandé par l'homme d'affaires, collectionneur d'art et jardinier

Sir Basil Goulding qui, avec son épouse Valerie, avait consacré beaucoup de temps et d'efforts aux vastes jardins de son domaine d'Enniskerry, et souhaitait faire construire un pavillon d'été, sans que les travaux nuisent aux plantations.

Ronald Tallon de chez Scott Tallon Walker dessina alors un pavillon aux influences manifestes de Mies van der Rohe et Craig Ellwood, mais le suréleva au-dessus des jardins, et le fit saillir par-dessus la rivière, avec l'aide des ingénieurs Ove Arup & Partners.

Les cinq travées en porte-à-faux de la maison ne sont que discrètement ancrées au coteau, au niveau de

l'entrée. Les deux premières travées sont supportées par un portique métallique encastré dans la roche de la berge en contrebas. Les trois dernières travées s'avancent dans le vide au-dessus de l'eau, les deux dernières, entièrement vitrées sur les deux côtés et au bout, créant ainsi une plate-forme panoramique si spectaculaire qu'il fallut dissuader Goulding de faire également vitrer le sol.

À l'intérieur, le noyau technique situé juste après l'entrée contenait à l'origine une kitchenette et un local technique, tandis que les couloirs de part et d'autre débouchaient sur le vaste espace ouvert qui constitue la plus grande partie du pavillon.

« Le soir de l'inauguration, nous avons dansé à l'extrémité du porte-à-faux, et j'ai été surpris de voir combien le sol était stable, raconte Tallon. Mais mon plus grand plaisir était de profiter du bâtiment à différentes saisons de l'année. La maison est baignée par les variations saisonnières et son ordre contraste délicatement avec les éléments naturels qui l'entourent. »

Le bâtiment finit par tomber en décrépitude, mais les nouveaux propriétaires du domaine Goulding ont demandé à Scott Tallon Walker de rénover la résidence d'été pour en faire un pavillon d'amis, tout en modernisant et agrandissant le noyau technique afin d'y inclure une nouvelle cuisine et un lit rabattable.

Malgré ses nombreuses références à la Maison Farnsworth de Mies van der Rohe (voir p. 136) — ainsi qu'à son projet de 1934 pour une « maison de verre à flanc de colline » —, la Maison Goulding conserve fièrement son originalité propre.

La salle de séjour, comme projetée au-dessus de la rivière et baignée de verdure à travers ses spacieux vitrages, forme une extraordinaire plate-forme panoramique.

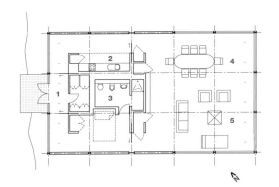

1 **entrée**
2 **cuisine**
3 **salle de bains**
4 **espace repas**
5 **salon**

1972

JØRN UTZON

CAN LIS PORTO PETRO, MAJORQUE, ESPAGNE

La première maison de Jørn Utzon à Majorque fut achevée juste avant l'inauguration du projet grandiose qui allait dominer, voire faire de l'ombre, à sa carrière : l'Opéra de Sydney. Au bout de vingt ans de travaux, en effet, l'Opéra ouvrit enfin ses portes sans même que le nom d'Utzon fût mentionné lors des cérémonies d'inauguration. Sydney a fait son possible pour réparer cet écart ces dernières années, prenant conscience de la valeur unique de ce chef-d'œuvre d'architecture, qui est devenu l'emblème de la ville, et peut-être même du pays tout entier.

La lenteur de la conception et des travaux de l'Opéra a sérieusement sapé la carrière de l'architecte. Mais, bien sûr, Utzon a travaillé sur d'autres projets, de plus ou moins grande envergure, publics ou privés, et a parcouru le monde pour s'imprégner d'influences architecturales, toujours filtrées par les préceptes du modernisme. Parmi ces réalisations figure une série de maisons érigées pour sa famille et lui-même au Danemark, en Australie et à Majorque.

Utzon et son épouse Lis découvrirent Majorque à la fin des années soixante. Ils tombèrent amoureux de l'île et y achetèrent un terrain planté de myrte et de pins, sur la côte jouxtant le village de Porto Petro. Utzon y dessina une maison de vacances familiale, à qui il donna le nom de sa femme.

Avant de dessiner la maison — dont il réalisait des maquettes en empilant des morceaux de sucre sur un coin de table du café de Porto Petro —, il s'était rendu plusieurs fois au bord de la falaise, se frayant un chemin vers la mer et se retrouvant dans une grotte. C'est cette sensation de panorama à perte de vue, doublée d'une impression de refuge et de solidité, qu'il chercha à recréer dans la conception de Can Lis. La maison se compose d'une rangée de quatre pavillons de pierre — face à l'océan et dos à la route la plus proche — agrémentés de divers patios et terrasses. Le bâtiment principal abrite la salle à manger et la cuisine et s'ouvre sur une vaste cour donnant sur la mer,

Par sa robustesse et sa configuration, le bâtiment révèle à certains égards la fascination d'Utzon pour les maisons à patios et pour la monumentalité de l'architecture précolombienne. Mais il répond également de manière très spécifique au site qu'il occupe et au contexte majorquin.

flanquée de deux loggias qui semblent s'avancer vers l'eau. Le pavillon qui le jouxte, le plus élevé des quatre, renferme un salon à haut plafond, tandis que les deux structures restantes contiennent les chambres à coucher, et des appartements séparés pour les invités.

Ainsi, le site devient un complexe composé d'un assemblage soigneusement ordonné de bâtiments, donnant tous sur la mer. Tous sont faits en pierre locale, qu'Utzon est allé chercher dans des carrières repérées lors de ses périples à vélo autour de l'île. Les toits de tuiles romaines, également de provenance locale, reposent sur des poutres de béton. Les vastes blocs uniformes de *marés* (grès) confèrent à la maison une impression de solidité troglodytique, et en été, la ventilation naturelle contribue à la fraîcheur du lieu.

Mais les Utzon finirent par se lasser de l'attention suscitée par «la maison de l'architecte de l'Opéra de Sydney». En 1994, Utzon transmit Can Lis à ses enfants et s'attela à un nouveau projet de maison — Can Feliz — qu'il bâtit dans un lieu plus retiré de l'île.

Par son approche contextuelle des matériaux et du site, et par sa réinvention de la maison à patio, toutefois, Can Lis préfigurait une nouvelle approche — notamment — de la maison méditerranéenne. L'agencement du complexe, en particulier, a inspiré bon nombre d'architectes. Beaucoup d'autres hôtels et villas méditerranéennes contemporaines — on pense, par exemple, à la Maison Tagomago de Carlos Ferrater sur l'île d'Ibiza — ont reconnu l'avantage de la séparation des structures au sein d'une même habitation, parfaite combinaison d'intimité et d'espace commun.

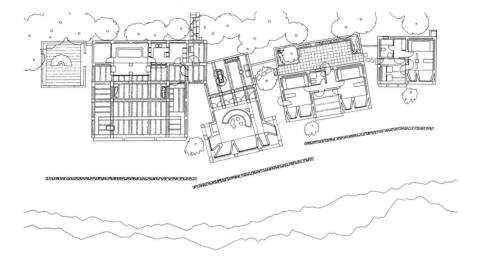

*Répartis selon leur
fonction, les pavillons
sont indépendants et
accessibles par une
succession de patios
et de terrasses, mais
néanmoins unis par une
cohérence de matériaux
et de caractère.*

1973

MARIO BOTTA

MAISON DE RIVA SAN VITALE TICINO, SUISSE

La perception que nous avons d'un bâtiment mythique passe généralement par le filtre de la photographie. Les images aident à définir ce qu'est un bâtiment, et à articuler les plus grandioses réalisations d'un architecte. Dans le cas de la Maison de Riva San Vitale, c'est l'image d'un pont en acier rouge, jeté au-dessus du vide séparant un sentier alpin et une abstraite plate-forme sculpturale, sur fond de massif montagneux, qui résume cette spectaculaire intervention.

Un peu à la manière de la Maison Douglas de Richard Meier, bâtie la même année sur les berges du lac Michigan (voir p. 214), c'est un bâtiment construit sur un versant abrupt, accessible à l'arrière par un pont et se dépliant vers le bas à partir du sommet. Il s'agit en fait d'une plate-forme panoramique, devant laquelle scintille le lac de Lugano.

Sa forme, toutefois, ne peut pleinement s'apprécier que depuis quelques endroits stratégiques et peu accessibles des versants du mont Giorgio, ou depuis les rives du lac.

D'en bas, la maison apparaît comme une tour cubiste abstraite — un objet isolé et presque industriel, tels un château d'eau ou un silo à grains posés au milieu du paysage. La structure est pourtant percée de vastes ouvertures et de vides qui altèrent la symétrie pure de la silhouette générale et font se poser d'autant plus de questions sur la fonction d'un tel bâtiment. Botta s'est forgé une réputation internationale pour ce genre d'exercices géométriques à partir de gros cubes et cylindres, les transformant en objets monumentaux et sculpturaux, riches en texture.

La maison a été commandée par un couple qui avait déjà chargé Botta de rénover un appartement. Ils lui demandèrent cette fois-ci de dessiner une nouvelle demeure dans le canton de Ticino — là où vit également Botta — pour eux et leurs deux enfants.

Le terrain se trouve dans un environnement d'une grande beauté, parsemé de *roccoli*, ces tours pour chasseurs d'oiseaux, dont certaines ont été converties en habitations. D'emblée, Botta et ses clients ont voulu préserver la nature environnante et éviter de modifier l'aspect du site. L'idée d'une tour s'accordait à celle d'une grande maison familiale, avec un minimum d'impact sur le paysage.

Faite d'une double épaisseur de blocs de ciment, la maison se parcourt de haut en bas : débutant par le hall d'entrée et l'atelier situés au sommet, les trois niveaux suivants abritent — dans l'ordre — la chambre à coucher parentale, les chambres des enfants et le séjour, la salle à manger et la cuisine. Un sous-sol, enfin, renferme les installations techniques.

Certains volumes développent une double hauteur à mesure que l'intérieur se déplie et se rétracte autour d'un

niveau d'entrée : atelier

niveau 1 : appartements des parents

−2,46

niveau 2 : espace des enfants

−4,92

niveau 3 : séjour / repas / cuisine

−7,38

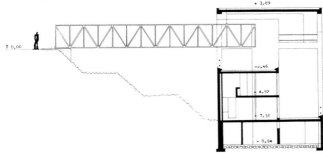

escalier en colimaçon qui traverse la maison de haut en bas comme une épine dorsale. Les grandes ouvertures font office de «filtre» tout en ménageant des terrasses abritées et à demi fermées.

Cette maison a permis à Botta de se démarquer et d'entreprendre des projets allant des maisons particulières à des édifices de grande envergure, notamment la Chapelle Tamaro toute revêtue de porphyre, également située à Ticino. Avec cette chapelle, il approfondit certaines des idées de Riva San Vitale, quoiqu'à beaucoup plus grande échelle, avec, là encore, un pont s'avançant dans un paysage à couper le souffle.

L'architecture de la maison dégage à la fois une grande sensibilité et une force brute, abstraite et évidente. À l'intérieur, les murs blancs et les dalles de terre cuite accompagnent la riche succession d'espaces contrastés.

L'effet de juxtaposition est admirable : la composition limpide de verre et de lumière quadrillée de blanc pur se dresse dans une masse touffue de conifères sur la pente escarpée qui plonge jusqu'à la rive du lac Michigan. Si la Maison Smith, construite antérieurement par Meier au-dessus du détroit de Long Island, dans le Connecticut, joue de la puissance des contrastes entre la nature et l'œuvre de l'homme, le statut d'icône de la Maison Douglas vient du seul effet de surprise de sa superposition à cadre grandiose.

Ce bâtiment est l'un des plus ambitieux et des plus marquants du début de la carrière de Meier. Il lui donne l'occasion d'affiner et de perfectionner des solutions déjà explorées avec la Maison Smith et qu'il va réutiliser à une échelle de plus en plus développée dans ses futurs projets de musées et d'édifices culturels. La Maison Douglas est sans doute, avant tout, une architecture de lumière. La recherche de l'éclairage naturel, caractéristique du travail de Meier, est ici poussée à son maximum. La façade principale, qui donne sur les eaux du lac, est rythmée par une séquence rectiligne d'ouvertures vitrées qui lui donnent une grande transparence. Mais Meier crée aussi une large lucarne au sommet du bâtiment par laquelle la lumière du jour pénètre en profondeur grâce à un jeu complexe de vides à double et triple hauteur faisant fonction de puits de lumière.

La superposition de terrasses à l'angle du bâtiment et la terrasse de toit contribuent à relier la maison à son environnement, comme des ponts de paquebot ouverts sur un paysage mouvant. L'influence de Le Corbusier sur le travail de Meier est souvent évoquée, mais la Maison Douglas rappelle aussi E-1027 d'Eileen Gray (voir p. 17), qui décline à sa façon l'imagerie nautique sur les rives de la Méditerranée. La Maison Douglas fonctionne comme un belvédère. Elle contemple la nature qui l'entoure tout en prenant soin de s'en distinguer. Elle affirme fièrement sa présence face au lac, mais serre sa façade opposée contre la pente, offrant de ce côté un visage discret et privé. Depuis la route qui dessert le bâtiment par l'arrière, seuls les deux niveaux supérieurs — sur quatre — sont visibles.

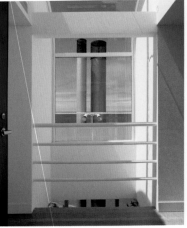

L'accès à l'entrée principale, au niveau du toit, se fait par une passerelle. Les chambres, les salles de bains, la cuisine et autres espaces de service sont situés dans la partie arrière, délimitée à chaque niveau par un couloir partageant le bâtiment sur toute la longueur et dans le même alignement. Deux escaliers s'élèvent dans deux angles opposés pour améliorer la fluidité des circulations, l'un intérieur, l'autre en surplomb extérieur des terrasses de l'angle nord-est. Depuis le palier inférieur, une discrète échelle permet de rejoindre un sentier qui mène au rivage.

Autre réminiscence de la Maison Smith, la cheminée et ses conduits d'évacuation sont placés directement en façade. L'âtre donne son point d'ancrage à la salle de séjour, et les souches de cheminée s'élancent le long de la façade principale, pareilles à des cheminées de bateau.

« La commande résidentielle permet à un architecte de formuler des idées et de développer un ensemble de principes dont il peut espérer nourrir ses futurs travaux pendant longtemps », a dit Meier. Les espaces ouverts, lumineux, limpides, purs et précis de la Maison Douglas (mais aussi de la Maison Smith) peuvent être mis en lien direct avec les qualités similaires démontrées par Meier dans le cadre beaucoup plus ambitieux de son œuvre ultérieure. Au-delà de cet aspect, les maisons subtiles et épurées de Meier, baignées de lumière naturelle et ouvertes comme des lentilles optiques sur leur environnement, ont acquis une renommée internationale et inspiré de nombreux imitateurs.

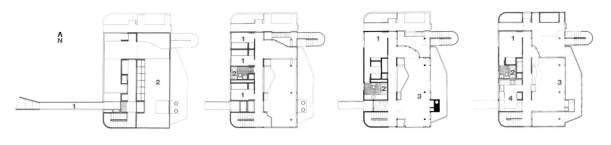

de gauche à droite :

combles
1 pont
2 terrasse

niveau supérieur
1 chambre
2 salle de bains

deuxième niveau
1 chambre
2 salle de bains
3 salon

troisième niveau
1 chambre
2 salle de bains
3 salle à manger
4 cuisine

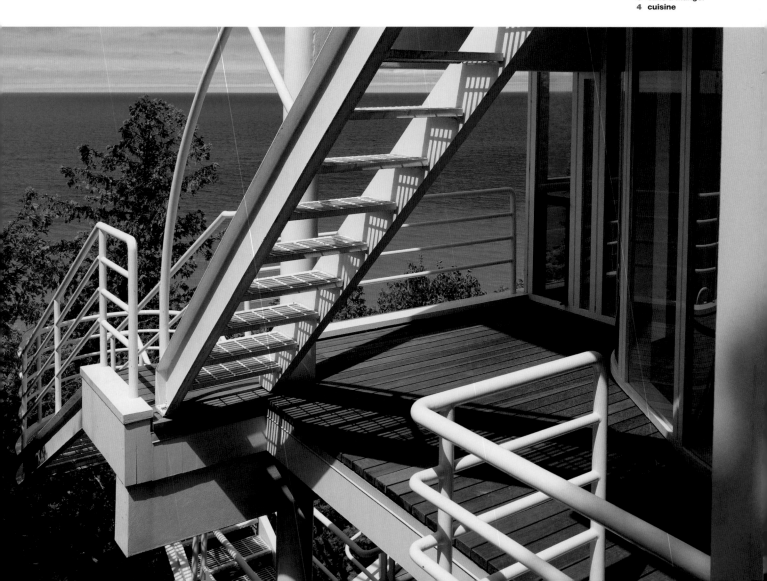

La pureté des formes géométriques, l'utilisation saisissante de la lumière naturelle et les structures blanches affûtées caractérisent la pratique architecturale de Meier. Ici, le séjour en double hauteur s'ouvre en surplomb sur la salle à manger en triple hauteur, et se prolonge latéralement vers une terrasse qui estompe la frontière entre intérieur et extérieur et s'intègre à un cheminement descendant jusqu'au rivage.

1975

Peter Eisenman a bâti sa carrière d'architecte sur la remise en question des conventions, des idées reçues et de la tradition. Ses écrits, et plus encore son extraordinaire mémorial de l'Holocauste de Berlin, illustrent les articulations complexes d'une philosophie qui s'attache à subvertir des formes architecturales attendues dans le but de déstabiliser le spectateur et de provoquer sa réaction. Toutefois, la même approche appliquée à ce bâtiment fonctionnel et essentiel entre tous qu'est la maison d'habitation lui a valu une avalanche de critiques.

« Je recherche, dit-il, des façons de conceptualiser l'espace qui déplacent la relation du sujet avec lui, afin qu'il n'ait plus de références iconographiques aux formes traditionnelles d'organisation.

Voilà ce que j'ai toujours essayé de faire : déplacer le sujet ; obliger le sujet à reconceptualiser l'architecture [1]. »

La Maison VI est une commande de l'historienne d'art Suzanne Frank et de son mari photographe. L'histoire de sa construction met en évidence la relation extraordinairement intime et complexe qui se développe entre un architecte et son client tout au long du parcours très personnel que représentent la conception et la construction d'une maison.

Au départ, Suzanne Frank voyait d'un œil favorable la démarche intellectuelle d'Eisenman. Elle avait travaillé avec lui dans les années soixante-dix et affichait clairement sa sympathie pour ses thèses. Pourtant, cette petite maison de campagne d'un étage, construite en

poteaux-poutres, stuc et contreplaqué sur un beau terrain boisé de 2,5 hectares, allait devenir la source d'un interminable contentieux.

L'aventure de la conception, de la construction et de l'utilisation quotidienne de cette maison-concept est retracée dans un livre, *Peter Eisenman's House VI*, dans lequel Suzanne Frank et Eisenman expriment chacun leur point de vue. Le constat qui s'impose est que la Maison VI est certes un bâtiment extrêmement novateur, une illustration brillante d'une théorie de renversement des conceptions modernistes de l'espace, de la forme et de la fonction, mais aussi un espace souvent malcommode et difficilement habitable.

« Mes quatre premières maisons étaient au fond des variations sur des

La Maison VI remet en question toutes les représentations de l'architecture. Elle incarne à ce titre une sorte d'idéal déconstructiviste.

cubes blancs, écrit Eisenman. Elles constituaient des environnements hermétiques et autonomes. Cela passait inaperçu à l'époque, mais elles contenaient beaucoup d'idées préconçues qui, à la réflexion, me paraissent culturellement conditionnées. Le renversement de ces idées préconçues dans la Maison VI apparaissait comme un moyen de porter un nouveau regard sur la nature et la signification d'une façade ou d'un plan, par exemple, et d'éclairer ainsi certains aspects de l'architecture jusqu'alors occultés [2]. »

La Maison VI contrarie l'idée du cube blanc à tout point de vue ou presque, allant jusqu'à peindre les extérieurs en gris selon un code chromatique complexe. La fonction devient secondaire : la forme est désordonnée, percée de fenêtres irrégulières, grandes et petites ; des murs à l'utilité peu évidente côtoient des poutres flottantes qui ne soutiennent rien ; un second escalier, factice, fait pendant au premier et ne conduit nulle part ; une étroite fenêtre divise verticalement la chambre principale et se prolonge au sol comme si elle voulait couper en deux le lit conjugal. La maison devient, selon la formule de Suzanne Frank, un concept cubiste et ciselé de «contradictions spatiales ».

Tout en réaffirmant son attachement et son admiration pour la maison, elle explique qu'il fallut trois ans à un entrepreneur complètement dépassé pour la construire, avant d'aboutir en fin de compte à un bâtiment plein de fuites et de vices structurels. Il s'ensuivit un vaste et coûteux processus de reconstruction qui prit parfois certaines libertés avec le projet de l'architecte, même si celui-ci déclara finalement apprécier le tact de cette rénovation. «Au cours des […] années où mon mari et moi avons vécu dans la maison et pu observer ses points faibles et son évolution, nous avons eu bien des différends avec Eisenman, mais la maison est restée pour nous une source constante de plaisir esthétique, à défaut d'être toujours un abri contre la pluie et la neige [3]. »

La Maison VI, ce «superbe objet culturel », selon les mots de Suzanne Frank, marque une étape importante dans un processus plus large de questionnement des postulats de l'architecture. Elle incarne à ce titre une sorte d'idéal du déconstructivisme. Elle nous rappelle aussi qu'avant-garde et vie domestique ne font pas toujours bon ménage.

1. Philip Jodidio, *Contemporary American Architects*, vol. II, Taschen, 1996.
2. Suzanne Frank, *Peter Eisenman's House VI : The Client's Response*, Whitney Library of Design, 1994.
3. *Ibid.*

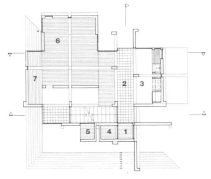

rez-de-chaussée

1 entrée
2 salle à manger
3 cuisine
4 antichambre
5 rangement
6 salon
7 bureau

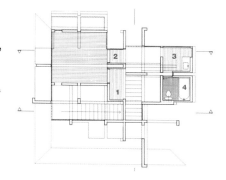

premier étage

1 chambre
2 cabinet
3 alcôve
4 salle de bains

1976

MICHAEL ET PATTY HOPKINS

MAISON HOPKINS HAMPSTEAD, LONDRES, GRANDE-BRETAGNE

À l'époque de sa conception et de sa construction, au milieu des années soixante-dix, la Maison Hopkins était prévue pour être bien plus qu'un domicile : un atelier pour Michael et Patty Hopkins qui venaient de créer leur agence, une vitrine architecturale à l'intention de leurs clients potentiels et enfin un bâtiment expérimental qui allait s'avérer décisif dans leur approche novatrice des structures de construction.

Les Hopkins et leurs trois enfants se sentaient de plus en plus à l'étroit dans leur maison du quartier voisin de Highgate quand ils découvrirent ce terrain dans une vieille rue de Hampstead bordée de maisons georgiennes. La parcelle, créée par partage de la propriété voisine, se trouvait à 3 m au-dessous du niveau de cette rue très pentue.

La conception de la maison répond à l'intérêt des Hopkins pour les structures innovantes, mais aussi à des considérations très pragmatiques de coût. Après avoir investi toute la valeur de leur ancienne maison dans le seul achat du terrain, leur budget de construction s'avérait des plus limités.

« Nous étions certains de vouloir construire une maison à ossature métallique ; cette idée est venue très tôt, explique Patty Hopkins. Nous voulions une petite villa, et nous avions un faible pour des réalisations comme la Maison Eames et la Maison Farnsworth. Nous avions ces choses-là en tête, et puis tout ça a pris tournure. En plus, nous avions déjà une maison à ossature bois dans le Suffolk, où nous allions le week-end, et même si c'était tout à fait différent, l'idée d'une structure apparente nous plaisait. C'était comme réaliser un équivalent moderne. »

Très discrètement implantée, la maison à deux niveaux et à toit plat se fait presque invisible de la rue depuis laquelle une passerelle conduit directement à l'entrée, située à l'étage. Ce n'est qu'en découvrant sa façade côté jardin que l'on prend véritablement la mesure du bâtiment : un pavillon de structure légère, ouvert sur le jardin par de grandes baies vitrées.

Disposée selon une grille simple à six travées, la charpente légère en acier forme une structure très adaptable, revêtue latéralement par des panneaux de métal et sur les façades avant et arrière par de grands panneaux coulissants en verre. La structure et l'enveloppe du bâtiment coûtèrent tout juste 20 000 livres (30 000 euros).

Des modules autonomes contenant les sanitaires furent installés à chaque étage, ainsi qu'un escalier préfabriqué en colimaçon pour relier les deux niveaux. Pour le reste, le plan original demeura aussi ouvert que possible (des cloisons furent rajoutées par la suite pour créer trois chambres, deux au second niveau et une au premier).

Les Hopkins, qui venaient d'ouvrir leur agence, commencèrent par utiliser la plus grande partie du niveau supérieur comme atelier. Finalement, ayant fait la preuve de son adaptabilité et de sa résistance, la maison fut rendue à son seul usage familial. Les Hopkins y habitent toujours.

Malgré son insertion discrète dans le voisinage, la maison est extrêmement emblématique de la vague de l'architecture high-tech des années soixante-dix et de l'engouement pour de nouveaux modes de construction modulables et légers. Elle partage en cela certains thèmes avec la maison dessinée par Richard Rogers pour ses parents à Wimbledon (voir p. 188). Michael Hopkins poursuivit dans cette voie en créant le système de construction Patera, utilisé pour le siège londonien de son agence. Il a également développé par la suite des systèmes de construction industrielle à une échelle beaucoup plus importante, par exemple pour le « super hangar » de nouvelle génération en verre et acier de la brasserie Greene King, dans le Suffolk en Grande-Bretagne.

On perçoit dans la maison des Hopkins une sensibilité au site et au contexte qui retrouvera une place importante dans une partie de leur travail ultérieur. Le propos aurait sans doute été plus percutant en ajoutant un étage et en vitrant les façades latérales, mais au prix d'un manque d'intimité et de difficultés probables avec le voisinage.

La recherche d'un équilibre entre les exigences du site et un puissant message de modernité aura finalement créé une maison plus réussie et plus durable.

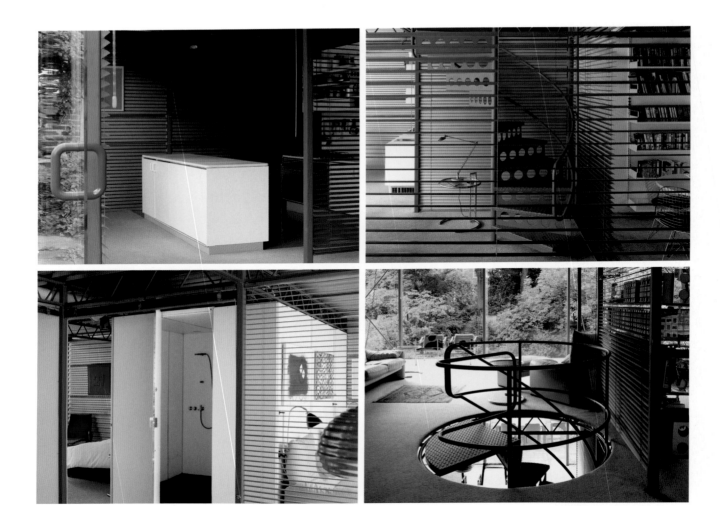

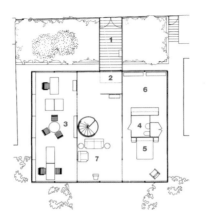

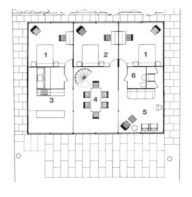

à gauche :
rez-de-chaussée

1 pont
2 entrée
3 atelier
4 salle d'eau
5 chambre
6 dressing
7 salon

à droite :
rez-de-jardin

1 chambre
2 chambre bibliothèque
3 cuisine
4 salle à manger
5 salon
6 salle d'eau

Frank Gehry est sans doute l'architecte le plus connu et le plus influent du début de ce siècle. Ses édifices culturels ont accueilli un large public, des films lui ont été consacrés et il parvient même à toucher un public de néophytes. C'est peut-être son célèbre et ondoyant musée de Bilbao, habillé de titane, qui a déclenché « l'effet Bilbao », à savoir l'idée que l'originalité de l'architecture d'une nouvelle et prestigieuse institution culturelle pouvait régénérer toute une ville en encourageant le tourisme et les investissements étrangers. Depuis, de nombreux courants, un peu partout dans le monde, tendent à instaurer leur propre effet Bilbao.

La reconnaissance publique dont jouit aujourd'hui Gehry grâce à Bilbao a tardé à venir. Pendant de longues années, ses projets les plus connus se sont limités à quelques résidences — laboratoires d'essai pour des réalisations à plus grande échelle. Il y eut en 1987 la Maison d'hôtes Winton, à Wayzata dans le Minnesota, jouxtant une maison conçue par Philip Johnson, puis une maison construite pour Marna et Rockwell Schnabel en Californie. Mais, surtout, il y eut sa propre résidence de Santa Monica. Le fait qu'il ne s'agissait pas d'une création mais de la transformation d'un bâtiment existant rend son impact d'autant plus surprenant.

En 1977, Gehry et son épouse Berta achetèrent une maison à un étage et à ossature bois, à l'angle d'une rue de Santa Monica. Cette demeure peinte en rose n'avait rien de particulier, et ressemblait à toutes celles du quartier. Gehry la transforma radicalement, en l'agrandissant mais aussi, et surtout, en la couvrant partiellement, et de manière fort insolite, d'une seconde peau. Combinant un système d'enveloppement à la Christo et un procédé assimilable au montage des palissades d'un chantier, Gehry remania la maison, au nord et à l'est, par le biais de plusieurs épaisseurs de tôle ondulée. Ces nouveaux murs se prolongent au-delà de la maison pour délimiter partiellement une cour privative, tandis que deux cubes de verre tordus font la jonction entre l'ancienne maison et son nouvel habillage. En résumé, cela donne une « maison dans une maison », la silhouette et le caractère du bâtiment des années 1920 restant visibles sous son étonnant revêtement. À l'intérieur, certaines parties du bâtiment d'origine ont été également dépouillées pour révéler l'ossature, un peu comme si l'on avait déconstruit la structure pour laisser apparaître sa charpente. La Maison Gehry — très influencée par le monde de l'art — aborde des thèmes majeurs qui se retrouveront dans les réalisations ultérieures de l'architecte. Il y a notamment la forme sculptée du nouveau bâtiment, exprimée en matériaux bruts et semi-industriels, et l'idée de mouvement dynamique suggéré par les formes fluides et irrégulières du nouvel écrin. La maison semble être une sorte de prototype pour des édifices — tels le Guggenheim de Bilbao ou le Disney Concert Hall — qui ne seront construits que bien des années plus tard, présentant des surfaces aussi sinueuses et affûtées que le fuselage d'un avion et des finitions métalliques polies et scintillantes.

Au début des années quatre-vingt-dix, l'architecte entreprit une nouvelle rénovation de la maison, devenue alors un must des voyages touristiques à thème architectural.

Tout en augmentant l'intimité de la famille et en agrandissant certains des principaux espaces intérieurs, il transforma le garage en chambre d'amis et en salle de jeux, et ajouta un bassin de natation.

Par son esthétique brute, la Maison Gehry a ouvert la voie à un nouveau courant architectural, que l'informatique permettra de développer. La demeure est devenue un véritable monument à l'immense talent de créateur de formes de Gehry.

L'enveloppement de
la maison d'origine
et son réalignement
donnent une lecture
abstraite ainsi qu'une
réévaluation complète
du bâtiment. La fluidité
et l'originalité de
cette restructuration
préfigurent les
réalisations qui ont
fait la réputation
internationale de
l'architecte.

1981

TADAO ANDO

MAISON KOSHINO ASHIYA, HYOGO, JAPON

« Lorsque l'on s'intéresse à l'architecture traditionnelle japonaise, il faut s'inté-resser à la culture japonaise et à sa relation avec la nature, explique Tadao Ando. Il est tout à fait possible de vivre en harmonie avec la nature. Cela est une particularité du Japon. L'architecture traditionnelle japonaise se fonde sur ces conditions. C'est la raison pour laquelle on a une interconnexion très forte entre extérieur et intérieur [1]. »

De fait, l'un des aspects les plus fascinants de l'œuvre d'Ando est la complexité avec laquelle il combine sa passion pour les formes monumentales, abstraites et géométriques — le plus souvent en béton — et sa sensibilité pour le monde naturel. Ses bâtiments, bien que toujours spectaculaires, ne s'imposent pas au paysage, mais procèdent d'une analyse approfondie du site. « Il faut s'imprégner de ce qui existe sur le terrain, puis réinterpréter ce que l'on a perçu dans un mode de pensée contemporain [2]. »

Il est vrai qu'un certain nombre des réalisations d'Ando se fondent dans leur environnement, formant littéralement un tout avec la terre. C'est le cas en particulier du Temple de l'eau d'Honpukuji et du Musée d'art contemporain de Naoshima, qui semblent disparaître en partie dans la topographie.

C'est aussi le cas de la Maison Koshino. Il ne s'agit pas d'architecture organique — les formes rectangulaires de la maison contrastent nettement avec celles de la nature — mais d'un exemple de ce qu'Ando appelle « l'artisanat géographique », ou l'intégration minutieuse d'une maison dans son environnement.

Construite pour un créateur de mode, la maison semble s'enfoncer dans un verdoyant coteau et se cache à demi derrière des arbres. « Le but de cette entreprise, explique Ando, était de faire une maison dans laquelle la puissance de la nature qui la pénètre se manifeste

par une méticuleuse purification des éléments architecturaux [3]. »

Le bâtiment est divisé en deux blocs de béton rectangulaires, parallèles mais de hauteur et de dimensions différentes. Le bloc à étage abrite, en haut, l'entrée, les principales pièces d'habitation et la chambre à coucher parentale et, en bas, un salon minimaliste. L'autre bloc, à l'origine réservé à une série de chambres, est accessible par un passage souterrain et se trouve légèrement en contrebas.

Selon son habitude, Ando a dépouillé l'intérieur à l'extrême, mettant ainsi l'accent sur la lumière, l'ombre, la texture et les vues scrupuleusement cadrées sur le paysage.

En 1984, Ando ajouta un atelier — profondément enterré — sur un côté du site. En 2006, on lui demanda de refaire le bloc des chambres, les enfants du propriétaire ayant grandi. Cette partie de la maison a été totalement remaniée, de façon à former une maison pour invités à deux niveaux.

Mais l'évolution de la Maison Koshino n'a nullement dénaturé ses thèmes majeurs ni sa présence architecturale. Elle reste, comme bon nombre des réalisations d'Ando, un édifice évoquant l'ordre et la méditation. Elle incarne une conception particulièrement japonaise de la pureté, qui a exercé un puissant impact sur le mouvement minimaliste en général, ainsi que sur la tendance à privilégier la richesse des textures et les jeux de lumière. Le fait que cela s'accompagne d'un respect du site et de l'environnement ne fait qu'enrichir l'accomplissement d'Ando.

1. Entretien avec Robert Ivy, *Architectural Record*, mai 2002.
2. *Ibid.*
3. Tadao Ando, *Tadao Ando : Houses & Housing*, Toto Shuppan, 2007.

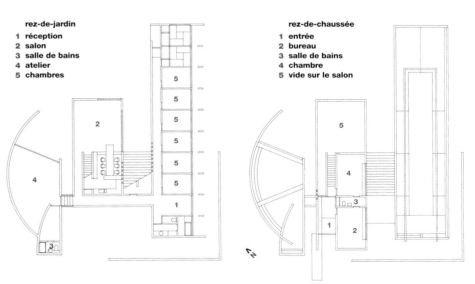

rez-de-jardin

1 réception
2 salon
3 salle de bains
4 atelier
5 chambres

rez-de-chaussée

1 entrée
2 bureau
3 salle de bains
4 chambre
5 vide sur le salon

1984

JAN BENTHEM

MAISON BENTHEM ALMERE, AMSTERDAM, PAYS-BAS

La Maison Benthem représente un chapitre important dans l'histoire de la maison préfabriquée. Tout au long du XXᵉ siècle, nombre d'architectes ont travaillé sur la préfabrication, tels Jean Prouvé, Richard Buckminster Fuller, Richard Rogers et Shigeru Ban. En utilisant cette technique, dessiner et bâtir une construction qui soit à la fois belle, durable, peu coûteuse et flexible quant à son aménagement, a toujours été — et reste encore — un défi. Peu de prototypes ont donné lieu à une production de masse.

La Maison Benthem a été érigée à la suite de sa participation à un concours d'architecture, «Maisons inhabituelles», qui offrait aux cinq gagnants une parcelle de terrain à De Fantasie, dans le quartier d'Almere à Amsterdam, pour une période de cinq ans. Les habitations étant supposées être temporaires, les architectes n'avaient à se préoccuper d'aucun règlement d'urbanisme. Leur mission était donc bien d'innover.

Ces constructions se devaient d'être légères et de modifier le site aussi peu que possible puisqu'elles étaient destinées à être enlevées ou recyclées. La maison cubique de Benthem est donc placée sur une nappe métallique posée sur quatre plots discrets en béton. La maison est presque entièrement vitrée sur trois des quatre façades renforcées par des contreforts de verre structurel. Seule la façade arrière est aveugle. Les murs, les sols et les cloisons intérieures sont en panneaux sandwiches de contreplaqué et mousse de polyuréthane. Le toit est arrimé par des tendeurs en acier.

«Cette maison a été préfabriquée, explique Benthem, parce que c'était la meilleure manière d'obtenir les matériaux les plus légers et les plus solides possibles et de pouvoir aussi la construire en très peu de temps. Puisqu'elle ne devait rester sur le site que pour une période limitée, elle devait être bon marché, et pouvoir être relocalisée [1].»

Les lignes épurées de la structure extérieure ressemblent à celles d'un bateau extraordinaire, avec ses passerelles métalliques conduisant au «pont» et à l'arrière ses portes intérieures et extérieures faisant penser à des écoutilles. Le plan au sol est simple avec un vaste séjour donnant, par des portes coulissantes vitrées, sur le balcon à l'avant de la maison qui offre une vue magnifique sur le paysage et le canal voisin. À l'arrière, l'architecte a placé une suite de «cabines» qui accueillent deux chambres, une salle de bains et une petite cuisine aménagée le long d'une cloison. «Je voulais construire la maison la plus simple possible, explique l'architecte. Elle devait être légère mais solide et j'ai donc laissé de côté tous les détails superflus, non seulement dans son design mais aussi pour ses matériaux et son agencement. Cette construction, l'un de nos premiers projets, m'a appris à me concentrer sur l'essentiel.»

Cette «maison inhabituelle» eut un tel succès qu'elle resta finalement sur le site, ainsi que les quatre autres, et Jan Benthem et sa famille résident toujours dans ses 65 m² construits pour le concours. L'apport d'un conteneur pour bateaux, posé dans le jardin, offre une surface de rangement supplémentaire.

Modeste mais pleine de ressources, cette habitation à la structure si légère garde une force visuelle impressionnante. Elle a largement franchi le cap initial des cinq ans tout en gardant un certain caractère éphémère, comme si elle s'apprêtait toujours à larguer les amarres…

1. Allison Arieff et Bryan Burkhart, *Prefab*, Gibbs Smith, 2002.

La Maison Benthem a des allures de base lunaire. Surélevée, la construction offre de nombreux avantages, notamment une vue splendide sur la nature environnante ainsi qu'une protection contre les risques d'inondation. Le profilé des portes-hublots trahit un emprunt aux architectures navales, aéronautiques ou ferroviaires.

La transparence de la
structure et l'absence de
cloisons du plan ouvert
favorisent la sensation
de continuité entre
l'extérieur et l'intérieur,
que n'arrête pas le fin
garde-corps du balcon
qui court le long de la
façade avant.

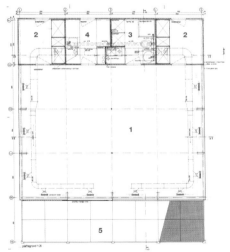

1 salon
2 chambre
3 salle de bains
4 cuisine
5 balcon

Pierre Koenig est l'une des sommités de l'architecture californienne moderniste de la moitié du XXe siècle : ses prodigieuses maisons à plans largement ouverts favorisant la continuité entre l'extérieur et l'intérieur ont été amplement photographiées. Son intérêt pour les structures métalliques et pour la préfabrication ainsi que la production industrielle lui ont permis de concevoir des chefs-d'œuvre d'architecture à un coût abordable. Et on lui redécouvre aujourd'hui une importante contribution environnementaliste.

En effet, dépourvues d'air conditionné, ses maisons intègrent dans leur conception une gestion raisonnée de l'ensoleillement et de la ventilation naturelle. Si ces principes d'économies d'énergie sont devenus la pierre angulaire de l'architecture durable,

Koenig avait, à l'époque, fait ces choix intuitivement.

L'architecte a toujours prêté la plus grande attention à l'inscription du bâti dans le site, étudiant la course journalière et saisonnière du soleil et relevant la direction et les effets des vents. Comme il le soulignait lui-même, il était « essentiel » de pouvoir ventiler ses réalisations naturellement. Koenig évitait toute surexposition au soleil par une implantation et des ouvertures adaptées et prévoyait une ventilation naturelle pour l'été.

Ces idées ont été mises en pratique dans les Case Study n°21 et 22, deux projets-clés du célèbre programme de John Entenza. La n°21, la Maison Bailey est tout en transparence et à plan ouvert mais conçue de façon à atténuer la chaleur estivale et à capturer

l'énergie solaire en hiver. Des bassins peu profonds creusés autour de la maison apportent la fraîcheur grâce à l'évaporation et à la circulation de l'eau venue du toit par des descentes. Cette idée, qui n'a rien d'innovant en soi puisqu'elle était déjà exploitée traditionnellement dans certaines parties du monde, est quasiment géniale dans un contexte aussi moderne. Lorsque Koenig construit à Brentwood sa nouvelle maison pour sa femme Gloria et lui-même, il a peaufiné sa théorie sur la création de conditions « micro-climatiques » à l'échelle domestique, qu'il enseigne d'ailleurs à ses étudiants. Il a de plus l'avantage d'avoir déjà vécu des années dans une première maison bâtie sur le même genre de site périurbain, long et étroit, qu'il connaît par cœur.

La maison avec sa structure en acier, montée suivant ses instructions en une seule journée, prend en compte l'étroitesse du terrain et la nécessité d'introduire la lumière naturelle partout dans le bâtiment, tout en atténuant l'intensité du soleil de l'après-midi. La maison est bâtie sur deux niveaux avec un atrium spectaculaire en triple hauteur qui constitue le pivot autour duquel se positionnent les espaces de vie. Au rez-de-chaussée se trouvent la cuisine et la bibliothèque et au premier étage, les chambres et un bureau avec une passerelle qui relie les différentes pièces de part et d'autre de l'atrium. Celui-ci culmine avec un niveau à claire-voie et un plafond recouvert d'aluminium. Le garage, auquel on accède par une allée, est situé à l'arrière de la maison, au fond du jardin. Près de la route, Koenig ajoute un bâtiment de plain-pied qui comporte un atelier et un bureau, relié à la maison principale par un jardin clos.

L'atrium joue un rôle essentiel de ventilation pour la maison. Une entrée d'air située au rez-de-chaussée aspire l'air extérieur, et l'air chaud est évacué par les fenêtres ouvertes en haut de l'atrium. Ainsi, la maison revêtue d'aluminium réfléchissant, avec ses

Le séjour en triple hauteur avec la cuisine d'un côté et la bibliothèque de l'autre constitue à la fois un conduit de ventilation efficace et un espace spectaculaire au cœur de la maison.

fenêtres placées en fonction de la course du soleil, garde une température fraîche tout l'été.

« Réfléchir à la construction pendant un an avant de commencer à dessiner les plans, voilà comment Pierre exerçait son métier, explique Gloria Koenig. Son travail était extrêmement précis et poétique : il soudait le métal pour le transformer, d'une certaine manière, en or. Il y a dans cette maison une authentique sérénité que ressent tout visiteur. »

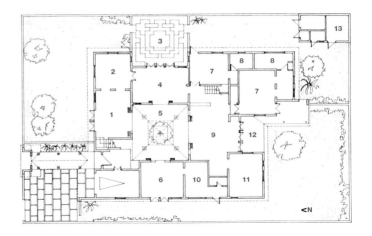

1 bureau
2 bureau de l'architecte
3 *kund*
4 atelier
5 cour
6 repas/réunion
7 chambre
8 salle de bains
9 salon
10 cuisine
11 tissage
12 véranda
13 appartements
de service

John Pawson et Claudio Silvestrin sont les chefs de file d'un mouvement international de design connu sous le nom de «minimalisme». Cette école d'architecture bannit l'encombrement et prône des formes pures, dénuées de tout ornement ou fioriture. L'important est de s'en tenir aux proportions, aux lignes essentielles alliées à une compréhension et une appréciation fortes de la texture et de la qualité des matériaux et des finitions.

C'est un style qui convient particulièrement bien aux galeries d'art, aux boutiques de haute couture et aux lieux sacrés. Le minimalisme a aussi été utilisé à des fins «domestiques», notamment dans les années quatre-vingt-dix, où ce mouvement a été à son apogée. John Pawson, en particulier, est vu comme le maître d'œuvre non seulement d'une architecture épurée mais encore d'un aménagement intérieur réduit à sa plus simple expression, d'où émanent une sérénité et un ordre inspirés de la culture japonaise. Après les extravagances, perçues parfois comme excessives, du style des années quatre-vingt, cette philosophie minimaliste prend le contrepied, favorisant l'austérité et la mesure couplées à un design high-tech et sophistiqué.

C'est à la fin des années quatre-vingt que John Pawson et Claudio Silvestrin joignent brièvement leurs talents en ouvrant ensemble un cabinet d'architecture. La Maison Neuendorf est la pièce maîtresse de leur collaboration. Elle a été conçue pour un marchand de tableaux allemand et sa femme, Hans et Carolina Neuendorf, qui souhaitaient pour leur famille une résidence de vacances radicalement différente du style rustique incontournable aux Baléares à l'époque.

«Pour pouvoir obtenir le permis de construire, au départ nous avons dû bâtir dans le style rustique, qui en fait n'est absolument pas un style mais une forme de kitsch, raconte Hans Neuendorf. Puis, au fur et à mesure de la construction, de

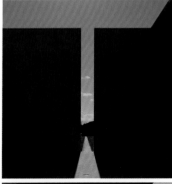

nombreux changements sont apparus. Entre autres, j'ai insisté pour qu'il y ait des fenêtres dans les chambres [au premier étage], ce que Pawson/Silvestrin ne jugeaient pas nécessaire. Nous sommes tombés d'accord pour de toutes petites fenêtres.»

La maison qui en résulte est une construction réduite à l'essentiel, presque une œuvre d'art abstraite, où la lumière est de la plus haute importance. Entouré d'amandiers et d'oliviers, le bâtiment se présente comme une sorte d'immense cube perforé. On y accède par une série de marches qui conduisent à une porte haute et étroite, qui semble être comme une cassure sur la façade monumentale presque totalement vide.

Une fois cette porte franchie, on entre dans une cour intérieure qui forme l'essentiel du plan du rez-de-chaussée. Le séjour principal est situé sur un des côtés de la cour avec les chambres au-dessus.

Un pigment ocre fut ajouté à l'enduit extérieur pour donner à la maison la qualité organique qui convient à son emplacement rural. Le calcaire local fut utilisé pour le sol et pour les tables et les bancs intégrés. Quelques années plus tard, Claudio Silvestrin ajoutera un court de tennis le long des marches qui mènent à la maison.

«Nous avons étroitement collaboré avec les architectes, souligne le propriétaire, et nous avons été en désaccord sur plusieurs détails. Mais les principaux éléments architecturaux, comme l'emplacement de la piscine, le mur de 110 m de long qui sépare le terrain du jardin et le court de tennis enterré sont leurs idées. L'absence de "bruit" visuel donne à la maison une sérénité et un calme merveilleux, mis en valeur de manière quasi théâtrale par les jeux de lumière. C'est une maison spirituelle, qui n'est jamais mondaine.»

La prodigieuse simplicité de cette maison fait écho aux travaux de Luis Barragán et de Ricardo Legorreta entre autres, et elle aide aussi à définir la philosophie de la construction minimaliste. Projet-clé dans la carrière de John Pawson et Claudio Silvestrin, la Maison Neuendorf reste un modèle largement imité dans le style de la maison moderne, sophistiquée, abstraite et réduite à l'essentiel.

Une piscine tout en longueur, entourée de jardins en terrasses, semble tout à la fois émerger de la maison et pénétrer dans la cour intérieure grâce à une baie vitrée, la plus grande de toutes les ouvertures. Les autres fenêtres, notamment au premier étage, sont des fentes habilement découpées dans la façade.

Les zones d'habitation ne représentent qu'une petite superficie en comparaison de la structure d'ensemble du bâtiment, dont la majeure partie est réservée à la cour intérieure. L'aménagement des pièces prolonge l'esthétique minimaliste de l'extérieur avec une simplicité d'une grande sophistication.

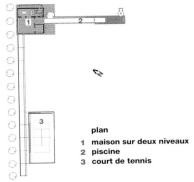

plan
1 maison sur deux niveaux
2 piscine
3 court de tennis

rez-de-chaussée

premier étage

Vu du ciel, le Palais Bulles ressemble à une extravagante créature marine, dotée d'une multitude d'yeux, qui essaierait de rejoindre son habitat naturel… C'est en réalité une prolifération de capsules, incrustées de dômes et d'oculus, qu'on dirait polies par les vagues de la Méditerranée en contrebas. Rien d'étonnant à cela : son concepteur, le Finlandais Antti Lovag, qui a étudié l'architecture navale, emploie souvent des termes nautiques lorsqu'il parle de son travail.

À l'instar de Pascal Häusermann et de Charles A. Haertling, Antti Lovag est un pionnier de l'architecture organique de forme futuriste, en vogue pendant les années soixante et soixante-dix. Un mouvement qui refuse la limitation que présentent les angles droits, et les principes du Style international. À la place, ils puisent leur inspiration dans la nature. Les maisons-capsules d'Antti Lovag, construites principalement dans le Sud de la France, sont implantées dans des lieux à la topographie particulière. Des maisons cellulaires, comme rêvées, qui évoquent les habitats troglodytes ou les igloos. Leur forme appartient à une philosophie de vie qui prône les courbes, ergonomiquement confortables pour une maison.

« J'ai commencé à réfléchir à des constructions improvisées, bricolées sur site et adaptées aux désirs ou aux idées d'une personne en particulier, explique l'architecte. Au lieu d'une construction qui utilise des panneaux préfabriqués, j'ai commencé à expérimenter des structures flexibles qui pouvaient être transformables et à travailler avec une technique de revêtement en béton. De cette manière, les formes pouvaient évoluer [1]. » Implantée sur une colline qui domine la baie entre Cannes et Saint-Raphaël, la construction démarre au début des années soixante-dix. Son propriétaire, un industriel, décède avant la fin des travaux. Le couturier Pierre Cardin reprend le projet et s'assure que la maison aux vingt-huit chambres est achevée dans le même style flamboyant. « J'ai toujours été fasciné par les cercles, les sphères et les paraboles, raconte-t-il. Lorsque j'ai entendu parler d'un projet de construction d'une maison tout en rondeurs, j'ai su qu'elle s'accorderait parfaitement à mon univers [2]. »

Pierre Cardin a comparé son palais, qui défie toute convention, à la morphologie humaine avec son assemblage de rondeurs, de membres et de globes oculaires. Vu les formes inhabituelles de cette habitation, dont la superficie dépasse les 1 500 m², la majorité du mobilier et des installations ne pouvaient qu'être réalisés sur mesure. Le couturier s'est chargé de dessiner la plupart des meubles dans des tons ocre et rouges qui contrastent avec le bleu de la mer, des bassins et de la piscine à laquelle on peut accéder par l'immense fenêtre ovale du séjour principal.

Même si la maison principale fut terminée en 1975, le Palais Bulles ne fut déclaré achevé qu'en 1989, une fois le théâtre de plein air érigé dans les immenses jardins. Nombre d'habitants locaux s'opposèrent à ce projet, déclarant qu'il vaudrait mieux que la maison soit enterrée afin qu'elle disparaisse de leur vue. Quoi qu'il en soit, le Palais Bulles est peut-être devenu l'expression ultime d'une architecture du XXᵉ siècle, organique, idéaliste et futuriste, qui envisage une manière à la fois plus sophistiquée et plus large de placer l'architecture au sein de l'environnement, du paysage et de la nature.

1. Cité in Bruno de Laubadre, « Vive la différence », *Interior Design Magazine*, janvier 2002.
2. Cité in Jonathan Wingfield, « Double Bubble », *GQ Magazine*, septembre 2000.

Épousant le paysage escarpé, l'immense Palais Bulles, avec ses hublots et ses ouvertures arrondies qui permettent de regarder la mer à l'horizon, est une véritable sculpture hors normes.

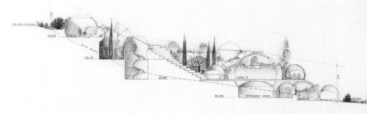

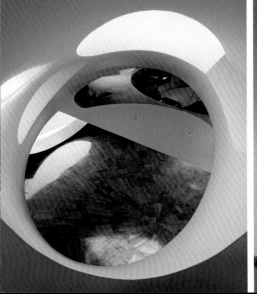

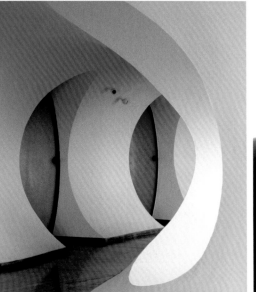

La piscine à débordement, qui semble se jeter dans la mer, accentue le côté organique de l'ensemble. L'aménagement intérieur, conçu par Antti Lovag et Pierre Cardin, offre des pièces au mobilier inattendu.

L'architecte mexicain Ricardo Legorreta peut être considéré comme le représentant majeur d'une forme d'architecture régionale puissante, mélange composite de références préhispaniques et coloniales espagnoles, qui tire aussi parti des leçons du modernisme. Un design hautement créatif qui mêle le style de l'hacienda, de l'habitat indien (les *pueblos*) et des maisons à cour intérieure. Le tout avec une approche structurelle monumentale et l'utilisation de couleurs vibrantes.

« Mon travail est très influencé par la culture mexicaine, explique Legorreta dont les mentors furent Luis Barragán et José Villagrán García. Quelquefois il s'agit de détails — l'utilisation du plâtre ou de telle ou telle teinte — mais c'est en fait beaucoup plus profond que cela. Pour moi, ce qui est typiquement mexicain, c'est la notion d'échelle. Au Mexique, il y a une combinaison de deux cultures, l'espagnole et l'indienne, qui a conduit à une vision très particulière des proportions. Nous avons l'habitude des espaces importants, parfois tellement grands qu'ils en deviendraient presque inquiétants… »

La première maison californienne qu'il conçoit — sa première commande aux États-Unis — est celle de l'acteur mexicain Ricardo Montalbán à Hollywood en 1985. La seconde, quelques années plus tard, est commandée par l'avocat Arthur N. Greenberg et sa famille. La Maison Greenberg regroupe deux styles en une seule demeure. À l'avant, une structure sur deux niveaux, de forme irrégulière et aux murs sablés, crée une entrée sur cour intérieure, plantée de cactus et de palmiers. Le bâtiment est percé d'ouvertures qui laissent entrer la lumière mais préserve l'intimité des habitants du regard extérieur. À l'arrière, la maison s'ouvre largement, et de manière spectaculaire, sur la terrasse, la piscine et les jardins.

À chacune des extrémités de la demeure se dresse une tour qui ancre le bâtiment sur le terrain inégal. Elles abritent un salon et une bibliothèque pour l'une, et la salle à manger et un atelier pour l'autre, et aident aussi à délimiter la terrasse principale à laquelle on accède par le séjour et qui descend vers la piscine tout en longueur et le jardin en contrebas, dessiné par Mia Lehrer.

Pour son propriétaire, Arthur Greenberg, « il y a une dynamique entre l'intérieur et l'extérieur de la maison que nous apprécions sans cesse. La luminosité est incroyable, les couleurs merveilleuses, les pièces sont à échelle humaine, le panorama est fantastique et l'ensemble dégage une atmosphère tout à la fois chaleureuse et d'une élégance raffinée. L'aménagement paysager, superbe, nous donne la sensation de marcher dans les jardins même lorsque nous nous trouvons à l'intérieur. »

Si on regarde les plans de la Maison Greenberg, ils sont complexes. Mais le résultat définitif est tout en simplicité et retenue, avec un sens de la magnificence qui provient plus de l'utilisation de vastes espaces aux contours particuliers que de matériaux coûteux ou de finitions ostentatoires.

Par-dessus tout, c'est une maison qui ne révèle pas tous ses secrets en une seule fois, mais qui offre des découvertes progressives, alors que le visiteur passe d'une entrée presque dérobée à un espace ouvert, encadré par deux tours, avant de s'aventurer dans les jardins à la topographie saisissante. « Nous aimons les surprises, nous aimons le mystère, explique Ricardo Legorreta. Au Mexique, nous sommes même assez mystérieux dans notre manière d'être. »

rez-de-chaussée

1 entrée
2 salon
3 salle à manger
4 bar
5 cuisine
6 blanchisserie
7 office
8 toilettes
9 salle
  de petit-déjeuner
10 chambre
11 salon
12 piscine
13 jacuzzi
14 terrasse
15 chambre de
  service
16 séjour de
  service
17 garage

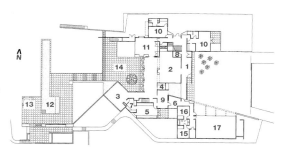

premier étage

1 chambre
2 dressing
3 salle de bains
4 salle de sport
5 bibliothèque
6 atelier

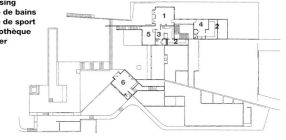

MAISON GREENBERG

Le mur «perforé» est un trait caractéristique des réalisations de Legorreta. Ici, les ouvertures étroites, toutes identiques, donnent un rythme à la construction et permettent aussi d'extraordinaires jeux de lumière à l'intérieur des bâtiments.

Autant l'avant de la maison se dérobe aux regards extérieurs, autant l'arrière se déploie sur les jardins, les terrasses et le long bassin. Adepte des formes géométriques, Legorreta joue sur les différentes hauteurs avec les deux tours qui abritent, à l'étage, l'une la bibliothèque, l'autre l'atelier.

1992

ALBERTO CAMPO BAEZA

MAISON GASPAR ZAHORA, CADIX, ESPAGNE

Généralement, le travail d'Alberto Campo Baeza est référencé chez les minimalistes. Mais l'architecte réfute une telle étiquette, préférant utiliser le mot d'architecture « essentielle », qui suggère une richesse intrinsèque, plus qu'une simplification extrême de la structure et de son aménagement intérieur.

Campo Baeza veut faire « plus avec moins » plutôt que d'utiliser le principe « moins c'est plus » : « Un plus qui maintient solidement l'être humain et la complexité de sa culture au centre du monde de la création, au centre de l'architecture. Et un moins qui, laissant de côté toutes les questions du minimalisme, distille l'essence même de l'architecture en utilisant un "nombre précis d'éléments" pour traduire les idées en réalité physique [1]. »

Autrement dit, l'architecte, s'il adhère aux principes d'une architecture dénuée de toute fioriture, adopte aussi une approche poétique de la forme et de l'espace. Particulièrement attentif à capturer et filtrer la lumière, il offre une interprétation moderne de l'habitation ibérique blanche et nette.

La Maison Gaspar, bâtie au sein d'une orangeraie près de Cadix, a été conçue dans cet esprit poétique. Disposant d'un budget serré, Campo Baeza a dû jongler avec deux postulats : la commande de son client, professeur de métier, d'un espace clos à l'intimité absolue, et celui de la nécessité d'ouvertures, de lumière, et de fluidité entre l'intérieur et l'extérieur.

La Maison Gaspar est un pavillon à l'intérieur d'un jardin clos de murs qui réactualise l'architecture traditionnelle des fermes espagnoles et nord-africaines et de leurs jardins secrets. Quatre murs blancs de 18 m de long et de 3,5 m de haut créent un volume carré, percé d'une simple porte sur le côté est. À l'intérieur de cette structure, Campo Baeza a subdivisé l'espace selon une trame au centre de laquelle se trouve l'habitation proprement dite.

Le bâtiment, qui dépasse à peine des murs d'enceinte, comporte un séjour et une salle à manger hauts de plafond, flanqués d'espaces plus petits qui accueillent une chambre et une cuisine. La maison ouvre sur deux patios, de

part et d'autre, agrémentés de quatre citronniers et d'un bassin sur la terrasse ouest. Les murs légèrement enduits, les lignes épurées, les sols de pierre continus entre l'extérieur et l'intérieur… Tout offre un sanctuaire propice au calme contemplatif. « J'ai essayé de synthétiser l'esprit des maisons andalouses — une zone d'ombre entre deux patios, traversée par la lumière, explique Campo Baeza. Tout est important quand vous n'utilisez qu'un nombre réduit d'ingrédients. Lumière, ombre, murs blancs, arbres, eau : vous ne pouvez pas en laisser un de côté. »

Cette maison, modeste et singulière à la fois, a été la carte de visite de Campo Baeza. Elle l'a conduit à concevoir d'autres projets reprenant les principes mis en œuvre pour la Maison Gaspar. Maison De Blas, Maison Asencio, Maison Guerrero, par exemple, où l'on retrouve, tout comme dans la Maison Gaspar, ce contraste entre ombre et lumière, masse et transparence, ouverture et fermeture, anonymat et exhibition.

Plus généralement, les maisons de Campo Baeza ont permis de redéfinir le concept de la maison néomoderniste, espagnole et méditerranéenne, créant une version contemporaine d'un havre aux lignes blanches épurées qui trouve sa place dans le paysage.

1. Antonio Pizza, *Alberto Campo Baeza : Works and Projects*, Gustavo Gili, 1999.

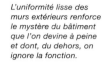

L'uniformité lisse des murs extérieurs renforce le mystère du bâtiment que l'on devine à peine et dont, du dehors, on ignore la fonction.

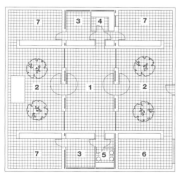

1 séjour / salle à manger
2 patio
3 chambre
4 cuisine
5 salle de bains
6 garage
7 cour

MAISON GASPAR

Cachée derrière ses murs, la maison offre toute l'intimité voulue, qu'on découvre une fois à l'intérieur de l'enceinte alors qu'on traverse le patio vers le bâtiment d'habitation.

1992

SIMON UNGERS

MAISON T WILTON, SARATOGA SPRINGS, ÉTAT DE NEW YORK, ÉTATS-UNIS

Dans son travail, l'architecte Simon Ungers a exploré constamment les liens entre l'habitat et la sculpture, l'art et l'architecture et a réussi à «contaminer» ces différents domaines d'activité. Ses plus beaux exemples d'interdisciplinarité sont sans conteste la Maison T et plus tard la Maison Cube, deux œuvres d'art, abstraites et saisissantes, placées au milieu de paysages extraordinaires, comme deux sculptures titanesques.

Située dans une région rurale et boisée au nord de l'État de New York, la Maison T est une construction cruciforme, partiellement enfoncée dans le sol et recouverte de plaques d'acier Corten. Ce métal, qui a pour spécificité une surface superficiellement corrodée et résistante aux conditions atmosphériques, donne à la maison l'allure d'une sculpture de Richard Serra. En dépit du côté industriel de ce matériau, son aspect rouillé lui permet de se fondre aux bois qui l'entourent.

La maison fut conçue pour l'universitaire et écrivain Lawrence Marcelle et sa femme qui voulaient un havre à la campagne, capable d'abriter leur vaste bibliothèque de 10 000 livres. Simon Ungers en dessina les plans en collaboration avec Tom Kinslow. Le rez-de-chaussée consiste en une longue pièce de style loft, qui donne une sensation d'espace ininterrompu

même s'il comporte quatre partitions légères : cheminée, cuisine et plusieurs éléments de rangement. La bibliothèque en double hauteur est située au premier étage et elle forme la barre du «T» en porte-à-faux.

«J'avais espoir que la maison procurerait une sorte de protection et de distance par rapport au monde extérieur, raconte Lawrence Marcelle. Je voulais qu'elle soit un endroit où travailler et vivre et j'ai demandé à Simon que son projet soit inhabituel et qu'il y ait une séparation visiblement distincte entre la partie bureau et la partie maison proprement dite. Ce projet montre d'ailleurs que la signification du mot "maison" n'est pas quelque chose de défini une bonne fois pour toutes mais qu'elle est ouverte à la contestation.»

Cette commande, qui illustre le talent et l'imagination d'un architecte à la carrière malheureusement trop courte, va avoir un impact énorme dans le monde de l'architecture, à plus d'un titre. Une des toutes premières maisons à être réalisée en acier Corten aux États-Unis, la Maison T crée un précédent pour d'autres cabinets d'architecture, comme ceux de Shim-Sutcliffe et Messana O'Rorke, qui se mettent alors à étudier toutes les possibilités esthétiques de ce matériau étonnant. Plus encore, cette construction appartient aussi à

un courant d'architecture de la fin du XXe siècle nourri de l'art abstrait poussé dans de nouvelles directions et qui remet en question l'adage «la forme suit la fonction» afin de laisser la place à une créativité originale.

De nos jours, on retrouve ce pouvoir de l'abstraction dans les maisons de Mathias Klotz, de Bearth & Deplazes, de Pezo von Ellrichshausen et d'autres encore. Tous associent une structure abstraite à un environnement exceptionnel qui met en valeur l'audace et la force du projet.

La qualité primordiale de la Maison T, et avant tout de son architecte, est de répondre magnifiquement à la commande d'origine : un endroit pour vivre et travailler. «J'avais sous-estimé le côté imposant de la structure définitive, explique Lawrence Marcelle. Néanmoins certains ont exprimé leur étonnement face à la chaleur qui se dégage de l'espace intérieur et il est vrai qu'il est surprenant de pénétrer dans une maison en acier et de ressentir un tel sentiment de bien-être et de sécurité.»

D'une certaine manière, la structure étonnante de la maison doit son existence aux livres qu'elle abrite. Cette croix géante qui contient la bibliothèque et le bureau donne l'impression, grâce à un alignement de multiples fenêtres hautes et étroites sur toutes les façades, d'être à la cime des arbres et elle permet d'admirer le paysage à 360°.

Dans la bibliothèque à double niveau, un système de stockage ingénieux permet de ranger les livres sur des galeries en hauteur, en laissant le niveau du sol entièrement libre. Le « corps » principal de la maison est conçu comme un espace ouvert, à l'esthétisme semi-industriel, tel un loft.

niveau d'entrée

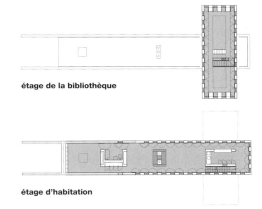

étage de la bibliothèque

étage d'habitation

Virtuose de la géométrie déstructurée, Eric Owen Moss signe des habitations qui ressemblent à des sculptures abstraites. Ses réalisations, difficiles à cataloguer, sont hautement inventives. L'architecte, loin de toute convention ou de toute attente, repense les « pièces détachées » de sa construction et les réassemble en une combinaison spectaculaire.

Moss dessine peu de maisons individuelles, presque entièrement occupé à ses projets pour Culver City, un quartier de Los Angeles. Le projet Lawson-Westen a donc eu un fort impact en remettant en cause l'architecture traditionnelle et moderniste californienne, avec son ambition radicale de créer de nouvelles formes et de nouvelles manières de vivre.

Associé à l'école de Los Angeles — une dénomination qui recouvre les expérimentations de Frank Gehry, Morphosis et d'autres —, le travail de Moss est caractéristique d'un mouvement architectural important où la forme est libérée grâce aux innovations en matière d'ingénierie et de matériaux, mais aussi grâce à une imagination sans contraintes.

Le projet, qui demanda quatre ans, fut commandé par Linda Lawson et Tracy Westen qui voulaient que la cuisine soit le point central de cette maison familiale, contrairement aux habitations américaines traditionnelles qui la placent généralement près du garage. Les autres pièces seraient disposées autour, en suivant un plan largement ouvert. Les clients avaient d'autres exigences : « Nous ne voulions pas que la maison soit ennuyeuse. Nous la voulions joyeuse, chaleureuse, visuellement stimulante, voire saisissante. Nous voulions une maison qui soit en elle-même une œuvre d'art et non pas une série de boîtes ou de pièces où nous accrocherions des œuvres d'art. Nous voulions vivre dans une sculpture. »

L'architecte leur propose alors une maison en forme de parallélogramme

avec un large volume circulaire en avancée au centre et qui contient la cuisine. Ce cercle s'élève en forme de cylindre, traversé par des passerelles, des escaliers et des poutres, le tout baigné de lumière naturelle. Autour du cylindre, Moss prévoit quatre chambres sur deux et trois étages. L'ensemble est conçu pour garder visuellement des liens forts avec l'extérieur.

Pendant les dix-huit mois d'élaboration des plans, le projet subit des changements significatifs, tels l'ajout d'une salle à manger, d'une chambre supplémentaire et le déplacement du séjour. L'impression d'ensemble reste la même, mais Moss garde plusieurs éléments « fantômes » des propositions antérieures, intensifiant la nature abstraite des espaces.

Les matériaux, béton, verre et bouleau, coexistent avec l'acier de la cheminée du séjour, soulignant un peu plus le côté machiniste ou semi-industriel de la maison. Les fenêtres de formes irrégulières permettent des jeux de lumière tout en offrant différentes vues sur le jardin. Et le séjour-cathédrale crée une acoustique favorable aux concerts organisés par les propriétaires.

Cette habitation expressive, totalement originale, est le résultat d'une collaboration très étroite entre l'architecte et ses clients. « Il existe très peu de formes d'art où un "mécène" peut participer au processus créatif, reconnaissent Lawson et Westen. Mais une maison appelle la participation, car on doit y vivre. Le processus de collaboration avec Eric a été l'une des plus importantes expériences de nos vies. »

Linda Lawson et Tracy Westen résument ainsi les plans complexes et spectaculaires d'Eric Owen Moss pour leur maison : « Il y a tellement d'angles différents et spectaculaires qu'on peut rester à l'intérieur pendant des semaines et continuer à découvrir de nouvelles perspectives et de nouvelles singularités. »

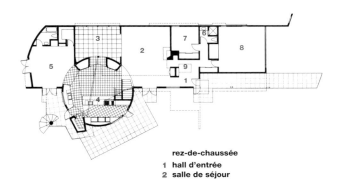

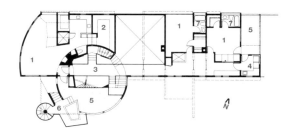

rez-de-chaussée

1 hall d'entrée
2 salle de séjour
3 salle à manger
4 cuisine
5 salon
6 salle de bains
7 chambre d'amis
8 garage
9 sous-sol / cave à vins

premier étage

1 chambre
2 dressing
3 passerelle
4 blanchisserie
5 terrasse
6 jacuzzi
7 salle de bains

Pour Antoine Predock, le contexte est primordial. Ses réalisations les plus connues se trouvent au Nouveau-Mexique et dans le désert, où ses immeubles semblent jaillir de terre. Elles puisent leur style dans les cultures préhispaniques et les villages traditionnels en adobe. Néanmoins, certains de ses projets majeurs, comme le Centre américain du patrimoine du Wyoming — un cône surgissant du sol —, sont futuristes et saisissants dans leurs formes. Turtle Creek est le résultat de ces idées et présente une habitation bâtie sur mesure pour le site et ses clients, Rusty et Deedie Rose.

Les Rose sont deux ornithologues passionnés qui ont choisi cet endroit parce qu'il jouxte un étang. Cette zone préservée, mélange de bois et d'eau, est une réserve naturelle et un point de rassemblement d'oiseaux migrateurs.

« Nous voulions un endroit où vivre agréablement avec nos œuvres d'art moderne, observer les oiseaux dans des habitats variés et avoir une maison confortable pour nous et nos deux chiens, mais capable d'accueillir jusqu'à trois cents personnes pour

une réception, explique Deedie Rose. Intégrée à la nature, la maison possède la qualité unique de se révéler peu à peu, et permet aussi d'observer le paysage sous un nouveau regard. »

Au-delà de l'entrée principale, Predock conçoit une série d'itinéraires dynamiques qui traversent les pièces et se prolongent au-delà. L'un amène, à l'arrière de la maison, à une rampe spectaculaire qui se projette à l'extérieur du bâtiment. Cette plate-forme qui ne mène nulle part — rappelant un belvédère similaire dans la Maison Zuber construite dans le désert d'Arizona — offre une vue à la cime des arbres qui permet d'admirer l'étang voisin.

De même, un pont extérieur et son axe créent une fracture dans le bâtiment entre ce que Predock appelle la « maison nord » et la « maison sud ».

Un grand panneau en acier poli, placé à l'arrière de la maison, reflète d'une manière extraordinaire le pont et le panorama, entraînant des jeux et des illusions d'optique saisissants. Un autre point fort, situé aussi à l'arrière de cette maison bâtie sur trois niveaux agrémentés de toits-terrasses, est la tour

cylindrique qui abrite la salle à manger surélevée de laquelle on aperçoit aussi la rampe et la nature.

Comme l'explique Predock : « Il y a une intention purement phénoménologique dans l'utilisation de ce miroir convexe, dans la distorsion de la lumière et la juxtaposition de ce miroir opaque au vitrage réfléchissant

du séjour… et dans l'image déformée de la maison qu'il renvoie. L'idée de dématérialisation et de déstabilisation fait partie de l'intention de départ [1]. »

La Maison de Turtle Creek a été dessinée par Predock spécifiquement pour ses propriétaires et leur mode de vie. Ce faisant, à l'instar du travail d'Agustín Hernández, d'Eric Owen Moss et d'autres, il interroge aussi l'idée même de maison, sa fonction, son apparence.

1. Antoine Predock, *Turtle Creek House*, Monacelli Press, 1998.

Turtle Creek présente deux visages, chacun avec une personnalité différente. De la rue, la maison ressemble à une ziggourat de pierre (voir page suivante), sorte de relique monumentale d'un âge précolonial oublié. Mais une fois l'entrée franchie, c'est une maison totalement différente qui s'offre au visiteur. Une structure résolument moderne, ouverte et expérimentale, qui s'élance avec une grande force vers le paysage extérieur.

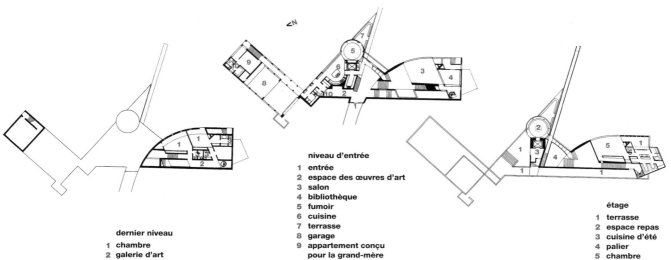

dernier niveau

1 chambre
2 galerie d'art
3 salle d'eau

niveau d'entrée

1 entrée
2 espace des œuvres d'art
3 salon
4 bibliothèque
5 fumoir
6 cuisine
7 terrasse
8 garage
9 appartement conçu
  pour la grand-mère
10 salle d'eau

étage

1 terrasse
2 espace repas
3 cuisine d'été
4 palier
5 chambre
6 salle d'eau

La maison devient un jeu de contrastes entre la masse imposante d'une façade et la nature ouverte et floue d'une autre. Les bois qui empiètent sur le terrain et la cime verdoyante des arbres effacent encore plus les frontières entre la maison et l'extérieur.

1994

ANTHONY HUDSON

MAISON BAGGY CROYDE, DEVON, GRANDE-BRETAGNE

La Maison Baggy a contribué à renouveler l'architecture de la maison de campagne anglaise. Même si, dans les années trente, Patrick Gwynne, Maxwell Fry et d'autres ont créé avec succès une version moderniste de la « country house », l'austérité d'après-guerre n'est pas propice aux nouveaux projets. Lorsque le marché de la maison de campagne finit par repartir, le style est dominé par des pastiches ou des réalisations au néoclassicisme éculé.

Les années quatre-vingt-dix portent les signes annonciateurs d'une discrète renaissance : un regain d'intérêt pour le modernisme, plus la culture de certains clients qui s'approprient diverses références architecturales internationales. Ces clients « éclairés » sont prêts à franchir tous les obstacles pour obtenir un permis de construire et combattre le conservatisme ambiant dans l'espoir de devenir propriétaires de

maisons innovantes — en droite ligne du courant moderniste d'avant-guerre —, tout en ouvrant la voie à un style inédit. L'un des premiers à s'engager est Anthony Hudson avec sa Maison Baggy. L'architecte, soutenu par son client, un homme patient et sensibilisé à l'architecture, conçoit une maison spectaculaire, à laquelle il insuffle un esprit contemporain avec néanmoins des références modernistes et des touches Arts & Crafts, notamment l'extérieur blanc qui rappelle Mackintosh et Voysey.

L'emplacement dans le Devon est exceptionnel. Il domine l'océan. Une maison du XIXe siècle construite sur le terrain pour un magnat de la presse locale a été transformée en hôtel. Dans un premier temps, les nouveaux propriétaires demandent à Hudson de le convertir en résidence de vacances. Mais il existe trop de défauts intrinsèques dont l'un, et non des moindres, est

l'absence de vue sur la mer à partir des pièces principales.

« Les instructions étaient simples, explique Hudson. Les clients souhaitaient une maison familiale qui tirerait le maximum de la beauté de l'endroit, et qui disposerait d'environ six chambres et de place pour les invités. Ils n'avaient aucune idée arrêtée sur l'architecture du bâtiment, ils étaient vraiment ouverts à toute proposition. »

La maison possède deux visages. Le côté plus fermé sur le terrain montant, orienté au nord, montre un aspect solide et imposant grâce à ses murs épais en maçonnerie qui protègent la structure et forment une enceinte compacte. Au sud, au contraire, la maison est tournée vers l'extérieur : les pièces principales ouvrent largement sur les terrasses qui surplombent le magnifique panorama. Dans la salle à manger et le « salon sur la mer », les murs en verre peuvent être escamotés dans le sol afin d'apporter une vision sans rupture avec les terrasses et la piscine inspirée du style de Barragán.

Modèle d'un style contemporain à la campagne, cette demeure très élaborée va apporter de nombreux clients à l'architecte. Celui-ci imagine avec autant de succès d'autres réalisations situées dans un contexte rural, s'inspirant des granges traditionnelles et des maisons à charpente en bois. Néanmoins, c'est la Maison Baggy qui, en plus d'avoir été une extraordinaire carte de visite pour Hudson, fit beaucoup pour la création d'une nouvelle génération de maisons rurales anglaises.

Complexes mais d'une grande fluidité, les plans de la Maison Baggy tirent le meilleur parti de la topographie accidentée du Devon, avec son séjour surélevé qui représente le cœur de la structure. Dans les trois niveaux de la maison, on retrouve diverses influences comme celles d'Adolf Loos, de Palladio avec sa Villa Rotonda ou encore du style arabe dans la circulation entre les pièces. Mais la précision de ses formes et sa présence imposante n'appartiennent qu'à elle.

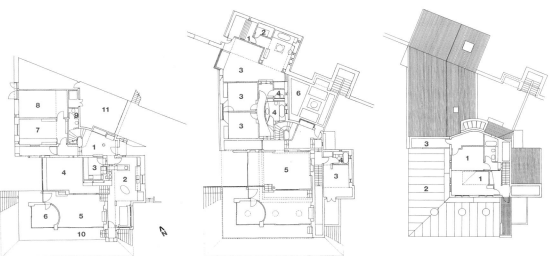

MAISON BAGGY

Toutes les influences sont utilisées avec un sens particulier de la mesure. La touche marine est visible avec les fenêtres en forme de hublot, la référence au passé est apportée par la colonne-sculpture en pierre et l'exotisme est présent grâce à l'utilisation des couleurs dans le style de Barragán pour la zone entourant la piscine.

1994

GLENN MURCUTT

MAISON SIMPSON-LEE MONT WILSON, NOUVELLE-GALLES DU SUD, AUSTRALIE

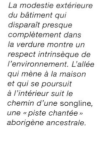

Concevoir la Maison Simpson-Lee fut indéniablement pour Glenn Murcutt une tâche ardue et interminable, mais finalement une expérience féconde. Tout commence en 1986 lorsque l'économiste Geelum Simpson-Lee et sa femme Sheila, céramiste, écrivent à l'architecte, afin de créer «un sanctuaire pour un couple de retraités avec des prédispositions intellectuelles et un penchant pour la solitude [1]», en fait une maison avec «une approche minimaliste», à bâtir sur un site remarquable, près du parc national des Blue Mountains, à environ 150 km au nord-ouest de Sydney.

Murcutt explique ainsi ses relations avec ses clients : «Comme le disait Mies van der Rohe, "pour chaque construction réussie, il y a un client de grande qualité" et avec ce projet, cela fut le cas dès le départ. Néanmoins, Geelum était d'une exigence extrême et chaque proposition fut âprement discutée. Ce fut un processus colossal.»

Il fallut six années complètes pour que le projet soit mené à terme, des tout premiers plans en passant par l'obtention laborieuse du permis de construire, jusqu'à la fin de la construction. Les Simpson-Lee souhaitaient une structure légère, construite en plein milieu de la forêt. Une demande tout à fait dans la lignée des résidences à la campagne de Murcutt qui s'inscrivent naturellement dans le paysage, mélanges aériens de modernisme californien et scandinave et d'architecture vernaculaire australienne. Mais les relations entre l'architecte et ses clients atteignirent presque un point de rupture lorsque Geelum Simpson-Lee émit l'idée que la maison proposée ressemblait à un cuirassé.

«J'étais furieux, explique Murcutt, et j'ai envoyé une lettre de démission. J'ai tenu bon une semaine. [Geelum] m'a téléphoné et m'a dit : "Êtes-vous fâché contre moi ?" Je lui ai répliqué que le terme était faible, et il m'a alors répondu que nous devions nous rencontrer.» Les problèmes furent résolus en passant commande de composants faits sur mesure et de pièces en acier qui alourdirent la facture, mais exaucèrent le désir du couple de déranger le moins possible l'environnement.

La maison, posée sur un promontoire dans la colline, est divisée en deux bâtiments reliés par un pont. L'un abrite un garage et l'atelier de poterie de Sheila. L'autre contient un grand séjour et deux chambres. Les deux parties offrent une unité d'échelle, de style et de matériaux : elles possèdent la même structure en acier revêtue de tôle ondulée peinte d'une couleur argentée qui fait écho aux troncs des eucalyptus. Leur toit à forte pente permet d'évacuer la pluie vers sept citernes.

Sous le pont entre les deux structures, un bassin collecte, lui aussi, l'eau de pluie en prévision d'un éventuel incendie. Le bâtiment principal arbore sur sa façade des portes coulissantes en verre qui, une fois ouvertes, font pénétrer la nature dans le séjour.

Cette commande marqua un véritable tournant dans la carrière de Murcutt. Outre l'épreuve des relations entre un architecte et son client, le long processus de conception l'incita à remettre en question ses principes et à les affiner. La Maison Simpson-Lee apparaît simple ; elle montre en réalité une grande maîtrise et une sophistication dans son architecture dont la légèreté s'accorde au site, avec un respect de la nature qui l'entoure : des caractéristiques qui lui donneront une résonance internationale. Murcutt reviendra souvent dans cette demeure qui exprime tout son art, sa sensibilité et son souci du détail. L'un des propriétaires, Geelum Simpson-Lee, est décédé en 2001, mais Sheila continue à y séjourner.

«[Les Simpson-Lee] ont été des clients exceptionnels qui se sont montrés d'une grande exigence à mon égard, sur un plan personnel et intellectuel et aussi sur le temps à leur consacrer, mais à la fin nous avons créé des liens incroyables. Une fois le chantier terminé, Geelum m'a pris par le bras — nous étions devenus comme père et fils — et m'a dit : "Tu sais, Glenn, ce projet est terriblement décevant sur un point : c'est qu'il est terminé".»

1. Lettre à Glenn Murcutt, citée in Kenneth Frampton *et al.*, *Glenn Murcutt, Architect*, 01 Editions, 2006.

La modestie extérieure du bâtiment qui disparaît presque complètement dans la verdure montre un respect intrinsèque de l'environnement. L'allée qui mène à la maison et qui se poursuit à l'intérieur suit le chemin d'une songline, une «piste chantée» aborigène ancestrale.

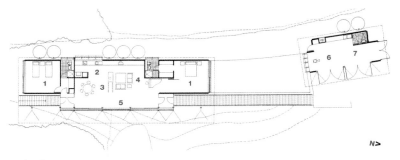

1 chambre
2 cuisine
3 espace repas
4 salon
5 véranda
6 atelier
7 garage

N>

Cette maison symbolise une architecture « qui touche la terre avec légèreté » avec un impact limité sur la nature. Le bâtiment s'ouvre littéralement sur le paysage grâce à ses murs de verre coulissants qui permettent aussi une ventilation naturelle.

Les deux grands thèmes communs à l'œuvre de Shigeru Ban sont, d'une part, la transparence et, de l'autre, l'innovation structurelle. La Maison en carton est probablement le meilleur exemple de bâtiment dans lequel les deux thèmes s'associent pour former un pavillon à la fois sublime et apparemment simple.

Ban est devenu le grand explorateur du monde architectural contemporain, repoussant les frontières de la construction et des conventions. Toute son œuvre est puissamment originale et imaginative, chacune de ses expériences se fondant sur la précédente.

« Tous les projets sont liés, dit-il. Mes idées ne cessent d'évoluer. »

Les thèmes de la transparence et de l'érosion des divisions conventionnelles dans la maison ont été explorés dans certaines de ses réalisations majeures, telles la Maison mur-rideau, la Maison nue, la Maison Cadre, et surtout la Maison sans mur, située à flanc de coteau, et dans laquelle le sol en béton suit la pente en s'incurvant pour ancrer

le bâtiment à son site, tandis qu'un toit soutenu par des colonnes d'une finesse extrême surplombe des panneaux de verre qui se rétractent sur trois côtés, laissant la maison entièrement ouverte aux éléments.

Ban est réputé pour avoir développé l'usage de matériaux innovants. Dans la Maison nue, plusieurs couches de feuilles de polycarbonate et de nouilles de polyéthylène confèrent à la maison une qualité translucide. Dans la Maison Mobilier, des étagères et des placards intégrés à la structure forment les cloisons et les murs extérieurs, et supportent le toit.

Mais les structures les plus célèbres de Ban, en tubes de carton recyclé, répondent à toutes sortes d'usage : pavillons, églises, abris de secours lors du tremblement de terre de Kobé, etc. « Même dans les zones à risques, en tant qu'architecte, je veux créer de beaux bâtiments, dit Ban. Je veux toucher les gens et améliorer leur vie [1]. » Les tubes ont également servi à créer le bureau provisoire tout en haut du Centre Pompidou à Paris, que Ban a utilisé pendant qu'il travaillait au deuxième Centre Pompidou de Metz.

La Maison en carton — ou « Structure en tubes de carton 05 » — marque la première utilisation de tubes de carton dans un bâtiment permanent. Cette maison de week-end, située dans une zone rurale donnant sur le mont Fuji, consiste en 108 tubes de carton formant un « S », et dont certains soutiennent le toit. Cette structure a d'ailleurs été intégrée dans le code du bâtiment japonais.

Le « S » formé par les tubes occupe un pavillon carré de 10 m de côté et se prolonge par endroits dans le jardin. Comme dans la Maison sans mur, des panneaux vitrés sur trois côtés marquent les limites du pavillon et coulissent pour ouvrir le bâtiment sur les terrasses et le paysage environnant. À l'intérieur, les tubes créent un écran organique et fluide qui sépare partiellement un espace

de vie multifonctionnel, ou « espace universel », de l'entrée et de la salle de bains. Le noyau central peut être subdivisé par des écrans coulissants pour former une chambre privée — convention familière de l'habitat traditionnel japonais.

À certains égards, la maison est une réinterprétation radicale de la demeure traditionnelle, revisitée selon le modèle de la Maison Farnsworth de Mies van der Rohe (voir p. 136), l'un des édifices préférés de Ban. Avec la Maison en carton, Ban a prouvé que les matériaux les plus improbables pouvaient former les plus beaux bâtiments.

1. Emilio Ambasz et Shigeru Ban, « Introduction », in *Shigeru Ban*, Laurence King, 2001.

Des parois vitrées coulissantes disparaissent pour révéler la cloison centrale de tubes de carton, qui délimite des zones d'habitation et crée un contraste sinueux avec la netteté de l'enveloppe et la perfection de la plate-forme.

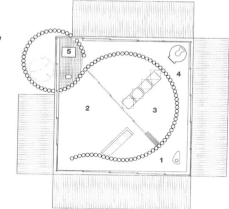

1 entrée
2 séjour / repas / cuisine
3 coin nuit
4 circulation
5 salle de bains

O. M. UNGERS

MAISON UNGERS III COLOGNE, ALLEMAGNE

On considère généralement la maison personnelle d'un architecte comme un laboratoire d'idées, et sa profession de foi. Dans le cas d'Oswald Mathias Ungers, les différentes demeures dont il est propriétaire à Cologne sont bien plus que cela. Sans aucun doute montrent-elles les différentes phases de sa longue carrière, témoignages d'une approche de l'architecture toujours évolutive avec une ouverture d'esprit qui prolonge les traditions de construction, mais elles sont aussi — et cela est moins courant — de véritables bâtiments autobiographiques qui ont changé avec lui.

Achevée en 1959, la première maison d'Ungers à Cologne, qualifiée de «brutaliste» à l'époque, est agrandie de façon radicale trente ans plus tard avec l'apport de la Maison Cube. Un ensemble de bâtiments communicants est érigé, regroupant habitation et bureaux. Il abrite — principalement dans le Cube — une collection extraordinaire de livres d'architecture, de maquettes et d'œuvres d'art picturales et sculpturales, réunie par l'architecte et sa femme Liselotte au fil des ans. Par ses propositions

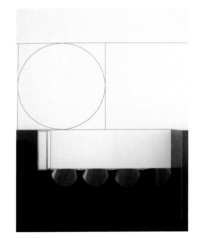

architecturales et sa galerie d'art, ce complexe résidentiel sera comparé à la maison londonienne de John Soane.

À partir de 1980, après plusieurs années d'enseignement et de participation à divers concours, Ungers relance sa carrière et il songe une fois de plus à agrandir son espace vital. La Maison Ungers III, connue aussi sous le nom de Haus Kämpchensweg, fait preuve d'un raffinement supplémentaire ; en réalité, c'est l'apothéose des idées de l'architecte.

Ungers est partisan d'une architecture géométriquement pure, abstraite et d'essence minimaliste, écartant tout ce qui ne peut pas être considéré comme élément architectural précis ou de la plus grande force. «La nouvelle maison est froide, rationnelle, monochrome et dépouillée jusqu'à l'os, explique-t-il. Il faut éliminer le superflu pour arriver au plus près du cœur, de l'essentiel. Empêcher toute ornementation, exclure toute redondance, laisser émerger la forme pure[1]. »

Cette nouvelle maison, à la différence de la précédente et de son Cube qui servait de bureaux, de galerie d'art, de bibliothèque et de lieu pour les archives, fut dessinée pour servir de maison-bureau, avec un atelier au centre de la structure en double hauteur qui abrite aussi une partie de la collection d'éditions originales de l'architecte.

Le bâtiment est construit à l'intérieur d'un jardin à l'abri des regards, véritable *hortus conclusus*, délimité par une haie de 3 m de haut. Il apparaît comme un volume blanc abstrait qui contraste avec la verdure en arrière-plan.

Cette «boîte» aux lignes pures, coiffée d'un toit plat invisible, est percée d'une série d'ouvertures, fenêtres et portes, strictement identiques, ce qui rend la façade étonnante. Dans un même esprit, à l'intérieur de la maison, la circulation entre les pièces n'est pas hiérarchisée, Ungers se refusant à délimiter une entrée spécifique. L'atelier central est bordé de murs qui abritent l'escalier, les pièces de

service, la cuisine construite en long et des rangements. Au rez-de-chaussée, le séjour est situé d'un côté de la maison, la cuisine et la salle à manger de l'autre. Ces mêmes espaces accueillent au premier étage deux vastes chambres-ateliers. Une piscine, construite en sous-sol, complète l'ensemble.

«Dans cet espace réduit, sont concentrés les modules et les éléments de l'existence, explique Ungers. Un arsenal d'outils et d'articles utilitaires, une retraite spirituelle, en compagnie des livres les plus importants, de plans, d'une planche à dessin, d'un lit, d'un chevalet, d'un pupitre et de souvenirs. Un microcosme personnel rassemblé dans un minimum d'espace. Et en même temps, un miroir de nos habitudes et de nos inclinations[2]. »

La Maison Ungers III est l'expression d'une pensée qui donne une importance primordiale à la précision, au savoir-faire et à la forme. Néanmoins, cette réalisation, même si elle épouse tout un pan de l'histoire de l'architecture, ne classe pas Ungers comme un minimaliste didactique. Elle incarne une réponse spectaculaire et mûrement réfléchie à une longue tradition architecturale, ou plutôt à une réinterprétation de cette tradition.

1. Mercedes Daguerre, *20 Houses by Twenty Architects*, Electa, 2002.
2. *Ibid.*

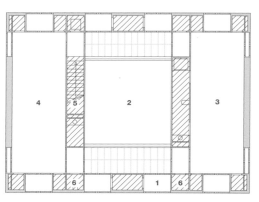

rez-de-chaussée

1 **entrée principale**
2 **bureau-bibliothèque**
3 **salon**
4 **salle à manger**
5 **cuisine**
6 **toilettes**

Tout le mobilier a été réalisé sur mesure afin de s'intégrer à la simplicité cubiste et à la rhétorique sophistiquée de la maison. Si la Maison Ungers III est une demeure réduite à l'essentiel, elle est d'une grande richesse en termes de lumière, de proportions et de matériaux.

À une époque marquée par la prise de conscience écologique, l'idée de submersion fascine de plus en plus. Les toits verts deviennent monnaie courante, servant aussi bien à camoufler les bâtiments qu'à favoriser l'isolation et la création de micro-habitats pour la flore et la faune locales, et reflétant la pratique traditionnelle des toits gazonnés du Nord de l'Écosse et de la Scandinavie, entre autres. Mais il existe d'autres bâtiments qui, bien au-delà du toit vert, s'enfoncent profondément dans le sol, tels des bunkers camouflés dans le paysage.

On pense notamment à la Villa Ottolenghi de Carlo Scarpa, construite en 1978 et intégrée — grâce, en partie, à la végétation qui la dissimule — au paysage vallonné de la région de Vérone. Plus récemment, Barrie Marshall, du cabinet Denton Corker Marshall, a conçu sa propre maison de telle sorte qu'elle se confonde avec les dunes et la broussaille de Phillip Island, près de Melbourne. Mais l'exemple le plus familier de cette catégorie de maisons discrètes et parfaitement intégrées au paysage est probablement la Maison au Pays de Galles conçue par Future Systems.

Organiquement intégrée dans les lignes escarpées du site qu'elle occupe, la maison est invisible de nombreux endroits. Recouverte d'herbages et dépourvue de toute délimitation visible de terrain, elle se remarque surtout depuis la mer, d'où elle semble émerger de la végétation et de la falaise tel un œil de verre. La maison a été commandée par un homme politique, Bob Marshall-Andrews, qui fréquentait la région depuis de nombreuses années avec son épouse, et passait ses vacances dans une ancienne caserne. L'endroit étant situé dans un parc national, les restrictions en matière d'environnement étaient innombrables et Future Systems remplaça l'édifice existant par une maison de campagne d'un genre nouveau. L'approche adoptée par ce cabinet d'architecture était aussi éloignée que possible de la traditionnelle

Une nouvelle génération de maisons qui disparaissent dans le paysage tout en profitant pleinement de la nature. L'élément phare du salon en plan libre de la Maison au Pays de Galles est un vaste canapé semi-circulaire, conçu par Future Systems et agencé autour du poêle à bois qui fait face à la mer.

N>

1 entrée
2 salon et coin cheminée
3 cuisine
4 salle de bains
5 chambre

maison de campagne anglaise — signe extérieur de richesse, généralement exprimé sous la forme d'un imposant bâtiment néoclassique. Ici, au contraire, la maison disparaît, ne laissant voir que la fine cheminée métallique d'un poêle à bois, émergeant du toit.

La maison se compose d'épais murs de soutènement en béton et d'un toit habillé d'un contreplaqué spécial, planté de gazon et pourvu de renforts métalliques. L'agencement intérieur, fluide et informel, est orienté vers la « lentille » de la baie, un mur de verre sur une structure d'aluminium, percé de hublots. Les principaux éléments de l'intérieur ont été préfabriqués sur place et consistent en deux « virgules » contenant la cuisine d'un côté et la salle de bains de l'autre. Ces volumes permettent de séparer les chambres de part et d'autre de la maison.

La retenue du design est impressionnante, en particulier de la part d'un cabinet réputé pour ses réalisations high-tech, futuristes et zoomorphiques. En même temps, cette maison, sous ses airs de station lunaire, s'inscrit parfaitement dans l'œuvre de Future Systems.

La maison a ouvert de nouveaux horizons en termes de maison de campagne contemporaine, notamment dans des endroits ruraux et protégés où les restrictions, en matière de permis de construire, sont très contraignantes. Ces dernières années, d'autres maisons ont commencé à exploiter cette idée de submersion, toujours dans le respect des paysages qui méritent notre admiration et notre discrétion.

1997

Hitoshi Abe n'est pas un architecte qui se répète. Ses projets sont tous très différents les uns des autres et, même au sein de ses complexes séries de maisons, il n'est pas toujours facile de trouver un fil conducteur. Son œuvre a été décrite comme une « architecture sans frontières ». « Mon refus d'adhérer à un modèle ou à un style, explique-t-il, m'oblige à chercher constamment de nouvelles solutions et de nouveaux modes d'expression pour chacun des projets que j'entreprends [1]. »

En schématisant, on pourrait dire que l'architecture d'Abe bouleverse les notions préconçues d'espace et de fonction bien au-delà de la simple idée d'« espace global ». Il le fait au sein de bâtiments qui sont des formes abstraites et sculpturales, souvent très étroitement associées au paysage.

Ceci est particulièrement manifeste dans le Reihoku Community Hall, bâti en 2002 — un édifice sinueux revêtu de cèdre teinté et de verre. Le programme décrivait certains éléments de la structure, comme l'auditorium, mais c'est la notion de souplesse qui domina le projet d'Abe, un projet fluide et adaptable, devenant quelque peu ambigu.

Souplesse et ambiguïté sont des termes qui s'appliquent aussi à la plus célèbre maison d'Abe, la Maison d'hôtes Yomiuri. D'une certaine manière, celle-ci ne ressemble pas du tout à une maison, mais plus à un abri abstrait ou à une œuvre de *land art*.

« Le concept de cette maison est un espace contenu à l'intérieur d'un ruban de 90 m, qui l'enveloppe deux fois, explique Abe. Le ruban entoure l'espace interne tandis que l'extérieur épouse les formes du paysage et de la topographie afin de s'harmoniser avec la nature environnante. » Ainsi la Maison d'hôtes Yomiuri, un peu comme la Maison Möbius de UNStudio (voir p. 322), est largement définie par une idée géométrique qui devient sa force motrice, créant un schéma de circulation dynamique — spirale centrifuge qui nous guide à travers les deux niveaux du bâtiment.

Située en plein bois et revêtue de planches de cèdre sombre, la Maison d'hôtes Yomiuri s'enroule autour de ce qui n'est finalement que deux espaces ouverts sur chaque niveau. Au rez-de-chaussée, partiellement en double hauteur, l'espace est essentiellement décloisonné, avec toutes les zones de service repoussées sur les côtés et cachées dans des placards et des alcôves. D'un côté, la pièce donne sur une grande véranda, elle-même en partie protégée par un mur de claustras de bois, filtrant la vue sur les arbres environnants. La majeure partie de l'étage est dominée par une salle de tatamis, séparée du palier par un écran shoji coulissant. Cette chambre peut être subdivisée par d'autres écrans. L'utilisation continue de cèdre teinté dans toute la maison donne à l'espace un caractère ambigu, et la véranda ne fait que rendre plus floue encore la distinction entre extérieur et intérieur.

La Maison d'hôtes Yomiuri est l'une de ces mystérieuses constructions qui forcent tout un chacun à reconsidérer entièrement la notion d'espace domestique. À certains égards — par l'accent mis sur le détail et la minutie du travail, par ses pièces traditionnelles —, la maison est très japonaise. Mais elle est aussi tellement abstraite qu'elle transcende les cultures et les civilisations. C'est également une maison qui fait disparaître les principes de séparation tout comme l'idée d'intimité, et pousse à l'extrême la tradition japonaise d'espace ouvert. Cela rappelle les œuvres de Shigeru Ban, notamment la Maison nue et la Maison sans mur. Mais là où Ban crée une architecture de translucidité, Abe façonne un espace clos d'une étonnante richesse.

1. Entretien paru dans le magazine en ligne *Designboom*, 11 octobre 2006.

Revêtue de cèdre sombre et environnée d'arbres, l'abstraite et ambiguë Maison d'hôtes Yomiuri remet en question tous nos préjugés en matière d'espace domestique.

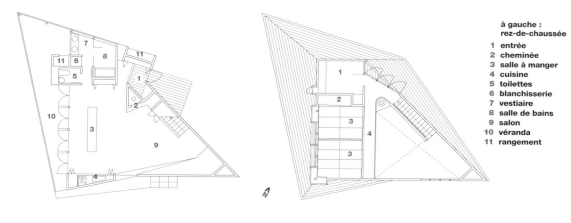

à gauche :
rez-de-chaussée

1 entrée
2 cheminée
3 salle à manger
4 cuisine
5 toilettes
6 blanchisserie
7 vestiaire
8 salle de bains
9 salon
10 véranda
11 rangement

à droite :
premier étage

1 bureau
2 antichambre
3 chambres japonaises
4 coursive

Dans l'espace intérieur, aussi frais qu'une grotte, les fenêtres irrégulières forment de dynamiques motifs lumineux, tandis que l'escalier blanc revêt une importance particulière, reliant visuellement — et abritant partiellement — l'âtre en contrebas.

DENTON CORKER MARSHALL

BERGERIE AVINGTON, PRÈS DE KYNETON, VICTORIA, AUSTRALIE

Denton Corker Marshall (DCM) ne prend généralement commande de maisons que lorsque celles-ci laissent présager une certaine originalité. La Bergerie est une expérience d'abstraction domestique aussi complexe que spectaculaire ; avec quelques autres maisons DCM, elle forme un audacieux ensemble de bâtiments qui complètent autant qu'ils défient leur environnement.

Sur 300 hectares de terres arables, de pâturages et d'affleurements granitiques situés dans la région de Victoria, Denton Corker Marshall a réinventé la ferme traditionnelle australienne. À la place de l'habituelle bâtisse principale entourée de granges et de dépendances, la Bergerie se présente comme une sculpture murale abstraite de 200 m de long, émergeant du paysage. En termes d'échelle aussi bien que de rupture avec les influences vernaculaires traditionnelles, la ferme se veut résolument novatrice.

« L'idée première était de tracer sur le terrain une ligne formée par un pare-vent reliant tous les éléments de la ferme — la maison de l'exploitant, l'annexe des invités, les garages, les locaux réservés à la tonte, les jardins, etc., explique John Denton. En même temps, ce pare-vent fait office de façade, cachant tout derrière son mur. Les bâtiments eux-mêmes se trouvent derrière le mur, auquel ils sont rattachés, et donnent sur la plaine environnante. » Les clients, Noel et Lyndsay Henderson, peu férus d'architecture domestique traditionnelle, voulaient quelque chose d'unique et de contemporain. Ayant acheté le terrain nu dans l'intention d'y établir un élevage de mérinos — qui totalise 3 000 têtes aujourd'hui —, ils commencèrent à partir de rien.

« L'idée d'utiliser des dalles de béton leur plaisait beaucoup, et ils se montrèrent tout à fait disposés à les utiliser comme élément de base, raconte Barrie Marshall. La construction est très abstraite et ne ressemble pas à une maison quand on s'en approche. C'est seulement de l'autre côté du mur qu'elle évoque un peu plus une habitation. Dans ce paysage, le bâtiment, à l'instar d'une œuvre de Donald Judd ou de Richard Serra, devient une sorte de sculpture. »

Le centre du mur, en retrait, forme une vaste cour plantée d'arbres. Un deuxième mur plus haut, parallèle au premier, le prolonge à chaque extrémité et encadre l'entrée, dont la porte est formée par une entaille oblique pratiquée dans le béton. Derrière ces lignes parallèles se trouve l'habitation principale, ainsi qu'un passage couvert qui relie les autres structures rattachées au pare-vent.

Le toit consiste en une lame d'acier inclinée, soutenue par des supports en acier. « Avec un mur aussi abstrait, explique Marshall, il était impensable de construire une bâtisse tout ce qu'il y a de plus ordinaire. Nous décidâmes que l'élément principal serait ce toit en pente, quasiment en appui contre le mur, avec une bande de verre sur toute sa longueur. »

L'habitation principale est un pavillon de taille modeste, vitré sur trois côtés pour s'ouvrir sur le paysage vallonné. L'impression de légèreté qu'il dégage — avec ses pièces à vivre décloisonnées et prolongées de terrasses — contraste fortement avec la massivité du grand mur. Des cubes indépendants, à l'arrière de la maison, abritent deux chambres et salles de bains, un bureau et autres locaux utilitaires. L'annexe des invités, à l'opposé des hangars réservés aux machines et à la tonte, fut achevée ultérieurement pour venir compléter l'ensemble des structures unifiées par le mur.

La Bergerie compose avec les éléments d'une ferme tout en en optimisant la fonction, mais, dans sa forme, elle repousse toutes les limites. C'est une maison qui, par son extraordinaire architecture et sa configuration hors-norme, défie les conventions et les attentes, et hisse le concept d'habitation au niveau de la sculpture et du *land art*.

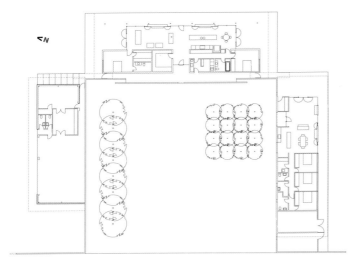

La Bergerie recèle deux façades fort différentes. L'arrière du bâtiment abrite les principales pièces d'habitation, exprimées sous forme de belvédère s'ouvrant sur un gigantesque panorama. La façon dont les supports transpercent le toit exploite l'idée d'abstraction sculpturale qui imprègne l'intégralité du projet.

Le long pan de mur permet d'unifier les éléments disparates qui forment l'ensemble de la Bergerie. L'entrée de devant, telle une entaille oblique, s'ouvre sur la résidence principale — pavillon résolument contemporain, dont la grande transparence compense l'aspect uniforme et aveugle du mur de devant.

HERZOG & DE MEURON

MAISON RUDIN LEYMEN, HAUT-RHIN, FRANCE

Les surfaces épaisses et uniformes de la Maison Rudin dégagent une impression de lourdeur et de masse que vient toutefois contrebalancer l'effet de lévitation créé par la plate-forme posée au milieu du paysage vallonné. La nuit, les grandes fenêtres transforment la maison en lanterne ; le jour, elles s'ouvrent sur la nature qui semble pénétrer dans la maison.

« La force de nos bâtiments est l'impact immédiat et viscéral qu'ils exercent sur les visiteurs [1] », déclarait Jacques Herzog. Bien que les premières maisons de l'architecte avec Pierre de Meuron dénotent davantage de retenue et d'austérité que certaines de leurs plus récentes réalisations, elles donnent aussi — souvent — cette impression d'effet visuel. Ces premières maisons ne sont toutefois pas des structures neutres, mais d'étonnantes compositions.

C'est le cas en particulier de la Maison Rudin. C'est un peu une maison de conte

de fées : forme épurée à l'extrême, avec un haut toit en pente, une cheminée et de grandes fenêtres.

Mais en y regardant de plus près, on est surpris par le niveau de complexité qui efface la première impression d'abstraite simplicité.

La maison ne repose pas sur le sol, mais semble flotter dans les airs. En fait, elle est posée sur une plate-forme de béton soutenue par de discrets piliers et percée d'un escalier qui relie le vide en dessous au premier des trois niveaux.

« Là, dit le jury du Pritzker Prize, décerné à Herzog et de Meuron en 2001, ils se sont efforcés de construire une petite habitation qui serait la quintessence du mot "maison", un dessin d'enfant, une ébauche réduite à son expression la plus simple, la plus directe et la plus honnête... et l'ont posée sur un socle afin de mettre en valeur ses qualités symboliques. »

La maison se compose de blocs de béton brut et il n'y a pratiquement aucune différenciation entre les murs gris et la toiture goudronnée.

Par son agencement hautement imaginatif, l'intérieur de cette maison à trois chambres contredit une fois de plus la notion de simplicité. L'escalier central

reliant les deux niveaux inférieurs se prolonge en spirale ascendante jusqu'au toit incliné, tandis qu'un escalier indépendant relie l'étage au grenier.

En tant qu'œuvre d'abstraction sculpturale et séduisant manifeste visuel, la Maison Rudin mérite sa place parmi les chefs-d'œuvre d'Herzog et de Meuron. À bien des égards, elle constitue l'antithèse des projets de plus en plus vastes et ambitieux du cabinet, mais prouve que les thèmes, les idées et les images les plus puissants ont leur place même dans des contextes domestiques et de modeste envergure.

1. Cité dans le magazine en ligne *Great Buildings Online*.

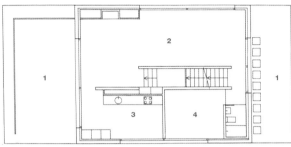

rez-de-chaussée

1 terrasse
2 salon / salle à manger
3 cuisine
4 chambre / bureau

N
^

1997

L'œuvre de Ken Shuttleworth est caractéristique du nouveau dynamisme qui imprègne ce début de millénaire. Libérés par les progrès réalisés en matière d'ingénierie, de matériaux et d'informatique, les architectes se sont de plus en plus tournés vers les formes innovantes pour réinventer en bloc les idées standard de la forme subordonnée à la fonction. Leurs bâtiments sont dorénavant fluides, sinueux et résolument futuristes.

La Maison Croissant — l'un des premiers projets indépendants de Ken Shuttleworth — illustre parfaitement la nouvelle voie que prendra son cabinet lorsqu'il le fondera quelques années plus tard. Bien qu'il l'ait conçue pour lui et sa famille, cette maison représente le regain d'intérêt général pour un nouveau style de résidence secondaire en Grande-Bretagne. Shuttleworth a été clair sur son refus d'imposer un bâtiment à son site. « Nous nous méfions de ces cubes modernes jetés sur d'innocents paysages, assure-t-il. Le bâtiment doit donner l'impression d'être totalement intégré dans son site. La forme simple de la Maison Croissant réagit fortement avec son environnement, en en reflétant les divers contrastes. Les ingrédients cruciaux sont une diversité d'espaces adaptés à leur fonction, une réponse à la qualité changeante de la lumière naturelle et un contact sensoriel avec la nature et les différentes saisons. »

Shuttleworth a acheté le terrain de 2 hectares, à la lisière des Marlborough Downs, en 1994. La plus grande partie du site était constituée de pâturages, et comportait une bancale bâtisse des années 1920. La forme en croissant constitue une façon de tourner le dos à la rue, à l'allée d'accès et aux bâtiments voisins situés à l'arrière, et de s'ouvrir totalement aux prairies et au paysage qui s'étendent devant.

En substance, la maison se compose de deux vastes entités courbes, alliant le béton et le verre. La partie convexe et fermée, à l'arrière, orientée nord-ouest, est dépourvue de fenêtres et entièrement éclairée par le toit. Elle abrite les cinq chambres et salles de bains. À l'avant, l'immense salle concave renferme toutes les pièces communes : cuisine, salle à manger, salon et salle de jeux. La façade en verre athermique donne sur le jardin et le bois, et contribue à protéger la maison des effets du soleil estival. Entre les deux croissants, une galerie en double hauteur, dotée d'un vitrage à claire-voie en imposte, constitue l'entrée et l'artère desservant toutes les parties de la maison.

Shuttleworth a lui-même agencé les plantations entourant la maison, conçue de manière aussi écologique que possible. Le béton provient d'une usine locale, les normes d'isolation sont très strictes et l'emplacement du bâtiment a été pensé en termes d'apport solaire et de ventilation naturelle.

À l'intérieur, l'architecte a mis l'accent sur la simplicité. Comptant sur un budget relativement modeste, il a veillé à ce que l'aménagement se passe de détails et d'ornements coûteux. À la place, il a créé

de généreuses et accueillantes pièces, ancrées par une cheminée monolithique servant de pôle d'attraction au sein de cet espace de 24 m de long. Les bras enveloppants du croissant s'étendent sur 5 m de part et d'autre.

Les éloges et l'attention médiatique reçue par la Maison Croissant, une fois achevée, encouragèrent Shuttleworth à fonder son propre cabinet. Cette maison se pose en effet comme l'une des maisons de campagne modernes les plus originales qui soient, et prouve que l'architecture radicale, alliée à une approche sensible et écologique, a encore un rôle à jouer dans le paysage anglais.

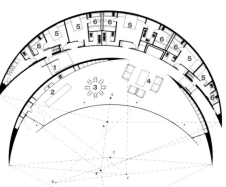

1 entrée
2 cuisine
3 espace repas
4 salon
5 chambre
6 salle d'eau

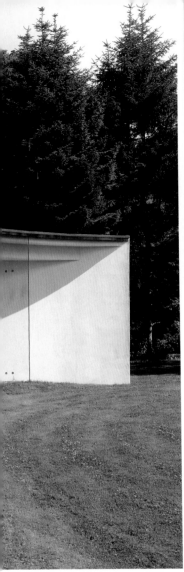

Le vaste séjour — ou
« espace universel » —
qui forme le croissant à
l'avant de la maison est
très subtilement divisé
en différentes zones par
le seul agencement du
mobilier et des éléments
encastrés dans le mur
curviligne — cuisine,
bibliothèques et
cheminée.

1998

REM KOOLHAAS

MAISON À BORDEAUX BORDEAUX, FRANCE

Théoricien, écrivain et auteur de certains des manifestes les plus radicaux en matière d'architecture contemporaine, Rem Koolhaas est souvent considéré comme l'une des figures de proue de l'architecture du XXIe siècle. Pour certains, ses constructions incarnent le futur, repoussant les limites de la forme, de l'ingénierie et de la technologie. Mais surtout, il est l'auteur du siège de la télévision centrale chinoise (CCTV) de Pékin, conçu en association avec le vice-président d'Arup, Cecil Balmond. Cette étrange tour abstraite, percée d'un grand trou en son centre, semble appartenir à une autre époque, une autre civilisation. Ce type de réalisation donne du poids à la réputation de Koolhaas : un prophète d'une nouvelle architecture.

Quoique bâtie à bien plus petite échelle, sa Maison à Bordeaux dégage elle aussi une atmosphère futuriste, tout en restant très intimement liée aux désirs de ses clients. La maison a été commandée par une famille de trois enfants, dont le père, victime d'un accident de voiture, se déplace en fauteuil roulant. Koolhaas fut chargé de concevoir une maison sur mesure, qui puisse affranchir la famille de ce handicap.

« Contrairement à ce que vous pourriez penser, je ne veux pas une maison simple, déclara le client à l'architecte. Je veux une maison complexe, qui définira mon univers[1]. »

Koolhaas créa un bâtiment de trois niveaux, enfoncé dans le flanc d'un coteau. Les vues superbes qu'elle offre sur la ville de Bordeaux et la Garonne appelaient un belvédère, mais Koolhaas — défiant, comme toujours, l'évident et le conventionnel — plaça une vaste plate-forme panoramique vitrée entre les deux masses rectangulaires des niveaux inférieur et supérieur. Le centre de la maison devint ainsi une pièce transparente et largement décloisonnée, où se réunit la famille.

D'un point de vue visuel, la maison semble impossible. Son habile conception donne l'impression que l'étage est formé d'un gros bloc flottant dans les airs, abritant la délicate zone

vitrée en dessous. Le bloc supérieur, parsemé de hublots, renferme les chambres et une terrasse. Le niveau inférieur est essentiellement réservé au service et donne sur une spacieuse cour longeant la maison. Une maison de gardien indépendante ainsi qu'une chambre d'amis occupent l'autre côté de la cour.

Le geste le plus sensible et le plus inattendu de Koolhaas fut de donner à son client la liberté qu'il voulait, non pas en disposant les pièces d'habitation sur un seul niveau, mais en plaçant un plateau élévateur ouvert en plein milieu de la maison. Cette plate-forme dessert facilement l'un ou l'autre des trois niveaux, et fait également office

de bureau. Jusqu'au décès du client, survenu en 2001, elle lui permettait une mobilité et un accès total, tout en le plaçant au cœur du foyer et de la vie de famille. Pour quiconque se sentirait aliéné ou intimidé par les œuvres de Koolhaas, une approche aussi humaniste — et pratique — révèle la face cachée de l'architecte.

La maison — aujourd'hui classée Monument historique — a servi de toile de fond au film d'Ila Bêka et Louise Lemoine, *Koolhaas HouseLife* (2008). Cette insolite immersion dans le quotidien de la maison n'a fait que consolider le mythe qui l'entoure, montrant avec humour les rites liés au nettoyage et à l'entretien d'une telle

demeure. Déclarée «Meilleur projet 1998» par le magazine *Time*, la Maison à Bordeaux est toujours considérée comme l'un des chefs-d'œuvre de Koolhaas.

1. Notes de l'architecte sur la Maison à Bordeaux.

À l'instar de bon
nombre de ses
réalisations, la Maison
à Bordeaux de
Koolhaas paraît tout
à fait invraisemblable
avec son énorme bloc
reposant sur de fins
supports. Mais l'aspect
totalement insolite et
improbable de la maison
ne diminue nullement
ses qualités pratiques
et personnalisées,
répondant parfaitement
aux désirs de son client.

rez-de-chaussée

1 entrée
2 cuisine
3 plateau élévateur
4 cave à vins
5 blanchisserie
6 salle de télévision
7 appartements de
   service
8 patio
9 chambre d'amis
10 allée pour voitures

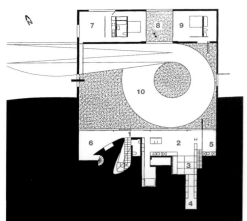

Le cœur de la
maison — un plateau
élévateur ouvert —
est garni de haut en
bas de rayonnages, et
fait également office
de bureau.

1998

EDUARDO SOUTO DE MOURA

MAISON MOLEDO MOLEDO, CAMINHA, PORTUGAL

L'œuvre d'Eduardo Souto de Moura est parfois qualifiée de « poésie minérale ». L'expression se prête en effet très bien à cette architecture monumentale et sculpturale qui s'intègre si parfaitement dans le paysage. Les grands murs de pierre caractéristiques des bâtiments de Souto de Moura leur confèrent une qualité intemporelle, riche en texture et majesté.

Sa maison près de Moledo a débuté par un discret réaménagement paysager du site. Le client, António Reis, avait acheté un terrain escarpé au nord du Portugal afin d'y bâtir une maison de vacances. Le terrain consistait en une série de terrasses cultivées, renfermant les ruines d'un bâtiment du XVIIe siècle. « Sur un terrain aussi accidenté, révèle Souto de Moura, je n'aurais jamais pu concevoir la maison que souhaitait mon client ; je lui ai donc proposé de remanier entièrement le site, en laissant toutefois la base et l'entrée intactes, car ces niveaux étaient indissociables de la topographie. J'ai doublé la surface des terrasses existantes, et réduit leur nombre par deux. En fin de compte, il fut plus coûteux de remodeler le terrain que de construire la maison [1]. »

Le bâtiment rectangulaire de plain-pied s'intègre si discrètement parmi les terrasses qu'il est presque invisible de loin. Ses murs de béton sont revêtus du même granit qui a servi à construire les terrasses, tandis que la partie centrale consiste en un alignement transparent de fenêtres et de portes encadrées de bois.

La structure repose sur un modeste plateau, de telle manière qu'un vide, à l'arrière, se forme entre la paroi rocheuse et la baie vitrée. Ce vide crée un puits de lumière, tout en laissant la maçonnerie faire office de papier peint tout au long du couloir d'accès qui longe l'arrière de la maison.

Trois chambres d'égales proportions donnent sur le paysage environnant à l'avant de la maison, ainsi qu'un vaste salon-salle à manger. Là, un autre mur à parement de pierre abrite une cheminée et sert de cloison entre le salon et la cuisine attenante à un petit atelier enclavé sur un côté.

La subtilité organique de la maison est telle que le toit en terrasse se découvre de manière tout à fait inattendue ; vu depuis le sommet boisé des collines, on dirait un objet posé dans le paysage, « comme tombé du ciel », dirait Souto de Moura. Mais l'impression générale reste celle d'un discret belvédère auquel la maçonnerie de pierre et les finitions en bois naturel confèrent matière et caractère. Bien sûr, cette maison évoque l'architecture intégrée, devenue un genre à part entière. C'est le type même de bâtiment qui ne cherche ni à choquer ni à se démarquer, mais véritablement à exercer le moins d'impact possible sur son environnement.

La Maison Moledo relève également d'une approche progressive, élaborée de manière à comprendre petit à petit les besoins du client et à y répondre graduellement, en tenant compte du site. D'ailleurs, les travaux de construction et d'aménagement paysager ont duré sept ans, pendant lesquels le projet n'a cessé d'évoluer et de se modifier.

On peut établir un parallèle avec l'œuvre de Frank Lloyd Wright, voire avec celle d'Albert Frey ou encore d'Álvaro Siza, mais en fin de compte, Souto de Moura semble faire preuve d'un individualisme exacerbé, tout en restant fermement ancré dans le contexte ibérique qui l'entoure. La Maison Moledo combine le passé et le présent, la masse et la transparence. Mais surtout, elle dénote une nouvelle et clairvoyante approche du concept de maison de campagne.

1. Antonio Esposito et Giovanni Leoni, *Eduardo Souto de Moura*, Electa, 2003.

L'intégration parfaitement réussie de la Maison Moledo dans ces ziggourats de terrasses agricoles crée une résidence pleine de caractère et d'originalité, se fondant totalement dans le paysage.

1 cuisine
2 salon
3 espace repas
4 chambre
5 salle de bains
6 atelier

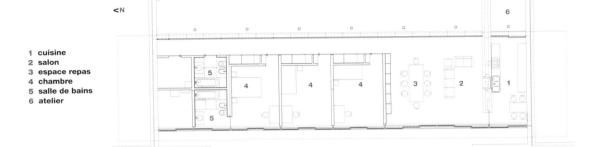

MAISON MOLEDO

1998

UNSTUDIO

MAISON MÖBIUS HET GOOI, PAYS-BAS

UNStudio est l'un des cabinets d'architecture les plus dynamiques et créatifs de notre époque. À travers une série de constructions, européennes pour la plupart, Ben van Berkel et Caroline Bos ont su combiner un savant mélange d'imagination, de précision géométrique et de prouesses techniques. En même temps — à la manière d'Herzog et de Meuron ou Caruso St John — ils sont restés ouverts à diverses influences, et ont associé le regain d'intérêt pour la texture, les matériaux et l'ornementation minimaliste, à des façades, enveloppes et écrans innovants et travaillés. Ils ont ainsi transformé l'ordinaire en extraordinaire.

Revêtues de plaques de basalte et de pierre de lave, leurs stations électriques d'Innsbruck et d'Amersfoort font figure de mystérieuses et monumentales œuvres sculpturales. Il en va de même de leur Maison de pontier de Purmerend, une abstraite tour de béton habillée de métal déployé. Le musée Mercedes-Benz de Stuttgart — sorte de triangle arrondi revêtu de métal et de verre et renfermant une étonnante série de rampes et de passerelles communicantes pour les visiteurs — est communément considéré comme un de leurs chefs-d'œuvre.

Cette architecture intérieure fluide et ondoyante, développée en association avec l'ingénieur Werner Sobek, s'inspire ouvertement du musée Guggenheim de Frank Lloyd Wright, mais également de la gymnastique géométrique qui leur est propre et que l'on retrouve dans la Maison Möbius.

Le ruban de Möbius — cette bande en forme de « 8 », sur laquelle on a exercé une demi-torsion — constitue le fil directeur des principes de circulation, et donc de la structure même.

La commande émane d'un couple très progressiste qui souhaite encourager l'élaboration d'un nouveau langage architectural. Ceci s'est traduit en partie par la création de deux ateliers, de part et d'autre de la maison, sur un généreux terrain d'une zone résidentielle située à proximité d'Amsterdam.

« La Maison Möbius allie programme, circulation et structure de façon très homogène, déclarent van Berkel et Bos. Tirant parti de sa situation, elle se déplie horizontalement, permettant aux occupants de profiter pleinement de l'environnement. »

Les deux ateliers, les trois chambres, les pièces de service et le salon, avec sa cheminée d'angle, ont été intégrés

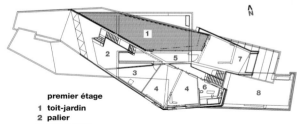

premier étage
1 toit-jardin
2 palier
3 rangement
4 chambre
5 couloir
6 salle de bains
7 atelier
8 vide sur le salon

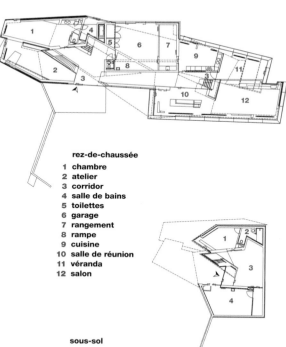

rez-de-chaussée
1 chambre
2 atelier
3 corridor
4 salle de bains
5 toilettes
6 garage
7 rangement
8 rampe
9 cuisine
10 salle de réunion
11 véranda
12 salon

sous-sol
1 chambre d'amis
2 salle de bains
3 circulation
4 rangement

dans la structure, en même temps qu'un garage, une véranda et un toit-jardin.

Résidence d'une grande originalité, la Maison Möbius satisfait les ambitions d'une nouvelle forme d'architecture, tout en répondant aux besoins et au mode de vie de ses clients. En tant qu'édifice expérimental, elle s'est révélée cruciale pour le développement d'UNStudio, et emblématique d'une nouvelle vague de formes architecturales dynamiques.

1. Ben van Berkel et Caroline Bos, *UNStudio : Design Models*, Thames & Hudson, 2006.

Le plan libre de la Maison Möbius, complexe et multiaxial, permet à ses occupants de se rencontrer, de se déplacer et de communiquer tandis qu'ils parcourent cette basse et fluide structure de verre et de béton. Il établit également des connexions avec les différents aspects de son environnement boisé.

Figurant parmi les constructions traditionnelles les plus simples, la grange possède une présence esthétique et un attrait émotionnel particulièrement forts. L'image de la grange isolée en plein champ a en effet quelque chose de fascinant. Ce type de bâtiment — fortement dépendant de son environnement — semble appartenir véritablement à la terre qui le porte, non seulement par son histoire mais aussi par ses matériaux, son approche et sa construction.

Avec sa Maison en Y, teinte en rouge vif, Steven Holl reprend l'image de la grange isolée, la modernise et la transforme pour créer une demeure aussi séduisante qu'originale.

Il conçoit deux maisons de campagne en une seule, revêtue de cèdre, située au sommet d'une colline. Pour cela, l'architecte s'est inspiré d'un bâton fourchu, de type baguette de sourcier, qu'il a trouvé sur ce terrain de 4,5 hectares. En réponse à cette inspiration lyrique et à la topographie du site, il ébauche la forme du « Y » dans son carnet de croquis.

« Le rapport entre tous les éléments du site, les longues et lointaines vues au sud-ouest, la course du soleil et la courbe de l'approche depuis le bas de la colline jusqu'au sommet ont fait émerger l'idée d'une maison tournant à partir du point d'arrivée et prenant la forme d'une structure de plain-pied avant de se diviser en Y », explique Holl.

La maison semble sortir du sol à son point le plus bas, puis se sépare en deux, tels des frères siamois. Elle a été conçue pour des clients désireux d'y loger deux générations d'une même famille ; les deux fourches créent ainsi deux ailes séparées, chacune dotée de ses chambres et pièces à vivre, et chacune donnant sur le paysage environnant, par l'entremise de balcons et de porches.

« La maison sort littéralement du paysage et se ramifie vers le soleil du sud, de sorte que les porches procurent de l'ombre en été tout en laissant entrer

L'aménagement paysager de la Maison en Y, intégrant des préoccupations écologiques comme la récupération de l'eau de pluie, ne prévoit pas de jardin dessiné. La maison peut ainsi se fondre dans le paysage champêtre sans nécessiter de clôture.

le soleil hivernal, raconte Holl. D'un côté de la maison, les fonctions nocturnes [chambres] se trouvent en dessous, tandis que de l'autre, elles sont en haut, provoquant un décalage qui privilégie l'intimité et justifie la présence de fenêtres à l'intérieur du Y. »

D'une certaine manière, la Maison en Y rappelle certains des anciens projets de Holl, qui, eux aussi, s'inspiraient — en les réinterprétant — d'influences vernaculaires. On pense notamment à la Maison Berkowitz-Odgis sur l'île de Martha's Vineyard, dans le Massachusetts, qui réunissait les composants des maisons en bois traditionnelles de la région. De même, le cabanon de Round Lake à Rhinebeck, dans l'État de New York, réinventait le concept de cabane au bord de l'eau.

Ce qui fascine tant dans l'œuvre de Holl est le fait que ses réponses à des contextes et des sites particuliers le mènent dans des directions aussi différentes que surprenantes. Dans le cas de la Maison en Y, les références à la grange peinte en rouge remettent habilement en question nos attentes et présomptions. En d'autres termes, Holl bouleverse l'ordre des choses, mais crée également des maisons intimement liées aux exigences de ses clients.

Les deux branches
du « Y » partagent
un couloir d'accès,
des vestibules et des
pièces de service,
mais elles peuvent
pratiquement s'utiliser
indépendamment l'une
de l'autre.

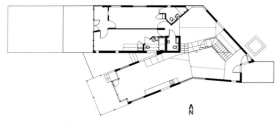

rez-de-chaussée

premier étage

DAVID ADJAYE

MAISON ELEKTRA WHITECHAPEL, LONDRES, GRANDE-BRETAGNE

Une mystérieuse ambiguïté caractérise les plus belles maisons de David Adjaye. Des bâtiments comme la Maison sale, la Maison perdue et la Maison engloutie sont presque des présences abstraites dans le paysage urbain, et les passants ne savent pas s'il s'agit véritablement de maisons ou d'espaces industriels. On ne le devine que lorsqu'on pénètre à l'intérieur et que commence le processus de découverte.

À certains égards, les maisons d'Adjaye peuvent être considérées comme une réaction aux conditions urbaines : les façades fermées favorisent l'intimité et l'isolement en même temps qu'elles intériorisent les bâtiments et les rendent autosuffisants. Par certains aspects, elles font penser à des installations artistiques et nous rappellent qu'Adjaye a tissé des relations très étroites avec le monde de l'art, ayant conçu plusieurs maisons pour des artistes et ayant souvent collaboré avec des sculpteurs et des peintres à la création d'espaces publics ou culturels.

« À mesure que la ville s'agrandit, et que l'urbanisme est vécu comme une intoxication ou une invasion, l'idée de refuge domestique prend de plus en plus d'importance, nous livre Adjaye. C'est un répit, un abri, un espace de régénération [...]. Je crois aussi qu'on a fait le tour du concept de maison moderne [...] : l'efficacité des réseaux ou des servitudes n'a pas beaucoup d'intérêt pour moi. En tant qu'architecte à la recherche d'un idéal domestique, je veux explorer toutes les formes possibles de cet idéal [1]. »

La première, et peut-être la plus célèbre, de ces explorations survint en 2000 avec la Maison Elektra. Les clients, deux artistes et leurs deux enfants, demandèrent à Adjaye de dessiner et construire une maison à petit budget sur un terrain du quartier d'East End à Londres, qui abritait jusqu'alors un atelier de plain-pied.

Côté rue, la nouvelle maison à deux niveaux, à structure de bois et d'acier, présente une façade complètement fermée et dépourvue de fenêtres, revêtue de feuilles de contreplaqué enduites de résine sombre. Sur un côté, une porte s'ouvre sur un passage menant à une entrée latérale.

Dans la partie avant de la maison, organisée en plan libre, une zone en double hauteur est éclairée par des verrières au plafond, tandis qu'à l'arrière, l'abondance de vitrage — donnant sur une petite cour — ajoute à l'atmosphère aérienne et volumineuse de l'intérieur. Les murs blancs et les sols en béton confèrent un aspect minimaliste à la maison, qui peut aussi faire office de galerie d'art. Cet édifice énigmatique joue avec les contrastes lumière/ obscurité, ouverture/fermeture, mais offre également une sensation de refuge et de retraite au sein de la ville.

Étrange et controversée, Elektra fait partie d'une série de maisons dynamiques et originales qui ont su asseoir la carrière et la réputation d'Adjaye. Depuis lors, l'architecte est passé à des projets publics et culturels de plus grande envergure, chez lui comme à l'étranger, toujours empreints des qualités et des thèmes propres à ses œuvres antérieures, mais s'inspirant de plus en plus de toutes sortes de références, puisées notamment dans ses racines africaines et son inaltérable fascination pour le continent noir. Mais Elektra a représenté un point de départ, suggérant un intérêt particulier pour l'insolite et l'ambigu, ainsi que pour ces façades et revêtements qui sont devenus la marque des réalisations d'Adjaye.

1. Entretien avec Geoff Manaugh, magazine *Dwell*, mars 2008.

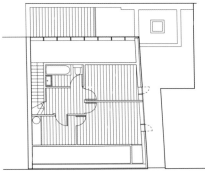

premier étage

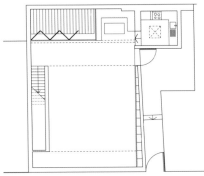

rez-de-chaussée

L'intérieur de la
Maison Elektra est
conçu comme un
puits de lumière. Alors
que la façade est
complètement fermée,
les verrières et les
grandes baies vitrées
font pénétrer la lumière
par le haut et l'arrière.

L'Australie est située à un carrefour culturel qui mêle des traditions asiatiques et occidentales. Dans bon nombre de ses projets architecturaux, Sean Godsell a examiné cette fusion, créant des bâtiments qui combinent les deux traditions. Cela n'est peut-être pas nouveau en soi — on pense notamment aux influences asiatiques des pionniers du modernisme, tels Frank Lloyd Wright et Rudolph Schindler — mais ce qui distingue l'œuvre de Godsell est la façon dont il réalise cette fusion avec des matériaux australiens aussi insolites qu'écologiques. Cette approche est particulièrement bien illustrée par la série de maisons qui commença par sa propre résidence — la Maison Kew —,

et se poursuivit avec les Maisons Carter/Tucker et Peninsula. Toutes peuvent être décrites comme des cabanes contemporaines qui «touchent la terre avec légèreté» (pour reprendre la devise de Glenn Murcutt). Dans une certaine mesure, elles font écho aux bâtiments agricoles du paysage australien, mais possèdent cette légèreté particulière que l'on peut associer au pavillon de bois asiatique.

La Maison Carter/Tucker a été commandée par le photographe Earl Carter et son épouse Wanda Tucker. Ils souhaitaient une maison de week-end simple et flexible, permettant entre autres de transformer le salon en un studio de photo bénéficiant de lumière naturelle. Ils adhéraient à l'esprit expérimental de Godsell, ainsi qu'à son désir de s'inspirer de thèmes déjà utilisés quelques années auparavant dans sa propre maison.

Enchâssée dans les dunes, la Maison Carter/Tucker est un bâtiment extrêmement adaptable, multiple, qui forme une grosse boîte de 12 × 6 m. Son revêtement en lattes de cèdre, qui lui donne l'apparente simplicité d'une cabane, constitue un système de pare-soleil complexe et réglable, filtrant ou diffusant la lumière du jour.

À l'intérieur, les trois niveaux de la maison sont également très souples. On entre par une passerelle donnant sur l'étage intermédiaire, qui consiste en une chambre/salle de séjour presque entièrement décloisonnée. La partie cuisine/salle à manger/salon, également en plan libre, est située tout en haut de la maison. Les chambres d'amis sont réparties au niveau inférieur et donnent sur une terrasse.

La majeure partie de chaque niveau consiste en un vaste espace décloisonné, mais que l'on peut diviser à l'aide d'écrans coulissants — rappelant là encore le mode de vie japonais — tandis que d'étroites unités latérales contiennent les pièces secondaires : salles de bains, pièces de service et

cuisine. Les matériaux sont en majorité bruts et simples, recyclés pour la plupart.

«L'aspect le plus marquant du bâtiment, nous livre Godsell, est son apparente simplicité. En fait, le concept et le plan sont aussi complexes l'un que l'autre, et avoir pu représenter cette complexité de manière aussi simple a été pour moi un vrai soulagement.» Les thèmes de la Maison Carter/Tucker ont été réexploités dans la Maison Peninsula, avec, là encore, des lattes faisant office de filtres. Ensemble, ces deux projets ouvrent la voie d'un nouveau type de maison australienne, s'inspirant d'idées et de thèmes issus de sources variées. En même temps, ces maisons-fusion, par leur respect envers la nature et leur extraordinaire maîtrise de la lumière, offrent un modèle de souplesse et d'ingéniosité qui a su séduire un public international.

La maison à structure d'acier est revêtue de panneaux de cèdre à claire-voie, dont certains forment des persiennes que l'on peut soulever et transformer en auvents.

Les lattes de cèdre servent de filtres, et permettent d'extraordinaires jeux d'ombre et de lumière à l'intérieur de la maison.

premier étage
1 cuisine / repas / séjour

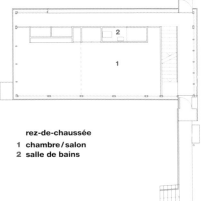

rez-de-chaussée
1 chambre / salon
2 salle de bains

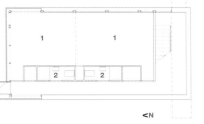

sous-sol
1 chambre d'amis
2 salle de bains

2000

WERNER SOBEK

MAISON SOBEK/MAISON R128 STUTTGART, ALLEMAGNE

Au sein d'une maison révolutionnaire du XXIᵉ siècle, Werner Sobek combine deux des grandes fascinations de l'architecture contemporaine : préfabrication et développement durable. En tant qu'ingénieur en bâtiment, il a collaboré à d'énormes projets architecturaux, mais ses préoccupations d'architecte l'ont porté vers le développement d'habitations préfabriquées et entièrement recyclables.

Avec sa propre maison, située à flanc de colline, dominant Stuttgart, Sobek a pu pleinement explorer ses idées, faisant de celle-ci un laboratoire d'essai. Ce qui surprend le plus à propos de la Maison Sobek — ou Maison R128 — est qu'elle est, avec sa forme de boîte de verre à quatre niveaux, un véritable manifeste en soi.

« La construction ne produit aucune émission quelle qu'elle soit et, d'un point de vue énergétique, est autosuffisante [1] », explique Sobek.

L'ossature acier fut érigée en quatre jours seulement, et le bâtiment fut ensuite revêtu d'un triple vitrage en verre athermique. Des panneaux solaires placés sur le toit alimentent la maison en énergie, tandis qu'un système de

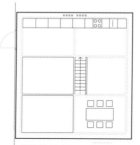

troisième étage

deuxième étage

premier étage

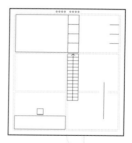

rez-de-chaussée

Le mobilier de cette maison solaire à consommation zéro énergie est réduit au minimum afin de mieux accentuer l'impression d'ouverture et d'harmonie avec la nature environnante. Seule touche de couleur : le rouge vif de la bibliothèque du salon.

transmission thermique capte la chaleur excédentaire de l'été pour la stocker dans des unités situées dans le plafond et contenant des éléments remplis d'eau. En hiver, le processus est inversé, de sorte que les éléments libèrent de la chaleur rayonnante.

Sise sur un petit plateau, la maison — qui n'a pas nécessité de travaux de terrassement — est accessible par une passerelle desservant le niveau supérieur, occupé par la cuisine et la salle à manger. Cet étage bénéficie de vues imprenables sur la ville. Un impressionnant escalier d'acier descend en spirale jusqu'au cœur du bâtiment, où de grandes hauteurs sous plafond accentuent l'impression de transparence et de volume du plan libre. Le deuxième niveau est dominé par le salon, tandis que les chambres et l'atelier se trouvent plus bas encore ; une terrasse, enfin, s'enroule autour de la base du bâtiment.

La maison est dépourvue de portes et d'interrupteurs, et tous les systèmes techniques sont dissimulés sous des gaines métalliques très accessibles. L'esprit expérimental va même au-delà de l'efficacité énergétique et de la préfabrication : un système très complexe d'éclairage informatisé, à commande vocale ou gestuelle, a également été installé.

La Maison Sobek prouve bien que le rendement énergétique et l'autonomie n'empêchent nullement les prouesses techniques et architecturales, ni la puissance esthétique et créatrice. Ceci laisse entrevoir de sérieuses implications sur l'avenir de l'architecture. Il ne fait aucun doute que la réalisation de Sobek — ajoutée à d'autres comme la Maison H16 de 2006 — participera à la transformation de l'habitation contemporaine dans les années à venir. Selon les principes de cette nouvelle architecture, même une maison de verre révolutionnaire peut dépasser le concept de « maison de rêve » pour devenir une maison écologique tout à fait envisageable.

1. Mercedes Daguerre, *20 Houses by Twenty Architects*, Electa, 2003.

La maison préfabriquée de série représente une sorte de Saint Graal architectural. Depuis les expériences de Richard Buckminster Fuller et Jean Prouvé, diverses maisons modulaires abordables et bien conçues, aptes à être produites en série, ont attiré l'attention des architectes, designers et autres avant-gardistes.

Ces dernières années, la préfabrication modulaire a connu un vif regain d'intérêt, et maints modèles ont été mis sur le marché pour tester l'appétit du public. Citons entre autres le Refuge des architectes anglais Buckley Gray Yeoman et la WeeHouse de Alchemy Architects aux États-Unis, deux projets qui tentent de trouver un juste équilibre entre les possibilités de la production industrielle et l'adaptabilité indispensable à la création de projets personnalisés. L'une des plus originales du lot est certainement la Maison micro-compacte. La fascination de l'architecte Richard Horden pour les possibilités de la préfabrication l'a initialement conduit, dans les années quatre-vingt-dix, à développer la Maison Ski, une nacelle habitable « tout terrain » parfaitement adaptée au relief des Alpes. D'autres de ses projets s'inspirent de sa passion pour la voile et l'architecture navale. Lydia Haack et John Höpfner, pendant ce temps, acquéraient une grande expérience en matière de construction éco-énergétique et durable, participant à la conception de nombreuses réalisations innovantes, et travaillaient et enseignaient dans le monde entier. La Maison micro-compacte fut initialement développée en collaboration avec des élèves et des collègues de l'université technique de Munich, où Horden était enseignant. Parmi ses autres sources d'inspiration figurent l'industrie automobile et ses ramifications, le secteur spatial (Horden contribua au développement de postes de travail pour la Station spatiale internationale en collaboration avec la Nasa) et la simplicité de la maison de thé japonaise.

L'aéronautique, toutefois, constitue la plus forte influence.

« Nous avons étudié l'aviation commerciale actuelle dans ses moindres détails, explique Horden, notamment les espaces des classes affaires. Nous avons besoin de revisiter les critères spatiaux et de concevoir les maisons comme des automobiles, c'est-à-dire en dotant les espaces de meubles intégrés et d'une technologie dernier cri. »

La Maison micro-compacte est un cube à structure de bois de 2,6 m de côté, revêtu d'une coque en aluminium renforcé. Elle peut accueillir une ou deux personnes, et tous ses éléments — des lits à la cabine de douche, en passant par la kitchenette — sont entièrement intégrés. Horden, Haack et Höpfner et les constructeurs autrichiens commercialisent cette maison depuis 2005, et continuent d'affiner le projet. Une petite communauté de sept maisons, appelée « O2 Village », a été établie près de Munich, et offre des logements tout à fait adaptés aux besoins et au budget des étudiants. La Maison micro-compacte a contribué à promouvoir certains concepts de préfabrication — notamment le rôle que ce type d'habitation peut jouer au niveau architectural et social —, et pourrait résoudre un certain nombre de problèmes, telles la pénurie de logements, les mesures d'intervention en cas de sinistre ou l'acquisition d'une maisonnette de campagne à petit prix. De toute évidence, il n'y aura pas de gagnant incontesté dans le secteur populaire de la résidence préfabriquée, mais la Maison micro-compacte n'en est pas moins une candidate aussi fascinante qu'originale.

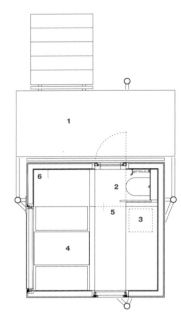

1 **terrasse**
2 **entrée / douche**
3 **kitchenette**
4 **espace repas**
5 **cloison coulissante**
6 **lit escamotable**

La Maison micro-compacte, avec ses lignes uniques et sa cabine intégrée d'inspiration aéronautique, marque plus les esprits que n'importe quel autre module préfabriqué.

Les Maisons micro-compactes s'adaptent aux goûts de leurs clients qui peuvent opter pour une couleur particulière ou choisir de réunir deux structures pour faire une maison plus grande. La maison peut être livrée montée, elle est transportée par camion ou même par hélicoptère.

2009

ISAY WEINFELD

CASA GRÉCIA SÃO PAULO, BRÉSIL

L'idée d'un lieu vraiment retiré ne peut que séduire dans une métropole comme São Paulo. C'est une ville d'une telle échelle et d'une telle intensité qu'elle est parfois éprouvante, surtout quand viennent s'y ajouter la chaleur et l'humidité. Casa Grécia, dans le quartier verdoyant de Jardins, réussit à tenir le pari extraordinaire d'une maison de campagne au milieu de cet épique étalement urbain, ce qui procure au client de l'architecte Isay Weinfeld la sensation précieuse d'une évasion possible. Selon Weinfeld, la demeure est une telle réussite que le maître d'ouvrage et sa famille éprouvent de moins en

moins souvent le besoin de se réfugier dans leur villa au bord de la mer.

Cachée derrière des murs élevés — mais aussi des arbres vénérables et la végétation —, gages de sécurité et d'intimité, Casa Grécia se dresse dans un jardin secret mais généreux. Dans cet écrin de verdure luxuriante, la conception architecturale s'est libérée et son traitement rappelle assez les constructions de Weinfeld en milieu rural. Le bâtiment linéaire s'adapte à la pente douce du jardin par l'emploi de deux volumes distincts, un pavillon d'un étage au niveau supérieur, qui est relié à une aile à deux étages située un peu

plus bas. Celle-ci abrite la salle de sport et le studio, qui conduisent à l'extérieur vers une piscine longue et tentante — à laquelle le client tenait particulièrement.

« Mon client pratique le triathlon et collectionne par ailleurs les voitures anciennes, explique Weinfeld. C'est pourquoi il désirait une piscine de 50 m, une grande salle de sport et un immense garage. L'insertion de la maison sur le terrain était un autre critère essentiel et elle est entièrement construite autour des arbres existants. » Étant donné l'isolement des lieux, Weinfeld a eu l'opportunité d'ouvrir la maison sur les jardins et les terrains en estompant les limites entre intérieur et extérieur, ce qui est l'une de ses spécialités. Il y parvient à travers une série d'espaces en plein air, notamment une vaste véranda qui s'invite dans le séjour principal, une terrasse adjacente et un balcon filant qui court le long de la suite de chambres à coucher disposées au-dessus de la salle de sport et qui donnent sur la piscine.

À l'intérieur de la maison, l'exploration du concept d'effacement des limites se poursuit, en particulier dans l'escalier extraordinaire, sorte de jardin de roches intérieur. Sous l'éclairage zénithal d'un puits de lumière abstrait-géométrique, les gradins en pierre s'élèvent entre les palmiers et les plantations. De nombreuses parties de la maison ont la nature pour arrière-plan, en dépit de ce contexte si fortement urbain.

« Les jardins intérieurs et les patios font rentrer la lumière naturelle à l'intérieur et génèrent ces vues qui varient sans cesse, explique Weinfeld. Ce sont autant de petites surprises. »

Dans les intérieurs, également signés par Weinfeld, la fusion est assurée entre les nombreux éléments intégrés et, çà et là, un meuble signé par l'architecte lui-même. La cohésion de l'habitation en est renforcée. Une collection superbe de pièces vintage et des années cinquante, réalisées par des designers tels que George Nakashima, les frères Castiglioni et bien d'autres,

vient les compléter. Leurs matériaux souvent naturels et texturés dialoguent avec les planchers en bois et les autres éléments organiques de l'habitation. Ils en soulignent le caractère et renforcent cette sensation de résidence secondaire au cœur de la métropole.

La piscine étirée est venue s'ajouter à la demande du client, un passionné de natation. La salle de sport longe la terrasse de la piscine, dans la partie inférieure de la maison. Au niveau supérieur, la salle du petit déjeuner (page ci-contre) établit un lien direct avec le jardin verdoyant à l'arrière-plan.

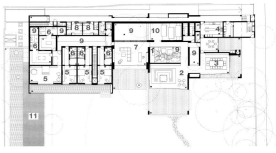

27

rez-de-chaussée

1 entrée
2 séjour
3 salle à manger
4 cuisine
5 chambre
6 salle de bain
7 pièce familiale
8 chambre de service
9 jardin
10 cinéma
11 piscine

niveau inférieur

1 entrée
2 salle de sport
3 salle de jeux
4 studio
5 cuisine de service
6 jardin

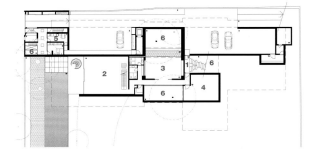

Les puits de lumière et les jardins intérieurs répartis dans toute la maison font ressentir les échanges avec la nature et le plein air. Le séjour principal (page ci-contre, en haut) donne sur le jardin et ouvre sur une vaste véranda. Au fond de la pièce, un mur de rayonnages et de vitrines sur mesure introduit la notion de bibliothèque.

2010

BEDMAR & SHI

JIVA PURI BALI, INDONÉSIE

Chaque réalisation de l'architecte Ernesto Bedmar réagit avec une grande sensibilité au contexte et se fond dans le moule du cadre particulier et des circonstances. Du fait de la grande diversité des missions confiées à Bedmar, qu'il s'agisse de leur nature ou de leur position géographique, ces réactions découlent en partie des exigences des différentes zones climatiques, mais aussi des aspects culturels ou encore vernaculaires. L'agence de Bedmar est installée à Singapour et la plupart de ses chantiers résidentiels se trouvent en Asie. De ce fait, il a acquis une solide réputation pour son interprétation de l'esthétique tropicale moderne, qui atteint des sommets ici à Bali, au Jiva Puri, cette résidence morcelée. Le

terrain exceptionnel se prêtait en effet à l'édification d'un ensemble de villas résolument tournées vers le paysage et la mer. Les «villas de Bali» sont situées dans le Sud de l'île, où les plages sont couvertes de sable noir et les temples traditionnels bâtis en pierre volcanique. Ici, le client de Bedmar a acheté une propriété de très belles dimensions, protégée par un mur et dont l'accès se fait par un haut portail qui est la première étape de la procession qui fait découvrir les nombreuses strates de l'endroit.

«Le site doit une partie de son attrait à la proximité de la mer, mais il la surplombe également, déclare Bedmar, et deux temples importants se dressent de part et d'autre de la propriété. Imaginer une demeure contemporaine

ancrée sur des racines balinaises profondes, tel était le défi à relever.»

Le Jiva Puri se décompose en plusieurs villas réparties autour d'une cour centrale. Certaines, notamment l'élément central, qui tient lieu de séjour et de salle à manger, sont ouvertes sur les côtés et se laissent traverser par les regards et les brises, d'autres sont plus fermées et intimes. Pourtant, même les pavillons qui font office de chambres à coucher exploitent pleinement les échanges entre intérieur et extérieur, par l'intermédiaire de parois vitrées coulissantes, de terrasses et d'espaces de baignade en plein air. L'unité de l'enceinte vient de son architecture paysagère raffinée, fondée sur une série de lignes visuelles et de circulations parfaitement contrôlées, qui guident

Le tracé et la conception des jardins forment un aspect essentiel de l'esthétique globale de la propriété et de son atmosphère. Les pièces d'eau en sont un élément décisif. Mises en valeur par les frangipaniers qui poussent sur de petites îles au milieu des bassins, elles estompent les lignes des villas.

le visiteur le long d'un réseau d'allées bordées de pièces d'eau ornementales. Des frangipaniers, qui semblent avoir jeté l'ancre sur leurs petits îlots, se dressent au milieu de plusieurs de ces bassins.

Les services sont relégués à l'arrière du site, tandis que le pavillon où dort le maître de maison et un quatuor de villas destinées aux invités se font face de part et d'autre de la cour, ce qui assure l'intimité de tous. Le pavillon-séjour « public », où l'on se réunit, se situe de l'autre côté de la cour pour le visiteur qui entre, tandis que le bungalow-bibliothèque voisin propose des échappées plus intimes. Le pool house — ou *bale* — et la piscine elle-même font face à l'océan, ce qui renforce le lien avec la mer, et cela d'autant plus pour celui qui nage en direction du large.

Le choix des matériaux, entre autres le réemploi de planches de vieux embarcadères et de traverses de chemin de fer, témoigne d'un réel souci de durabilité. Quant aux superbes éléments de la décoration, ils sont présentés dans un esprit de simplicité et de retenue, même si les éléments d'architecture récupérés et mis en scène comme des œuvres d'art, un peu partout sur le terrain, font écho à l'architecture balinaise traditionnelle. Le mobilier de la maison, également dessiné par Bedmar et son agence, renforce partout la cohésion entre l'architecture et les intérieurs.

« C'est l'esprit de la maison qui me plaît le plus, confie Bedmar, qui a accepté depuis plusieurs autres commandes à Bali. Cette villa est la première que j'ai élevée ici et aussi bien les plans que sa rigueur sont très différents de nos autres constructions. Comme ma maison initiale à Singapour, l'Eu House de Belmont Road, devenue un lieu de colloques pour les étudiants qui s'intéressent au thème de "l'architecture de la mousson", la maison de Bali se veut le prototype de la demeure tropicale moderne. »

Ernesto Bedmar prône une vision de la maison tropicale moderne qui efface les limites entre espaces intérieur et extérieur, mais aussi entre habitation et jardin. Le pavillon de vie, par exemple, qui est situé au cœur de la propriété, est ouvert sur les côtés et se fait la continuation de la cour centrale d'un côté et de la piscine de l'autre.

1 porte principale
2 entrée
3 pavillon de vie
4 pavillon de couchage
5 pavillon des invités
6 bassin
7 jardin
8 salle de bains
9 pavillon de la bibliothèque
10 salle de gym
11 cuisine
12 cour centrale
13 piscine
14 pavillon de la piscine

JIVA PURI

Les maisons de Tom Kundig sont d'une ingéniosité qui ne cesse de fasciner. Elles associent des solutions high-tech à des gadgets et à des astuces low-tech avec une originalité incomparable, à tel point qu'il n'est pas difficile de reconnaître une architecture de Kundig. À l'amour des matières brutes et audacieuses se mêle un grand respect pour le travail artisanal et la patine. Pourtant, au-delà des impératifs de «fonctionnalité, agrément de la vie et aspects pratiques», on dénote l'importance cruciale accordée au génie du lieu, à l'invention d'habitations d'un type nouveau qui donnent l'impression de vraiment faire partie du paysage, d'entretenir des relations vitales et pénétrantes avec leur environnement.

Tout cela est vrai de Studhorse, résidence secondaire élevée en pleine nature pour Shane et Tasha Atchison, ainsi que leurs deux enfants, dans l'État de Washington. Ce bâtiment neuf est situé dans une vallée glaciaire qui s'étend sur cent kilomètres, loin de tout, dans un lieu qui évoque un désir d'aventures et d'échappées. L'endroit est également marqué par les extrêmes de ses hivers glacials et neigeux et de ses étés torrides.

«Le ciel sans fin, les montagnes immenses et le désert d'altitude plantent le décor, raconte Kundig. C'est parfois magnifiquement calme, ensoleillé, paisible et méditatif — un peu comme au sommet d'une montagne. Mais le temps change parfois et les tempêtes sont alors spectaculaires et sauvages.»

Au lieu d'élever ici une seule habitation, Kundig a décidé d'agencer un triptyque de constructions complémentaires autour d'une cour centrale. L'architecte compare le processus au mouvement de repli des chariots de colons dans la prairie, mais il évoque aussi le camping, qui force ses adeptes à sortir et à rentrer dans leurs tentes ou abris et, ce faisant, à se sensibiliser chaque fois au paysage et à la nature — un mode de vie en immersion.

Une construction à deux niveaux abrite les chambres des enfants au rez-de-chaussée et celle des parents à l'étage. De l'autre côté de la cour se dresse un bâtiment d'un seul étage où prennent place la suite réservée aux invités et les garages. Dans le logement des propriétaires, qui longe la piscine, d'immenses baies vitrées s'effacent pour inviter le paysage à l'intérieur ; on y trouve aussi une cheminée pour réchauffer les espaces de vie (combinant séjour, salle à manger et cuisine) en hiver. Une petite construction satellite — le sauna — semble se livrer à un exercice de lévitation à une certaine distance de là.

Les bâtiments sont habillés en acier Corten, matériau semi-industriel mais d'apparence organique, avec ses tons de rouille, dont l'ambiguïté est parfaite dans cette nature sauvage. Ce revêtement, l'un des préférés de Kundig, convient par ailleurs tout à fait à cet environnement difficile — il résiste à la corrosion, demande peu d'entretien et dure indéfiniment.

«C'est une matière superbe, qui ressemble aux couleurs du paysage, explique Kundig, comme celle de l'écorce des pins ponderosa, des rochers en grès ou de la terre. Tout comme ces éléments naturels, le Corten subit les assauts de l'érosion.»

Studhorse et plusieurs autres bâtiments de Tom Kundig, comme ses Rolling Huts à Mazama (2007), explorent le concept de la résidence composite, cet ensemble de bâtiments complémentaires aux fonctions et emplois différents qui assurent une plus grande intimité aux habitants et aux visiteurs. La tendance des modes de vie dans des habitats disséminés, formés d'éléments séparés, a pris son envol grâce à des prototypes inspirés tels que Studhorse.

« Créer un lieu » est
une notion essentielle
à Studhorse, que
l'on peut considérer
comme un micro-village
entourant une cour, ou
plaza centrale. Chacun
des trois bâtiments de
l'ensemble détient une
fonction et un objectif
bien établis. L'un est
voué au séjour, un
autre, sur deux étages,
abrite les chambres,
le dernier est réservé
aux invités. La piscine
est un quatrième
élément au sein de
cette composition très
réfléchie.

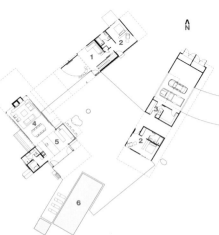

rez-de-chaussée

1 vestibule
2 chambre d'amis
3 entrée
4 séjour/salle à manger
5 cuisine/bar
6 piscine/jacuzzi
7 sauna

étage

1 chambre principale
2 salle de bain
3 chambre

STUDHORSE

BIOGRAPHIES

ALVAR AALTO (1898-1976) **p. 106-109**
Aalto passa son enfance dans la campagne finlandaise, où il eut l'occasion d'apprécier la beauté de la nature qui l'entourait. Après des études à Helsinki, il fonde son agence en 1923 et épouse l'année suivante l'architecte Aino Marsio. D'abord influencé par le néoclassicisme, il se rapproche du Mouvement moderne et développe un style original inspiré par son amour de la nature, le goût des matériaux naturels et une approche ergonomique et humaniste de l'architecture. Il est également célèbre pour ses talents de designer de meubles et d'objets très divers.

Principales réalisations
Sanatorium de Paimio Paimio, Finlande, 1933
Bibliothèque de Viipuri Viipuri, Finlande, 1935
Maison expérimentale Île de Muuratsalo, Finlande, 1953
Caisse d'allocations familiales Helsinki, Finlande, 1956
Église des Trois-Croix Vuoksenniska, Finlande, 1958

HITOSHI ABE (né en 1962) **p. 294-297**
Né à Sendai au Japon, Abe y fait ses études d'architecture qu'il poursuit au Southern California Institute of Architecture. Entre 1988 et 1992, il travaille avec l'agence Coop Himmelb(l)au à Los Angeles, puis rentre au Japon pour y fonder son cabinet et réaliser le stade de Sendai pour la Coupe du Monde 2002. Il enseigne l'architecture au Japon et en Amérique, et doit sa célébrité à l'originalité structurelle et l'innovation spatiale de son œuvre.

Principales réalisations
Pont Shirasagi Shiroishi, Japon, 1994
Château d'eau de Miyagi Rif Miyagi, Japon, 1994
Stade de Miyagi Sendai Miyagi, Japon, 2000
Maison K Sendai, Miyagi, Japon, 2003

DAVID ADJAYE (né en 1966) **p. 328-331**
Né en Tanzanie, Adjaye est le fils d'un diplomate ghanéen. Sa famille s'établit à Londres en 1979 et Adjaye poursuit ses études à la South Bank University et au Royal College of Art. Il travaille avec David Chipperfield et Eduardo Souto de Moura avant de fonder son agence avec William Russell en 1994, puis son propre atelier en 2000. Bon nombre de ses projets ont été réalisés en collaboration avec des artistes, dont Chris Ofili et Olafur Eliasson, et bénéficient aujourd'hui d'une considération internationale.

Principales réalisations
Maison sale Shoreditch, Londres, Grande-Bretagne, 2002
Centre commercial Idea Store Whitechapel, Londres, Grande-Bretagne, 2005
Centre Stephen Lawrence Deptford, Londres, Grande-Bretagne, 2008
Musée d'Art contemporain Denver, Colorado, États-Unis, 2008

TADAO ANDO (né en 1941) **p. 228-229**
Né à Osaka, où il réside et travaille encore aujourd'hui, Ando fut élevé par sa grand-mère. Il travaille dans une menuiserie et une fabrique de verre avant de devenir boxeur professionnel, tout en continuant à s'intéresser au design. Au début des années soixante, il décide d'apprendre l'architecture en autodidacte, et entreprend un tour du monde, qui durera quatre ans. En 1969, il fonde son agence à Osaka. Ses réalisations marquent la ville, mais il est de plus en plus souvent sollicité à l'étranger. Il a reçu le Pritzker Prize en 1995.

Principales réalisations
Église sur l'eau Tomamu, Hokkaido, Japon, 1988
Église de la lumière Ibaraki, Osaka, Japon, 1989
Musée d'art moderne Fort Worth, Texas, États-Unis, 2002
Maison 4 x 4 Kobé, Hyogo, Japon, 2003
Stone Hill Center Clark Art Institute Williamstown, Massachusetts, États-Unis, 2008

MACKAY HUGH BAILLIE SCOTT (1865-1945) **p. 28-31**
Né dans une famille d'exploitants agricoles du Kent, d'origine écossaise, Baillie Scott étudie d'abord l'agriculture avant de s'orienter vers l'architecture. Il fait son apprentissage chez Charles Davis, architecte de la ville de Bath. En 1889, il s'établit sur l'île de Man puis emménage dans le Bedfordshire. Dès l'année suivante, il est très sollicité pour des projets en Angleterre mais aussi à l'étranger. Il réalise des demeures opulentes comme des maisons plus modestes, toujours dans le style Arts & Crafts. En parallèle, il crée du mobilier.

Principales réalisations
Maison rouge Douglas, île de Man, Grande-Bretagne, 1893
Hotel Majestic Onchan, île de Man, Grande-Bretagne, 1893
Maison blanche Helensburgh, Écosse, 1900
48 Storey's Way Cambridge, Grande-Bretagne, 1913
Waldbühl Uzwil, Suisse, 1914

SHIGERU BAN (né en 1957) **p. 284-285**
Né à Tokyo, Ban étudie l'architecture aux États-Unis et obtient un diplôme de la Cooper Union School of Architecture. Il travaille avec Arata Isozaki avant d'établir son propre cabinet à Tokyo en 1985. Il enseigne à l'université de Keio pendant de nombreuses années et devient consultant pour l'UNHCR sur des projets de secours aux sinistrés.

Principales réalisations
Église de papier Takatori Kobé, Japon, 1995
Maison mur-rideau Tokyo, Japon, 1995
Maison en tubes de carton/Structure 07 en tubes de carton Kobé, Japon, 1995
Maison sans mur Karuizawa, Nagano, Japon, 1997
Maison nue Saitama, Kawagoe, Japon, 2000

LUIS BARRAGÁN (1902-1988) **p. 180-181**
Né à Guadalajara, Barragán suit une formation d'ingénieur à la Escuela Libre de Ingenieros. Ses talents d'architecte, d'artiste et de paysagiste sont essentiellement autodidactes. Dans les années 1920, il voyage en Europe et en Afrique du Nord et assiste aux conférences de Le Corbusier, mais son œuvre reste aussi enracinée dans la culture mexicaine que dans le Mouvement moderne. Il fonde son agence d'architecture à Guadalajara en 1927 avant de s'établir à Mexico.

Principales réalisations
Maison Luis Barragán Tacubaya, Mexico, Mexique, 1948
Maison Gálvez Chimalistac, Mexico, Mexique, 1955
Tours de la ville satellite (avec Mathias Goeritz) Mexico, Mexique, 1957
Autoroute de Querétaro Mexico, Mexique, 1957
Chapelle et couvent Capuchinas Sacramentarias del Purísimo Corazón de María Tlalpan, Mexico, Mexique, 1960
Maison Gilardi Chapultepec, Mexico, Mexique, 1975

GEOFFREY BAWA (1919-2003) **p. 116-119**
Né au Sri Lanka de parents anglo-asiatiques, Bawa étudie le droit à Cambridge. Après la Seconde Guerre mondiale, il s'établit comme avocat à Colombo mais se lasse vite de ce métier. Après une période de voyages, il retourne à Londres comme étudiant de l'Architectural Association. Diplômé en 1957, il rentre au Sri Lanka où il devient le chef de file du «modernisme tropical» et construit une série de maisons, d'hôtels et d'édifices publics qui témoignent d'une extraordinaire sensibilité au site et au paysage.

Principales réalisations
Maison Ena de Silva Colombo, Sri Lanka, 1962
Maison Baw Colombo, Sri Lanka, 1969
Bâtiment du parlement du Sri Lanka Kotte, Colombo, Sri Lanka, 1982
Hotel Kandalama Dambulla, Sri Lanka, 1994
Maison Jayewardene Mirissa, Sri Lanka, 1998

ERNESTO BEDMAR (né en 1954) **p. 348-351**
Né en Argentine, Ernesto Bedmar a étudié l'architecture à l'université d'architecture et d'urbanisme de Cordoba. Il a travaillé à l'atelier de Miguel Angel Roca, d'abord en Argentine, puis dans les locaux de l'agence en Afrique du Sud et à Hong Kong. En 1983, Bedmar a rejoint Palmer & Turner. Un an plus tard, il s'est installé à Singapour, pour collaborer avec SAA Partnership. En 1986, il a ouvert l'agence Bedmar & Shi avec Patti Shi, à Singapour. L'agence a dirigé divers chantiers en Asie et au-delà, notamment en Indonésie, en Thaïlande, en Malaisie, à Singapour, en Inde et en Nouvelle-Zélande ou encore au Royaume-Uni et aux États-Unis.

Principales constructions
Nassim Road House Singapour, 2007
Amrita Shergil Marg House New Delhi, Inde, 2008
Villas Laemsingh Phuket, Thaïlande, 2008
Bukit Golf Utama House Jakarta, Indonésie, 2008
Queenstown House Queenstown, Nouvelle-Zélande, 2009

JAN BENTHEM (né en 1952) **p. 230-233**
Benthem a grandi à Amsterdam et étudié l'architecture à Delft en compagnie de Mels Crouwel avec qui il ouvre un cabinet en 1979. Le tandem, toujours en recherche d'expérimentation, et donc à la pointe de l'innovation, met l'accent sur les matériaux contemporains et les techniques originales pour créer des constructions vivantes et conviviales.

Principales réalisations
Pavillon Sculpture Sonsbeek, Pays-Bas, 1986
Musée De Pont Tilburg, Pays-Bas, 1993
Gare et aéroport Schiphol Amsterdam, Pays-Bas, 1995
Ponts d'IJburg Amsterdam, Pays-Bas, 2002
GEM Musée d'Art contemporain La Haye, Pays-Bas, 2003

CAROLINE BOS (née en 1959) p. 322-323
voir **BEN VAN BERKEL**

MARIO BOTTA (né en 1943) p. 210-213
Né à Mendrisio en Suisse, Botta est
apprenti architecte à Lugano et étudie à
Milan puis à l'Institut d'architecture de
Venise, sous l'enseignement de Carlo
Scarpa. Il travaille brièvement avec
Le Corbusier et Louis Kahn avant de fonder
sa propre agence en 1970, à Lugano. Outre
la conception de bâtiments dans le monde
entier, dont une série de lieux de culte qui
conjuguent des idées contemporaines et
traditionnelles, Botta est à l'origine d'une
nouvelle académie d'architecture implantée
à Ticino.

Principales réalisations
**Musée d'art moderne de San
Francisco** San Francisco, Californie,
États-Unis, 1995
Cathédrale de la Résurrection Évry,
France, 1995
Église Santa Maria degli Angeli Monte
Tamaro, Ticino, Suisse, 1996
**Synagogue Cymbalista et Centre de
culture juive** Tel Aviv, Israël, 1998
Spa Tschuggen Bergoase Arosa, Suisse,
2007

MARCEL BREUER (1902-1981) p. 114-115
Né en Hongrie, Breuer étudie à Vienne
puis au Bauhaus (Weimar), avant de
devenir l'un des maîtres du Bauhaus de
Dessau, où il travaillera sur les intérieurs
des maisons de maître et commencera
à créer ses dessins de meubles, dont
le fauteuil Wassily. En 1928, il ouvre un
cabinet d'architecte à Berlin, puis, en 1935,
émigre à Londres où il devient l'associé de
Francis Reginald Stevens Yorke. Il continue
à dessiner des meubles pour Isokon.
Deux ans plus tard, Walter Gropius lui
propose un poste d'enseignant à Harvard ;
tous deux collaborent sur divers projets
architecturaux. En 1941, Breuer fonde son
propre cabinet, qu'il réimplante à New York
à partir de 1946. Tout autant respecté pour
ses créations de meubles que pour ses
œuvres architecturales, Breuer est l'un des
pionniers du modernisme.

Principales réalisations
Appartements Doldertal Zurich, Suisse,
1936
Maison Breuer I Massachusetts,
États-Unis, 1939
**Siège de l'Unesco (avec Pier Luigi Nervi
et Bernard Zehrfuss)** Paris, France, 1958
**Whitney Museum of American Art (avec
Hamilton P. Smith)** New York, États-Unis,
1966

ALBERTO CAMPO BAEZA (né en 1946)
p. 256-259
Natif de Valladolid, Alberto Campo Baeza
a étudié l'architecture à Madrid. Il y a
enseigné pendant de nombreuses années
ainsi qu'à l'étranger. Il est tout autant
reconnu pour ses bâtiments commerciaux,
culturels et administratifs que pour ses
maisons particulières innovantes qui lui ont
ouvert, entre autres, le marché américain.
Le projet le plus représentatif de sa carrière
est la réalisation des bureaux de la Caisse
d'épargne de Grenade, conçus autour d'un
atrium spectaculaire.

Principales réalisations
Hôtel de ville de Fene La Corogne,
Espagne, 1980
Maison Turegano Madrid, Espagne, 1988
Maison De Blas Sevilla la Nueva, Madrid,
Espagne, 2001
Caisse d'épargne de Grenade Grenade,
Espagne, 2001
Maison Asencio Chiclana, Cadix,
Espagne, 2001

SERGE CHERMAYEFF (1900-1996) p. 90-93
Né en Tchétchénie, Chermayeff fait
ses études en Angleterre puis s'essaie
brièvement au journalisme et à la danse
de salon. Il codirige le studio de création
de meubles Art déco de la firme Waring
& Gillow avant de s'orienter vers les
métiers de décorateur, ensemblier puis
architecte. De 1933 à 1938, il collabore
avec Erich Mendelsohn, avec lequel il signe
notamment le célèbre pavillon De La Warr
dans l'East-Sussex. Émigré aux États-Unis
en 1940, il entame une nouvelle carrière de
professeur et d'auteur tout en poursuivant
une œuvre de peintre.

Principales réalisations
Maison Shann Rugby, Warwickshire,
Grande-Bretagne, 1934
**Pavillon De La Warr (avec Erich
Mendelsohn)** Bexhill-on-Sea, East-Sussex,
Grande-Bretagne, 1935
**Old Church Street (avec Erich
Mendelsohn)** Chelsea, Londres,
Grande-Bretagne, 1937
Gilbey Offices Londres, Grande-Bretagne,
1937
Siège de la société ICI Dyestuffs Blackley,
Manchester, Grande-Bretagne, 1938

CHARLES CORREA (1930-2015) p. 238-239
Né à Hyderabad, Correa fait ses études
à Bombay puis aux États-Unis, où il suit
notamment l'enseignement de Buckminster
Fuller au Massachusetts Institute of
Technology. Il ouvre son cabinet à Bombay
en 1958 et, de 1970 à 1975, est nommé
architecte en chef de la ville. Porte-drapeau
de l'architecture indienne du XXe siècle, il
recevra l'Aga Khan Award d'architecture
en 1998.

Principales réalisations
Mémorial Mahatma Gandhi Ahmedabad,
Inde, 1963
Appartements Kanchanjunga Mumbai,
Inde, 1983
Musée national d'artisanat New Delhi,
Inde, 1991
Parlement de l'État de Madhya Pradesh
Bhopal, Inde, 1996

PIERRE DE MEURON (né en 1950)
p. 304-305 *voir* **JACQUES HERZOG**

DENTON CORKER MARSHALL (créé
en 1972) p. 298-303
Denton Corker Marshall (DCM) est l'un des
cabinets d'architecture les plus réputés
et les plus novateurs d'Australie. Il est
aujourd'hui représenté dans le monde
entier. Ses fondateurs John Denton, Bill
Corker et Barrie Marshall n'entreprennent
que rarement des projets de maisons,
qui sont pourtant les réalisations les plus
marquantes de l'ensemble de leur œuvre.

Principales réalisations
Maison à Phillip Island près de
Melbourne, Victoria, Australie, 1992
Centre d'exposition Melbourne, Victoria,
Australie, 1996
Musée de Melbourne Melbourne, Victoria,
Australie, 1999
Palais de justice Manchester,
Grande-Bretagne, 2007

CHARLES DEATON (1921-1996) p. 168-169
Né au Nouveau-Mexique, Deaton fut un
designer autodidacte. Il se spécialisa en
architecture et ingénierie, finançant ses
études en travaillant comme dessinateur
publicitaire. Au début de sa carrière,
il construit des banques. En 1955, il
emménage à Denver et conçoit de
nombreux stades aux formes innovantes.
En parallèle, il crée des jeux de société
pour lesquels il dépose plusieurs brevets.

Principales réalisations
Central Bank & Trust Denver, Colorado,
États-Unis, 1960
Banque nationale du Wyoming Casper,
Wyoming, États-Unis, 1964
**Immeuble Key Savings & Loan/Colonial
Bank** Englewood, Colorado, États-Unis,
1967
**Stade Arrowhead & stade Kauffman
(avec Kivett & Myers)** Kansas City,
Missouri, États-Unis, 1972

CHARLES EAMES (1907-1978) & **RAY
EAMES** (1912-1988) p. 120-125
Leur travail englobe l'architecture, le
mobilier, les arts graphiques, les textiles,
les films et les expositions de design. Le

couple devint célèbre grâce à un petit
nombre de maisons hautement originales.
Il s'impose également comme créateur
d'un mobilier novateur en contreplaqué,
aluminium et fibre de verre qui sera vendu
dans le monde entier.

Principales réalisations
Chaise en contreplaqué LCW Evans
Products / Herman Miller, 1946
Chaise DAR Zenith Plastics/Herman
Miller, 1948
Case Study n°9 (avec Eero Saarinen)
Pacific Palisades, Californie, États-Unis,
1949
Maison Max de Pree Zeeland, Michigan,
États-Unis, 1954
Fauteuils Lounge 670 et **Ottoman 671**
Herman Miller, 1956

PETER EISENMAN (né en 1932) p. 218-221
Membre du groupe des « Cinq de
New York », célèbre pour son activité de
théoricien et d'expérimentateur associé
aux mouvements déconstructiviste et
postmoderniste, Eisenman est une figure
très controversée. Après des études
dans les universités américaines de
Cornell et Columbia et à Cambridge
(Grande-Bretagne), il devient enseignant,
écrivain et architecte praticien. Son
mémorial de l'Holocauste, à Berlin, abstrait
et dérangeant, reste l'illustration la plus
aboutie de sa théorie de la dislocation et du
déplacement.

Principales réalisations
**Centre de congrès du Grand
Columbus** Columbus, Ohio, États-Unis,
1993
**Centre Aronoff du design et de
l'art** Université de Cincinnati, Ohio,
États-Unis, 1996
Mémorial de l'Holocauste Berlin,
Allemagne, 2005
Stade de l'université de Phoenix
Glendale, Arizona, États-Unis, 2006

CRAIG ELLWOOD (1922-1992) p. 192-195
Né au Texas, Ellwood, de son vrai nom
Jon Nelson Burke, commence à étudier
l'architecture aux cours du soir tandis
qu'il travaille dans le bâtiment dans la
journée. Il rencontre John Entenza,
éditeur du magazine *Art and Architecture*
et concepteur du projet architectural
Case Study, alors qu'il travaille en tant
qu'ingénieur. Après avoir fondé sa propre
agence d'architecture en 1948, il dessinera
trois maisons pour les Case Study et
développera une série d'élégants bâtiments
modernistes. Ellwood fermera son agence
en 1977 et s'installera en Toscane pour se
consacrer à la peinture.

Principales réalisations
Maison Hale Beverly Hills, Los Angeles, Californie, États-Unis, 1949
Case Study nº 16 Bel Air, Californie, États-Unis, 1953
Case Study nº 18/Fields House Beverly Hills, Los Angeles, Californie, États-Unis, 1958
Maison Rosen Brentwood, Californie, États-Unis, 1962
Centre d'art Collège de design Pasadena, Californie, États-Unis, 1976

JOSEPH ESHERICK (1914-1998) **p. 176-179**
Né à Philadelphie, Esherick est apprenti auprès de son oncle, Wharton Esherick, artiste et fabricant de meubles. Il étudie ensuite l'architecture avant de s'installer dans la baie de San Francisco en Californie où il fonde son bureau en 1953. Il enseigne également l'architecture à l'université de Californie de Berkeley et y cofonde le College of Environmental Design. En 1972, il crée avec ses trois associés le Esherick Homsey Dodge & Davis, qui prendra plus tard le nom de EHDD Architects et remportera le prix d'architecture en 1986. Esherick recevra également la médaille d'or de l'American Institute of Architects en 1989.

Principales réalisations
Maison Cary Mill Valley, Californie, États-Unis, 1960
Wurster Hall Université de Californie, Berkeley, États-Unis, 1964
The Cannery San Francisco, Californie, États-Unis, 1968
École de Garfield San Francisco, Californie, États-Unis, 1981
Aquarium de la baie de Monterey Monterey, Californie, États-Unis, 1984

ALBERT FREY (1903-1998) **p. 166-167**
Né en Suisse, Frey travaille dans l'atelier parisien de Le Corbusier — où il participe à la création de la Villa Savoye (p. 64) — avant d'émigrer aux États-Unis en 1929. Après plusieurs années passées à New York, une commande l'appelle à Palm Springs, dans le désert californien, où il choisit de s'installer. Cette ville d'adoption va jouer un rôle décisif dans son œuvre ultérieure. Frey devient le principal inspirateur du « modernisme du désert », qui bénéficie de l'engouement d'Hollywood et de la haute société de Los Angeles pour cette villégiature aux portes du désert.

Principales réalisations
Hotel Movie Colony (anciennement Hotel San Jacinto) Palm Springs, Californie, États-Unis, 1935
Hôtel de ville Palm Springs, Californie, États-Unis, 1957

Yacht Club de la rive nord Salton Sea, Californie, États-Unis, 1959
Station de la Vallée, tramway aérien de Palm Springs Californie, États-Unis, 1963
Station-service du tramway Palm Springs, Californie, États-Unis, 1965

FRANK GEHRY (né en 1929) **p. 226-227**
Né à Toronto, Gehry étudie l'architecture à l'université de Californie du Sud, puis à Harvard, et fonde son cabinet à Los Angeles en 1962. Grâce à la technologie de la conception assistée par ordinateur, il s'est hissé à l'avant-garde de la réinvention de la forme architecturale, produisant des bâtiments fluides et sculpturaux. Il a reçu le Pritzker Prize en 1989.

Principales réalisations
Résidence Schnabel Brentwood, Californie, États-Unis, 1990
Musée Guggenheim Bilbao, Espagne, 1997
Experience Music Project Seattle, Washington, États-Unis, 2000
Walt Disney Concert Hall Los Angeles, Californie, États-Unis, 2003
Hotel Marqués de Riscal Elciego, Espagne, 2006

SEAN GODSELL (né en 1960) **p. 332-335**
Né à Melbourne, Godsell s'impose rapidement comme l'une des principales figures de l'architecture contemporaine australienne. Il étudie à l'université de Melbourne et voyage en Europe et au Japon avant de travailler avec Denys Lasdun à Londres. En 1994, il ouvre son cabinet à Melbourne. Parmi ses divers projets, Godsell a conçu Future Shack, un prototype d'habitation utilisable en cas de catastrophe naturelle.

Principales réalisations
Maison Kew Melbourne, Victoria, Australie, 1997
Faculté d'art de l'école Woodleigh Baxter, Victoria, Australie, 1999
Maison Peninsula Melbourne, Victoria, Australie, 2003
Faculté des sciences de l'école Woodleigh Baxter, Victoria, Australie, 2003

CHARLES GREENE (1868-1957) & **HENRY GREENE** (1870-1954) **p. 52-55**
Les deux frères grandissent à Saint-Louis dans le Missouri et font leurs études d'architecture à Boston. Charles porte un grand intérêt aux arts alors que Henry préfère la technique. Deux qualités complémentaires qui font merveille pour leurs projets. Ayant suivi leurs parents à Pasadena, c'est dans cette ville qu'ils ouvrent leur cabinet en 1894. Leurs

premières réalisations, exécutées en Californie, sont un mélange d'Arts & Crafts et d'influences espagnoles coloniales et japonaises.

Principales réalisations
Maison Cuthbertson Pasadena, Californie, États-Unis, 1902
Maison Charles Greene Pasadena, Californie, États-Unis, 1902
Maison Blacker Pasadena, Californie, États-Unis, 1907
Maison Pratt Ojai, Californie, États-Unis, 1909
Maison Thorsen Berkeley, Californie, États-Unis, 1909

WALTER GROPIUS (1883-1969) **p. 94-95**
Fondateur du Bauhaus et auteur de plusieurs bâtiments emblématiques du modernisme, Gropius compte parmi les architectes les plus importants et les plus respectés du XXᵉ siècle. Né à Berlin, il fait ses débuts auprès de Peter Behrens avant de cofonder sa propre agence et de devenir directeur de l'école du Bauhaus. Il quitte l'Allemagne pour l'Angleterre en 1934 puis s'installe aux États-Unis. En 1945, il fonde l'agence The Architects Collaborative (TAC).

Principales réalisations
Usine Fagus Alfeld an der Leine, Allemagne, 1925
Bâtiment du Bauhaus Dessau, Allemagne, 1926
Maisons des professeurs du Bauhaus Dessau, Allemagne, 1926
Graduate Center Université de Harvard, Cambridge, Massachusetts, États-Unis, 1950
Immeuble de la Pan Am (puis de MetLife) New York, État de New York, États-Unis, 1963

CHARLES GWATHMEY (né en 1938) **p. 172-175**
Membre du groupe très influent des « Cinq de New York » — avec Richard Meier, Peter Eisenman, Michael Graves et John Hejduk —, Gwathmey étudie à Yale et subit fortement l'influence de Le Corbusier. En 1968, après une courte collaboration avec Edward Larrabee Barnes, il fonde Gwathmey Siegel & Associates avec Robert Siegel. Adepte d'une approche holistique de l'architecture, l'agence a à son actif de nombreux projets dans le secteur éducatif et culturel et des commandes résidentielles très remarquées.

Principales réalisations
Villa Haupt Amagansett Hamptons, Long Island, États-Unis, 1979
American Museum of the Moving Image Astoria, New York, État de New York, États-Unis, 1988

Bibliothèque du Fogg Art Museum Université de Harvard, Cambridge, Massachusetts, États-Unis, 1990
Palais des congrès de Disney World Orlando, Floride, États-Unis, 1991
Extension et rénovation du musée Guggenheim New York, État de New York, États-Unis, 1992

LYDIA HAACK (née en 1965) *voir* **RICHARD HORDEN**

AGUSTÍN HERNÁNDEZ (né en 1924) **p. 196-197**
Né à Mexico, Hernández étudie l'architecture à l'Université nationale autonome. Il construit l'École de danse folklorique de Mexico, fondée par sa sœur, la chorégraphe Amalia Hernández. Un grand nombre de ses commandes ultérieures — sculptures monumentales et futuristes — parsèment la ville. Hernández a pu également faire valoir ses talents au Guatemala, et dans d'autres pays d'Amérique latine.

Principales réalisations
Pavillon mexicain Osaka Expo, Japon, 1970
Collège militaire héroïque Mexico, Mexique, 1976
Centre de méditation Cuernavaca, Mexique, 1984
Casa en el Aire Mexico, Mexique, 1991

JACQUES HERZOG (né en 1950) & **PIERRE DE MEURON** (né en 1950) **p. 304-305**
Nés à Bâle, Herzog et de Meuron étudient l'architecture à l'École polytechnique de Zurich (ETH) et suivent l'enseignement d'Aldo Rossi. Ils fondent leur cabinet à Bâle en 1978, et enseignent en Suisse et en Amérique. L'austère minimalisme de leurs premières réalisations a peu à peu cédé le pas à des utilisations expérimentales de motifs, matériaux et textures à la surface même des façades et des revêtements de leurs bâtiments.

Principales réalisations
Domaine viticole Dominus Napa Valley, Californie, États-Unis, 1999
Tate Modern Bankside, Londres, Grande-Bretagne, 2000
Stade de l'Allianz Arena Munich, Allemagne, 2005
Musée et mémorial M. H. de Young San Francisco, Californie, États-Unis, 2005
Stade national Pékin, Chine, 2008

STEVEN HOLL (né en 1947) **p. 324-327**
Né à Bremerton dans l'État de Washington, Holl obtient son diplôme de l'université de Washington, puis étudie à Rome et à Londres. En 1976, il fonde le cabinet Steven Holl Architects à New York et s'établit comme l'un des architectes les plus talentueux de sa génération. Il obtient toutes sortes de commandes, allant des maisons particulières à de vastes projets culturels. Son œuvre est variée, mais toujours empreinte d'une forte sensibilité au contexte et d'une approche résolument artistique et sculpturale. Holl est également peintre et enseigne l'architecture à l'université de Columbia.

Principales réalisations
Kiasma, musée d'Art contemporain Helsinki, Finlande, 1998
Résidence Simmons Hall, Institut de technologie du Massachusetts Cambridge, Massachusetts, États-Unis, 2002
Maison Turbulence Abiquiu, Nouveau-Mexique, États-Unis, 2005
Rénovation et extension du musée d'art Nelson-Atkins Kansas City, Missouri, États-Unis, 2007

JOHN HÖPFNER (né en 1963) *voir* **RICHARD HORDEN**

MICHAEL HOPKINS (né en 1935) **& PATTY HOPKINS** (née en 1942) **p. 222-225**
Fils d'un entrepreneur en bâtiment, Michael Hopkins étudie à l'Architectural Association puis travaille dans le bureau de Basil Spence avant de s'associer avec Norman Foster. En 1976, il ouvre l'agence Hopkins Architects avec son épouse Patty. Leur démarche initialement centrée sur l'innovation technologique et structurelle s'est ensuite enrichie d'un regain d'intérêt pour la contextualité et la réinterprétation de matériaux plus traditionnels.

Principales réalisations
Tribune d'honneur du Lord's Cricket Ground St John's Wood, Londres, Grande-Bretagne, 1987
Centre de recherche Schlumberger Cambridge, Grande-Bretagne, 1992
Opéra de Glyndebourne Sussex, Grande-Bretagne, 1994
Siège du groupe Saga Folkestone, Kent, Grande-Bretagne, 1998
Maison Portcullis Westminster, Londres, Grande-Bretagne, 2000

RICHARD HORDEN (né en 1944) **p. 338-341**
Né à Leominster en Angleterre, Horden étudie à l'Architectural Association de Londres avant de collaborer avec Norman Foster au sein de Foster Associates,

participant notamment au projet du Sainsbury Centre de Norwich et à l'aéroport de Stansted. En 1986, il fonde sa propre agence, qui prend le nom de Horden Cherry Lee Architects en 1999 et se distingue par un mélange de projets commerciaux, culturels et résidentiels.

LYDIA HAACK (née en 1965) **&**
JOHN HÖPFNER (né en 1963) **p. 338-341**
Née en Allemagne, Lydia Haack étudie à Munich et à Londres avant de rejoindre le cabinet de Michael Hopkins. Également allemand, John Höpfner fait ses études en Allemagne et en Grande-Bretagne avant de travailler pour Michael Hopkins et Richard Rogers. Le cabinet Haack & Höpfner, établi à Munich en 1996, est réputé pour la légèreté et l'élégance de ses bâtiments écologiques, et le caractère novateur de ses réalisations.

Principales réalisations
RICHARD HORDEN
Bâtiment du Queen's Hippodrome Epsom, Surrey, Grande-Bretagne, 1993
Tour du Millénaire Glasgow, Écosse, 1999
Maison sur Evening Hill Poole, Dorset, Grande-Bretagne, 2002
HAACK ET HÖPFNER
Maisons passives modulaires Parasite BO 01 Malmö Building Exhibition, Suède, 2000
Système de construction de stations-service Plusieurs implantations, Allemagne, 1999-2008
Lavage auto Germering, Allemagne, 2005

ANTHONY HUDSON (né en 1955 **p. 274-279**
Né dans le Norfolk au sein d'une famille d'éleveurs, Hudson a étudié l'architecture à Cambridge et Westminster. Il a travaillé en Inde et pour le cabinet Connor, Powell-Tuck et Orefelt à Londres avant d'ouvrir son propre cabinet en 1985. Dix ans plus tard, il s'associe avec l'architecte Sarah Featherstone puis fonde en 2002 Hudson Architects. Il possède des bureaux à Londres et dans le Norfolk. Il est renommé pour ses réalisations de maisons individuelles, de transformations d'habitations, mais aussi pour des projets publics de plus grande envergure.

Principales réalisations
Maison Drop Northaw, Hertfordshire, Grande-Bretagne, 1999
Maison Cedar North Elmham, Norfolk, Grande-Bretagne, 2005
Granges Barsham Walsingham, Norfolk, Grande-Bretagne, 2005
Light House Belper, Derbyshire, Grande-Bretagne, 2006
Ruche d'entreprises de Stoneleigh Road Tottenham, Londres, Grande-Bretagne, 2007

ARNE JACOBSEN (1902-1971) **p. 70-71**
Designer aux talents multiples, partisan d'une approche globale de l'architecture, Jacobsen a créé lui-même les intérieurs, les textiles et le mobilier de beaucoup de ses projets architecturaux. Après une formation de maçon, il étudie à Copenhague puis travaille auprès de Paul Holsoe avant de fonder sa propre agence. Sa version organique et sensible du modernisme scandinave connaît toujours un grand succès, notamment à travers ses classiques de mobilier design.

Principales réalisations
Ensemble résidentiel Bellavista Klampenborg, Copenhague, Danemark, 1934
Ensembles de maisons I et II de Søholm Klampenborg, Copenhague, Danemark, 1951-1955
Hôtel Royal et aérogare de la compagnie SAS à Vesterbro Copenhague, Danemark, 1960
Collège Sainte-Catherine Oxford, Grande-Bretagne, 1966
Banque nationale du Danemark Copenhague, Danemark, 1971

PHILIP JOHNSON (1906-2005) **p. 126-131**
Né à Cleveland (Ohio), Philip Johnson étudie l'architecture à Harvard sous la direction de Walter Gropius et Marcel Breuer. Il devient par la suite directeur du département d'architecture au Musée d'art moderne de New York. Étiqueté comme l'un des «Cinq de Harvard», il s'associe à Mies van der Rohe, dont l'influence est notable à ses débuts.

Principales réalisations
Robert C. Leonhardt House Lloyd's Neck, New York, États-Unis, 1956
Seagram Building (avec Ludwig Mies van der Rohe) New York, États-Unis, 1958
New York State Pavilion, World's Fair Flushing Meadows-Corona Park, Queens, New York, États-Unis, 1964
Crystal Cathedral Garden Grove, Californie, États-Unis, 1980
AT&T Building/Sony Plaza New York, États-Unis, 1984

LOUIS KAHN (1901-1974) **p. 154-155**
Né dans un quartier juif et pauvre d'Estonie, Kahn émigre aux États-Unis avec sa famille en 1906. Il étudie l'architecture à l'université de Pennsylvanie avant de travailler pour diverses agences dans les années 1920. À l'issue de nombreux voyages en Europe, il fonde son propre cabinet à Philadelphie en 1934. Il enseigne également à Yale, puis à l'université de Pennsylvanie. La plupart de ses réalisations incarnent ses idées de monumentalité poétique ; plusieurs de ses projets seront achevés après sa mort.

Principales réalisations
Galerie d'art de l'université de Yale New Haven, Connecticut, États-Unis, 1953
Institut d'études biologiques Salk La Jolla, Californie, États-Unis, 1965
Musée Kimbell Fort Worth, Texas, États-Unis, 1972
Institut indien de management Ahmedabad, Gujarat, Inde, 1974
Complexe gouvernemental de Sher-e-Bangla Nagar Dacca, Bangladesh, 1983

JAN KAPLICKY (1937-2009) **p. 292-293**
Né à Prague, Kaplicky y fait ses études et travaille dans un cabinet avant de s'établir au Royaume-Uni en 1968. Il travaille dans les agences de Denys Lasdun, Richard Rogers et Norman Foster avant de fonder Future Systems en 1979.

AMANDA LEVETE (née en 1955) **p. 292-293**
Née à Bridgend, Levete étudie à l'Architectural Association de Londres. Elle travaille avec William Alsop du cabinet Alsop & Lyall, et avec Richard Rogers, ainsi que dans son propre cabinet, Powis & Levete. En 1989, elle devient associée de Future Systems.

Principales réalisations
Maison Hauer-King Islington, Londres, Grande-Bretagne, 1994
Passerelle flottante pour piétons Canary Wharf, Londres, Grande-Bretagne, 1996
Tribune de presse du Lord's Cricket Ground St John's Wood, Londres, Grande-Bretagne, 1999
Bâtiment Selfridges Birmingham, Grande-Bretagne, 2003
Musée Maserati Modène, Italie, 2009

PIERRE KOENIG (1925-2004) **p. 234-237**
Né à San Francisco de parents franco-allemands, Koenig étudie l'architecture à l'université de Californie du Sud. Encore étudiant, il dessine et construit avec un budget limité sa propre maison à la structure métallique avant-gardiste à Glendale en Californie. Il travaille brièvement avec quelques confrères, dont Raphael Soriano, avant d'ouvrir son cabinet. Chef de file du programme Case Study, Koenig devient un maître du modernisme de la moitié du XXᵉ siècle avec son travail innovant sur la structure métallique et sa perception de la topographie d'un site et des conditions climatiques.

Principales réalisations
Maison Koenig nº 1 Glendale, Californie, États-Unis, 1950
Maison Lamel Glendale, Californie, États-Unis, 1953

Maison Bailey/Case Study n° 21 Los Angeles, Californie, États-Unis, 1958
Maison Seidel Los Angeles, Californie, États-Unis, 1960
Maison Stahl/Case Study n° 22 Los Angeles, Californie, États-Unis, 1960

REM KOOLHAAS (né en 1944) **p. 312-317**
Né à Rotterdam, Koolhaas passe son enfance en Hollande et en Indonésie. Il devient d'abord journaliste et écrivain, et obtient une certaine considération avec ses écrits architecturaux. Il fait ses études à l'Architectural Association de Londres, ainsi qu'à la Cornell University, puis cofonde en 1975 l'Office for Metropolitan Architecture (OMA), implanté à Rotterdam. Il s'est imposé comme l'un des architectes les plus radicaux de sa génération, repoussant sans cesse les limites de la forme et de l'ingénierie au sein de structures résolument futuristes. Il enseigne à Harvard et a reçu le Pritzker Prize en 2000.

Principales réalisations
Showroom Prada New York, État de New York, États-Unis, 2001
Ambassade des Pays-Bas Berlin, Allemagne, 2003
Bibliothèque centrale Seattle, État de Washington, États-Unis, 2004
Maison de la Musique Porto, Portugal, 2004
Siège de la télévision centrale chinoise (CCTV) Pékin, Chine, 2009

TOM KUNDIG (né en 1954) **p. 352-355**
Tom Kundig, fils d'architecte, a étudié l'architecture à l'université de Washington, dont il est sorti diplômé en 1981. En 1985, il est entré dans l'agence fondée par Jim Olson à Seattle à la fin des années soixante, devenue aujourd'hui Olson Kundig Architects. L'agence travaille dans les domaines culturel, universitaire, hôtelier et administratif, mais est sans doute plus connue pour une série de résidences modernes et originales aux États-Unis et ailleurs, qui sont en général attribuées à l'un des principaux associés. La réputation internationale de Kundig se fonde sur ses constructions résidentielles et plusieurs autres réalisations célébrées dans trois volumes publiés par Princeton Architectural Press.

Principales constructions
Delta Shelter Mazama, État de Washington, 2002
Rolling Huts Mazama, État de Washington, 2007
Outpost Bellevue, Idaho, 2008
The Pierre San Juan Island, État de Washington, 2010
Tacoma Art Museum Tacoma, État de Washington, 2014

JOHN LAUTNER (1911-1994) **p. 182-187**
Comme Schindler, Lautner est un protégé de Frank Lloyd Wright, qui émergera de l'ombre de son mentor pour établir son style résolument novateur et extravagant. Il est essentiellement connu pour sa série de maisons extrêmement originales, californiennes pour la plupart d'entre elles, dont les formes fluides et spectaculaires s'ouvrent sur la nature et parfois sur l'océan.

Principales réalisations
Maison Malin (« The Chemosphere ») Los Angeles, Californie, États-Unis
Maison Reiner (« Silvertop ») Los Angeles, Californie, États-Unis, 1963
Maison Sheats/Goldstein Los Angeles, Californie, États-Unis 1963/1989
Résidence Zimmerman Studio City, Californie, États-Unis, 1968
Maison Arango Acapulco, Mexique, 1973

LE CORBUSIER (CHARLES-ÉDOUARD JEANNERET-GRIS) (1887-1965) **p. 64-67**
Architecte, artiste, sculpteur, dessinateur de meubles, écrivain et théoricien, Le Corbusier naît en Suisse et étudie à l'École d'art de La Chaux-de-Fonds avant de s'installer à Paris en 1908, où il travaille avec Perret. En 1912, il fonde son propre cabinet en Suisse et conçoit la Maison blanche pour ses parents. Il retourne un peu plus tard à Paris où il adopte son nom de plume, dérivé de celui de son arrière-grand-père, Lecorbésier. Ses nombreux projets le mèneront dans tous les coins du monde, mais il préférera se retirer dans son cabanon-atelier de Roquebrune-Cap-Martin, où il trouvera la mort en se baignant dans la baie en contrebas.

Principales réalisations
Villa La Roche-Jeanneret Paris, France, 1925
Unité d'habitation de Marseille Marseille, France, 1952
Chapelle de Notre-Dame-du-Haut Ronchamp, France, 1955
Couvent Sainte-Marie de la Tourette Éveux-sur-Arbresle, France, 1960
Palais de l'Assemblée Chandigarh, Inde, 1962

RICARDO LEGORRETA (1931-2011) **p. 250-255**
Né et élevé à Mexico, Legorreta commence par travailler avec José Villagrán García avant de cofonder son cabinet, Legorreta Arquitectos, en 1963. L'architecture révolutionnaire de l'hôtel Camino Real, et le succès qu'elle lui apporte, remplit son carnet de commandes d'hôtels, de maisons particulières et de nombreux centres culturels et commerciaux. Même

s'il était resté attaché de manière forte à la tradition mexicaine, l'architecte a beaucoup travaillé en Amérique et au-delà. En 2000, il s'associe avec son fils Victor et renomme alors son cabinet Legorreta + Legorreta. Désormais l'agence poursuit son activité sous le simple nom Legorreta.

Principales réalisations
Hotel Camino Real Mexico, Mexique, 1967
Usine Renault Gómez Palacio, Durango, Mexique, 1985
Maison Montalbán Hollywood, Los Angeles, Californie, États-Unis, 1985
Metropolitan Cathedral Managua, Nicaragua, 1993
Bibliothèque centrale San Antonio, Texas, États-Unis, 1995

AMANDA LEVETE (née en 1955) *voir* **JAN KAPLICKY**

ANTTI LOVAG (1920-2014) **p. 246-249**
Né de parents russo-scandinaves, élevé en Finlande, en Turquie et en Suède, Lovag étudie l'architecture navale à Stockholm avant de venir travailler à Paris avec Jean Prouvé. Il exerce aussi en Sardaigne avant de se consacrer à son cabinet dans le Sud de la France. Inspiré par la nature, il développe une approche de l'architecture caractéristique qui se concrétise dans une série de maisons organiques, futuristes et aux nombreuses courbes.

Principales réalisations
Maison Bernard Port-la-Galère, France, 1971
Maison Gaudet Tourette-sur-Loup, France, 1989

BERTHOLD LUBETKIN (1901-1990) **p. 80-83**
Né en Géorgie, Lubetkin fréquente d'abord une école d'art à Moscou au lendemain de la révolution d'Octobre, avant de poursuivre sa formation à Berlin puis à Paris. En 1931, il s'installe à Londres où il participe, l'année suivante, à la fondation du collectif Tecton. Parallèlement à une série de commandes pour des zoos, il réalise les immeubles d'appartements de Highpoint. Après la guerre, il se voit confier plusieurs programmes de logement social, avant de renoncer finalement à l'architecture par lassitude du conservatisme britannique.

Principales réalisations
Bassin des pingouins, zoo de Londres Regent Park, Londres, Grande-Bretagne, 1934
Highpoint I et II Highgate, Londres, Grande-Bretagne, 1935-1938

Zoo de Dudley West Midlands, Grande-Bretagne, 1937
Centre médical Finsbury, Londres, Grande-Bretagne, 1938

COLIN LUCAS (1906-1984) **p. 96-99**
Né dans une famille d'avant-garde, d'une mère compositrice et d'un père inventeur et industriel, Lucas fait ses études à Cambridge puis expérimente la construction en béton comme architecte-constructeur. En 1934, il s'associe à l'agence déjà constituée par les Néo-Zélandais Amyas Connell et Basil Ward. Leur collaboration ne durera que cinq ans mais marquera l'histoire de l'architecture anglaise. À travers une série de projets très innovants, le trio développe une brillante interprétation du Style international. Lucas rejoindra ensuite la direction de l'architecture du London County Council.

Principales réalisations
CONNELL, WARD & LUCAS
High and Over Amersham, Buckinghamshire, Grande-Bretagne, 1931
New Farm/The White House Haslemere, Surrey, Grande-Bretagne, 1933
Maison Noah Bourne End, Buckinghamshire, Grande-Bretagne, 1934
Maison en béton Westbury-on-Trym, Bristol, Grande-Bretagne, 1935
Greenside/Bracken Virginia Water, Surrey, Grande-Bretagne, 1936

EDWIN LUTYENS (1869-1944) **p. 32-35**
Né à Londres, Lutyens étudie l'architecture à la South Kensington School of Arts. Il fonde son agence en 1889 après avoir effectué son apprentissage chez Ernest George & Peto, architectes renommés pour leurs résidences secondaires. Son travail, influencé par Norman Shaw, William Morris et Philip Webb, l'amène à concevoir des demeures dans les styles Arts & Crafts et néoclassique. En Angleterre, il est surtout connu pour ses demeures grandioses bâties à la campagne et aussi pour la réalisation du Cénotaphe de Whitehall à Londres. À l'étranger, sa carrière se développe notamment à New Delhi, où il assure la réalisation de plusieurs bâtiments exceptionnels.

Principales réalisations
Munstead Wood Munstead, Godalming, Grande-Bretagne, 1896
Orchards Munstead, Godalming, Surrey, Grande-Bretagne, 1899
Les jardins de Deanery Sonning, Berkshire, Grande-Bretagne, 1902
Château Drogo Drewsteignton, Devon, Grande-Bretagne, 1930
Maison du vice-roi/Rashtrapati Bhavan New Delhi, Inde, 1931

CHARLES RENNIE MACKINTOSH
(1868-1928) **p. 40-43**
Né à Glasgow où son père est employé des services de police, Mackintosh y a passé l'essentiel de sa vie. Son style unique tire ses racines de l'Arts & Crafts — principalement des travaux de Voysey et Baillie Scott —, mais aussi de l'Art nouveau, des traditions écossaises et d'une modernité d'avant-garde. La majorité de ses réalisations à Glasgow ont été entreprises avec le cabinet d'architectes Honeyman & Keppie dont il devient l'associé. Il part s'installer en 1914 dans le Suffolk, puis à Londres et enfin en France où il continue à dessiner du mobilier et à peindre des aquarelles.

Principales réalisations
Windyhill Kilmacolm, Écosse, 1901
Salon de thé Willow Sauchiehall Street, Glasgow, Écosse, 1904
École de Scotland Street Glasgow, Écosse, 1906
École d'art de Glasgow Glasgow, Écosse, 1899/1909

LOUIS MAJORELLE (1859-1926) **p. 36-39**
Véritable artiste, Louis Majorelle a été l'un des principaux représentants du mouvement Art nouveau. Né à Nancy au sein d'une famille de fabricants de meubles, il y finit ses études initiales avant de partir pour Paris et à l'École des beaux-arts. Il revient dans sa ville natale à la mort de son père afin de reprendre l'entreprise familiale. Son fils, Jacques Majorelle, s'est illustré comme peintre et comme créateur des Jardins Majorelle à Marrakech.

HENRI SAUVAGE (1873-1932) **p. 36-39**
Fils d'un fabricant de papiers peints parisien, il fait ses études à l'École des beaux-arts de la capitale où il fait la connaissance du frère de Louis Majorelle. Il commence sa carrière en ouvrant une boutique de papiers peints. C'est à partir de 1896 qu'il se lance dans le dessin Art nouveau et qu'il entame une collaboration avec l'architecte Charles Sarazin qui le mènera notamment à concevoir de nombreux logements sociaux.

Principales réalisations
Villa Océana Biarritz, France, 1903
Villa Leuba/Villa Natacha Biarritz, France, 1908
Grand Hôtel Les Terrasses Le Tréport, France, 1909

ROBERT MALLET-STEVENS
(1886-1945) **p. 76-79**
Né à Paris, Mallet-Stevens est issu d'une riche famille de collectionneurs d'art. Il étudie à l'École spéciale d'architecture de Paris et aborde initialement le décor de cinéma et la décoration intérieure avant de s'adonner à l'architecture. Influencé par le style Art déco et travaillant essentiellement avec du béton armé, il se fait un nom à Paris avec les cinq maisons de la rue Mallet-Stevens. Sa réputation, toutefois, sera quelque peu sapée par sa volonté de faire détruire toutes ses archives après sa mort, mais il est aujourd'hui reconnu comme l'un des plus grands architectes français du XXe siècle.

Principales réalisations
Villa Paul Poiret Mézy-sur-Seine, France, 1924
Hôtels particuliers Rue Mallet-Stevens, Paris, France, 1927
Villa Cavrois Croix, France, 1932
Maison Barillet Paris, France, 1932
Caserne de pompiers de Passy Paris, France, 1935

RICHARD MEIER (né en 1934) **p. 214-217**
Né dans le New Jersey, Meier fait ses études à l'université Cornell. Il débute sa carrière dans le bureau de Marcel Breuer avant de fonder sa propre agence en 1963. Figure importante des « Cinq de New York », il se fait connaître par une série de maisons individuelles avant de s'orienter vers des projets plus importants — notamment des édifices culturels aux États-Unis et à l'étranger. La pureté des formes et l'utilisation saisissante de la lumière naturelle dans des structures blanches et précises caractérisent sa pratique architecturale.

Principales réalisations
Maison Smith Darien, Connecticut, États-Unis, 1967
High Museum of Art Atlanta, Géorgie, États-Unis, 1983
Musée des Arts décoratifs Francfort, Allemagne, 1985
Siège de Canal + Paris, France, 1992
Centre Getty Los Angeles, Californie, États-Unis, 1997

PAULO MENDES DA ROCHA
(né en 1928) **p. 198-201**
Né à Vitória au Brésil, Mendes da Rocha étudie à l'École universitaire d'architecture Mackenzie de São Paulo avant d'ouvrir son cabinet en 1955. Depuis lors, l'essentiel de son œuvre — résidentielle, culturelle ou commerciale — essaime dans toute la ville. Parfois assimilé au « brutalisme pauliste », le style de Mendes da Rocha met l'accent sur la monumentalité structurelle et l'ingénierie novatrice. L'architecte a également enseigné et donné des conférences, ainsi que dessiné de nombreux meubles et décors. Le Pritzker Prize lui a été décerné en 2006.

Principales réalisations
Club athlétique Paulistano São Paulo, Brésil, 1957
Maison Mendes da Rocha São Paulo, Brésil, 1960
Chapelle Saint-Pierre São Paulo, Brésil, 1987
Musée brésilien de la sculpture São Paulo, Brésil, 1988

LUDWIG MIES VAN DER ROHE
(1886-1969) **p. 136-141**
Né en Allemagne, Mies van der Rohe travaille notamment avec Peter Behrens avant d'ouvrir son cabinet à Berlin en 1912. Il devient directeur du Bauhaus pendant trois ans, avant sa fermeture en 1933. Il émigre aux États-Unis en 1938. Ses constructions réalisées selon la philosophie du *Less is more* (Moins, c'est plus) ont eu un énorme impact dans le monde et font de lui l'un des architectes et designers les plus influents et les plus innovants du XXe siècle.

Principales réalisations
Pavillon de Barcelone/Pavillon de la représentation allemande Barcelone, Espagne, 1929
Maison Tugendhat Brno, République tchèque, 1930
Palais des congrès Chicago, Illinois, États-Unis, 1954
Immeuble Seagram (avec Philip Johnson) New York, États-Unis, 1958
Neue Nationalgalerie Berlin, Allemagne, 1968

ERIC OWEN MOSS (né en 1943) **p. 264-267**
Après des études d'architecte à l'université de Californie et à Harvard, Moss ouvre son cabinet en 1973 à Culver City, un quartier de Los Angeles. Il a participé à de nombreux projets dans ce secteur autrefois industriel sous le parrainage des promoteurs Frederick et Laurie Samitaur Smith. Là et ailleurs, Moss a mis en pratique ses idées de déconstruction et de réinvention des formes dans des structures originales d'une grande fluidité auxquelles il ajoute des matériaux inattendus.

Principales réalisations
Maison Petal West Los Angeles, Californie, États-Unis, 1984
Bureau central de l'hébergement Université de Californie, Irvine, États-Unis, 1989
Immeuble The Box Culver City, Los Angeles, Californie, États-Unis, 1994
Immeuble Stealth Culver City, Los Angeles, Californie, États-Unis, 2001
Immeuble Beehive Culver City, Los Angeles, Californie, États-Unis, 2002

GLENN MURCUTT (né en 1936) **p. 280-283**
Chef de file des architectes et designers soucieux de l'environnement, Murcutt possède une renommée internationale, mais il continue à travailler dans son Australie natale. Ses réalisations inspirées des modernistes, notamment Chareau, Aalto et Mies van der Rohe, et de l'architecture rurale traditionnelle australienne, sont véritablement originales, toujours respectueuses du contexte et du site.

Principales réalisations
Maison de Marie Kempsey Nouvelle-Galles du Sud, Australie, 1975
Maison Magney Bingie Point, Nouvelle-Galles du Sud, Australie, 1984
Maison Marika-Alderton Yirrkala Community, Eastern Arnhem Land, Australie, 1994

RICHARD NEUTRA (1892-1970) **p. 110-113**
Né à Vienne, Neutra fait ses études à l'institut polytechnique de Vienne, avec Adolf Loos pour mentor, Otto Wagner pour inspirateur et Rudolph Schindler pour ami. Il émigre aux États-Unis en 1923 et s'installe à Los Angeles. Après une brève collaboration avec Frank Lloyd Wright, il travaille avec Schindler puis crée sa propre agence.

Principales réalisations
Maison Lovell (ou Health House) Los Angeles, Californie, États-Unis, 1929
Maison Miller Palm Springs, Californie, États-Unis, 1937
Maison Tremaine Montecito, Californie, États-Unis, 1948
Case Study n° 20 Pasadena, Californie, États-Unis, 1948

OSCAR NIEMEYER (1907-2012) **p. 142-145**
Né à Rio de Janeiro, Niemeyer fait ses études à l'Académie nationale des beaux-arts. De 1934 à 1938, il travaille avec Lúcio Costa et Le Corbusier sur la conception du siège du ministère de l'Éducation et de la Santé à Rio. À la fin des années cinquante, il est nommé architecte en chef de la nouvelle capitale administrative, Brasilia, et s'associe pleinement à la ville qu'il façonne. Il s'exile en France à la fin des années soixante, mais retournera au Brésil en 1982 pour continuer à enseigner et pratiquer l'architecture. Ses plus récents projets l'ont mené dans tous les coins du monde, et son œuvre a été récompensée du Pritzker Prize en 1988.

Principales réalisations
Ensemble Pampulha Minas Gerais, Brésil, 1940
Congrès national Brasilia, Brésil, 1958
Cathédrale de Brasilia Brasilia, Brésil, 1959
Musée d'Art contemporain de Niterói Rio de Janeiro, Brésil, 1996
Musée national et bibliothèque nationale Brasilia, Brésil, 2006

JOHN PAWSON (né en 1949) p. 240-245
Originaire du Yorkshire, Pawson effectue un voyage au Japon après avoir travaillé dans l'entreprise de textile familiale. À son retour d'Asie, il étudie à l'Architectural Association de Londres et ouvre son cabinet en 1981. Il travaille en collaboration avec Claudio Silvestrin de 1987 à 1989. John Pawson est considéré comme l'un des leaders du style minimaliste.

CLAUDIO SILVESTRIN (né en 1954) p. 240-245
Né en Italie, Silvestrin a étudié à Milan et à l'Architectural Association de Londres. Il ouvre son cabinet d'architecte en 1989, se partageant entre des commandes de particuliers et des projets internationaux de grande envergure, notamment des réalisations dans le monde entier pour le couturier Giorgio Armani.

Principales réalisations
JOHN PAWSON
Monastère Novy Dvur Touzim, République tchèque, 2004
Maison Baron Skåne, Suède, 2005
CLAUDIO SILVESTRIN
Musée d'Art contemporain Turin, Italie, 2002
Victoria Miro Private Collection Space Londres, Grande-Bretagne, 2006

PAUL PAGET (1901-1985) *voir* **JOHN SEELY**

AUGUSTE PERRET (1874-1954) p. 58-59
Fils d'un maçon, Perret naît à Ixelles en Belgique, près de Bruxelles. Sa famille emménage à Paris en 1881. Il étudie à l'École des beaux-arts sous la direction de Julien Guadet. Avec ses frères Gustave et Claude, il fonde l'entreprise de construction Perret Frères. Le Corbusier fut un de ses apprentis de 1908 à 1909. Parmi les premiers architectes français à employer le béton armé pour la construction, il développe pour ce matériau industriel des formes novatrices alliées à des proportions empruntées au néoclassicisme.

Principales réalisations
Immeuble de la rue Franklin Paris, France, 1904
Église Notre-Dame du Raincy Le Raincy, France, 1923
Atelier-résidence pour Georges Braque Paris, France, 1929
Musée des Travaux publics Paris, France, 1948
Église Saint-Joseph (et travaux de rénovation) Le Havre, France, 1956

ANTOINE PREDOCK (né en 1936) p. 268-273
Artiste autant qu'architecte, Predock a étudié la peinture avec Elaine de Kooning. Il a suivi les cours des universités du Nouveau-Mexique et de Columbia avant d'ouvrir son cabinet d'architecture en 1967. Il possède aujourd'hui des bureaux à Albuquerque, Los Angeles et Taipei. Il est connu pour ses réalisations au Nouveau-Mexique et dans les États désertiques américains, même s'il a travaillé dans des endroits plus éloignés.

Principales réalisations
Maison Zuber Phoenix, Arizona, États-Unis, 1989
Centre des beaux-arts Nelson Arizona State University, Tempe, États-Unis, 1989
Bibliothèque et musée de Las Vegas Las Vegas, Nevada, États-Unis, 1990
Centre américain du patrimoine Laramie, Wyoming, États-Unis, 1993
École élémentaire de Ventana Tucson, Arizona, États-Unis, 1994

EDWARD PRIOR (1857-1932) p. 44-47
Après des études à Harrow et Cambridge où il se distingue comme champion d'athlétisme, Prior fait son apprentissage auprès de son mentor, Norman Shaw, en 1874. Il s'établit comme architecte six ans plus tard. Outre ses capacités architecturales, c'est un érudit et un théoricien qui rédige des ouvrages sur l'art gothique et l'architecture qui font autorité. Il est le cofondateur de la Art Worker's Guild. Il occupera la chaire Slade des Beaux-Arts à Cambridge et fondera l'Institut d'architecture dans cette même université.

Principales réalisations
Henry Martyn Hall Cambridge, Grande-Bretagne, 1887
Église de Bothenhampton Bothenhampton, Dorset, Grande-Bretagne, 1889
The Barn Exmouth, Devon, Grande-Bretagne, 1896
École de médecine de Cambridge Cambridge, Grande-Bretagne, 1904
Église St Andrew Roker, Sunderland, Grande-Bretagne, 1906

JEAN PROUVÉ (1901-1984) p. 146-149
Designer, entrepreneur, fabricant, consultant en bâtiment, expert en ingénierie et maire de Nancy pendant un temps, Jean Prouvé a tout fait. Comme designer et concepteur d'immeubles et de mobilier, il est fasciné par les techniques d'industrialisation et de préfabrication. À la tête d'un bureau d'études, il dirige des ateliers où il fait réaliser ses propres projets. Architecte autodidacte, non diplômé, il travaille en collaboration avec des architectes et des ingénieurs qui lui permettent de concrétiser ses idées expérimentales : Le Corbusier, Oscar Niemeyer, Robert Mallet-Stevens, et également son frère Henri.

Principales réalisations
Maison du Peuple (avec Eugène Beaudouin et Marcel Lods) Clichy, France, 1939
Maisons tropicales (avec Henri Prouvé) Niamey, Niger et Brazzaville, Congo, 1949
Pavillon pour le centenaire de l'aluminium (avec Henri Hugonnet et Armand Copienne) Paris, France, 1954
Maison de l'abbé Pierre / Maison des jours meilleurs Paris, France, 1956
Buvette de la source Cachat (avec Maurice Novarina et Serge Ketoff) Évian-les-Bains, France, 1956

RICHARD ROGERS (né en 1933) p. 188-191
Né à Florence, Rogers passe son enfance à Londres. Il fait ses études à l'Architectural Association, puis à Yale sous l'enseignement de Serge Chermayeff, où il rencontre Norman Foster. En 1963, ils fondent ensemble l'agence d'architecture Team 4, qui sera vite dissoute. En 1971, il gagne, avec Renzo Piano, le concours pour construire le Centre Pompidou. En 1977, il fonde le Richard Rogers Partnership, aujourd'hui connu sous le nom de Rogers Stirk Harbour & Partners.

Principales réalisations
Centre Pompidou Paris, France, 1977
Lloyd's of London Londres, Grande-Bretagne, 1986
Dôme du Millénaire Londres, Grande-Bretagne, 1999
Assemblée nationale du Pays de Galles Cardiff, Pays de Galles, 2005
Aéroport de Madrid-Barajas Madrid, Espagne, 2005

EERO SAARINEN (1910-1961) p. 150-153
Né en Finlande, Saarinen s'établit aux États-Unis avec sa famille en 1923. Il étudie la sculpture à Paris, puis l'architecture à Yale. À partir de 1936, il collabore avec son père, tout en travaillant avec Charles Eames. En 1950, après le décès de son père, il fonde son propre bureau à

Bloomfield Hills, dans le Michigan. Sa mort soudaine et précoce laissera une série de projets inachevés, que termineront ses associés Kevin Roche et John Dinkeloo.

Principales réalisations
Auditorium et chapelle Kresge Institut de technologie de Cambridge, Massachusetts, États-Unis, 1955
Centre technique de General Motors (avec Smith, Hinchman & Grylls) Warren, Michigan, États-Unis, 1956
Terminal de Trans World Airlines (TWA) John F. Kennedy International Airport, New York, États-Unis, 1962
Église chrétienne du Nord Columbus, Indiana, États-Unis, 1963
Mémorial Jefferson de l'expansion nationale Saint-Louis, Missouri, États-Unis, 1968

ELIEL SAARINEN (1873-1950) p. 60-63
Né en Finlande, Saarinen y étudie les beaux-arts et l'architecture. Dans les premières années du XXe siècle, il travaille avec Herman Gesellius et Armas Lindgren sur de nombreux projets dans Helsinki, notamment la gare, et les villes alentour. Il conçoit aussi des meubles. Il émigre aux États-Unis en 1923 où il est bientôt rejoint par sa femme et ses deux enfants. La création de la Cranbrook Academy of Art, dont il devient le président en 1932, lui doit beaucoup. En 1938, il s'associe avec son fils Eero et réalise avec lui de nombreux bâtiments religieux.

Principales réalisations
Pavillon finlandais pour l'Exposition universelle Paris, France, 1900
Immeuble des assurances Pohjola Helsinki, Finlande, 1901
Hvitträsk Kirkkonummi, Finlande, 1902
Gare centrale Helsinki, Finlande, 1909
Musée national de Finlande Helsinki, Finlande, 1910

HENRI SAUVAGE (1873-1932) *voir* **LOUIS MAJORELLE**

RUDOLPH SCHINDLER (1887-1953) p. 56-57
Né à Vienne, Schindler suit les cours d'Otto Wagner et d'Adolf Loos avant d'émigrer en Amérique en 1914. Il travaille à Chicago pour Frank Lloyd Wright puis s'établit à Los Angeles en 1922. Pendant un temps, il collabore avec Richard Neutra, architecte autrichien lui aussi. Schindler réalisera principalement des maisons et des immeubles d'habitations conçus pour le climat californien, ouverts sur l'extérieur, avec une distribution et un agencement des pièces innovants.

Principales réalisations
Maison Lovell Newport Beach,
Los Angeles, Californie, États-Unis, 1926
Maison Wolfe Catalina Island, Californie,
États-Unis, 1929
Appartements de Pearl M. Mackey
Los Angeles, Californie, États-Unis, 1939
Église baptiste de Bethlehem
Los Angeles, Californie, États-Unis, 1944

SCOTT TALLON WALKER (fondé en
1960) p. 202-205
Ronald Tallon (1927-2014) étudie
l'architecture à l'université de Dublin, et
fonde en 1960 l'agence Scott Tallon Walker
avec Michael Scott (1905-1989) et Robin
Walker (1924-1991), qui deviendra l'un
des plus grands cabinets d'architecture
moderniste d'Irlande, avec ses bâtiments
commerciaux et industriels, ainsi que ses
maisons particulières et centres culturels.
La société continue de prospérer, avec
l'arrivée d'une nouvelle génération de
directeurs.

Principales réalisations
Église Knockanure Moyvane, Comté de
Kerry, Irlande, 1964
Usine de tabac Carroll Dundalk, Irlande,
1969
Clinique centrale de soins Clontarf,
Irlande, 1970
Maison Tallon Foxrock, Comté de Dublin,
Irlande, 1970

JOHN SEELY (1900-1963) &
PAUL PAGET (1901-1985) p. 84-87
Seely (qui prendra ensuite le titre de Lord
Mottistone) et Paget se rencontrent à
Trinity College (Cambridge). Ils fondent
leur agence en 1926 et obtiennent leurs
premières commandes grâce à leurs
relations dans la haute société. Ils se
spécialisent ensuite dans l'architecture
religieuse et se voient confier la
reconstruction des églises de Londres
endommagées par la guerre. Paget
deviendra architecte en chef de la
cathédrale de Saint Paul.

Principales réalisations
Chapelle de Bède-le-Vénérable Durham,
Comté de Durham, Grande-Bretagne, 1939
Église Sainte-Marie Islington, Londres,
Grande-Bretagne, 1955
**Église du grand prieuré de l'ordre
de Saint-Jean** Clerkenwell, Londres,
Grande-Bretagne, 1958
Église All Hallows-by-the-Tower City,
Londres, Grande-Bretagne, 1961

HARRY SEIDLER (1923-2006) p. 132-133
Après avoir fui l'Autriche pour l'Angleterre
au moment de l'Anschluss, il est ensuite
envoyé au Canada où il étudie l'architecture

à Winnipeg. Il poursuit ses études à
Harvard où il a pour professeur Walter
Gropius. Il a également étudié et travaillé
avec Josef Albers, Alvar Aalto, Marcel
Breuer et Oscar Niemeyer. En Australie, il
deviendra le chef de file du modernisme
australien qu'il déclinera en maisons
particulières, immeubles d'habitation, et
autres.

Principales réalisations
Tour Blues Point McMahons Point,
Sydney, Nouvelle-Galles du Sud, Australie,
1962
Maison de Harry et Penelope Seidler
Killara, Sydney, Nouvelle-Galles du Sud,
Australie, 1967
Tour Australia Square Central Business
District, Sydney, Nouvelle-Galles du Sud,
Australie, 1967
Centre civique de Waverley Waverley,
Victoria, Australie, 1984
Maison Berman Joadja, Nouvelle-Galles
du Sud, Australie, 1999

PATTI SHI (née en 1945) p. 348-351 *voir*
ERNESTO BEDMAR

KEN SHUTTLEWORTH (né en 1952)
p. 306-311
Né à Birmingham, Shuttleworth étudie
l'architecture à Leicester. Il intègre par la
suite le cabinet de Norman Foster, auquel il
s'associe en 1991 pour collaborer au siège
de la Swiss Re (surnommé « le cornichon »).
En 2004, il fonde son agence, Make, et
développe rapidement un portfolio très
diversifié de projets anglais ou étrangers,
caractérisés par une approche dynamique
et novatrice de la forme et de la structure.

Principales réalisations
**Siège de la Swiss Re (avec Foster
& Partners)** St Mary Axe, Londres,
Grande-Bretagne, 2004
Dojo de Dartford Dartford, Kent,
Grande-Bretagne, 2006
Centre d'information de St Paul Londres,
Grande-Bretagne, 2007
55 Baker Street Londres,
Grande-Bretagne, 2007
**Campus du Jubilé de l'université
de Nottingham** Nottingham,
Grande-Bretagne, 2008

CLAUDIO SILVESTRIN (né en 1954) *voir*
JOHN PAWSON

ALISON SMITHSON (1928-1993) &
PETER SMITHSON (1923-2003) p. 160-163
Nés respectivement à Sheffield et
Stockton-on-Tees, les deux architectes
se rencontrent à l'École d'architecture
de Newcastle. En 1948, ils ouvrent leur

agence, après avoir remporté leur première
commande avec le projet très remarqué de
l'école secondaire de Hunstanton, dans le
Norfolk. Personnalités originales au solide
franc-parler, les Smithson ont reçu en leur
temps autant de louanges pour le siège
de *The Economist* que d'opprobre pour le
grand ensemble de Robin Hood Gardens.
En tant que commissaires d'exposition
et critiques, leur nom reste étroitement
associé à l'essor du Pop Art anglais dans
les années soixante.

Principales réalisations
École secondaire de Hunstanton
Hunstanton, Norfolk, Grande-Bretagne,
1954
Maison du futur Exposition de la maison
idéale, Londres, Grande-Bretagne, 1956
Immeuble Economist Plaza Londres,
Grande-Bretagne, 1964
Grand ensemble Robin Hood Gardens
Poplar, Londres, Grande-Bretagne, 1972
Maison «des Sorcières» Lauenförde,
Allemagne, 2001

WERNER SOBEK (né en 1953) p. 336-337
Né à Aalen, en Allemagne, l'ingénieur en
bâtiment, architecte et designer Werner
Sobek étudie l'ingénierie et l'architecture
à l'université de Stuttgart. Il travaille
quatre ans chez les ingénieurs Schlaich,
Bergermann & Partner avant de fonder sa
propre société en 1992, à Stuttgart. Son
cabinet conçoit des projets indépendants
et collabore également avec de grandes
agences comme UNStudio, leur offrant
une expertise dans le domaine de la
construction civile. Sobek a expérimenté
les techniques de préfabrication. Il enseigne
actuellement à l'université de Stuttgart.

Principales réalisations
**Centre Sony (avec Murphy/Jahn
Architects)** Berlin, Allemagne, 2000
**Interbank Lima (avec Atelier
Hollein)** Lima, Pérou, 2000
**Musée Mercedes-Benz (avec
UNStudio)** Stuttgart, Allemagne, 2006
**Aéroport international de Bangkok (avec
Murphy/Jahn Architects)** Bangkok,
Thaïlande, 2006

EDUARDO SOUTO DE MOURA (né en
1952) p. 318-321
Né à Porto au Portugal, Souto de Moura
fait ses études aux Beaux-Arts. Dans les
années soixante-dix, il travaille avec Álvaro
Siza avant de fonder son cabinet en 1980.
Il enseigne à Porto et ailleurs, et continue
d'exercer dans sa ville natale, pour laquelle
il a conçu de nombreux bâtiments. Son
travail l'a mené dans toute la péninsule
Ibérique et dans divers endroits du monde.
Ses réalisations combinent de manière
très homogène les influences locales

traditionnelles avec une approche originale
et contemporaine des matériaux et de la
forme.

Principales réalisations
Maison Miramar Vila Nova de Gaia,
Portugal, 1991
Maison des Arts Porto, Portugal, 1991
**Hôtel du couvent Santa Maria do
Bouro** Amares, Portugal, 1997
Pavillon portugais Expo 98 Lisbonne,
Portugal, 1998
Stade de Braga Braga, Portugal, 2000

BASIL SPENCE (1907-1976) p. 156-159
Né en Inde, Spence étudie à Édimbourg
et à Londres. Il débute dans le cabinet
d'Edwin Lutyens puis ouvre sa propre
agence en Écosse — où ses premiers
projets trahissent l'influence du mouvement
Arts & Crafts — avant de servir dans
l'armée britannique pendant la Seconde
Guerre mondiale. Dans les années
quarante, il fonde l'agence Spence &
Partners, qui cultive un style résolument
moderniste et parfois brutaliste.

Principales réalisations
Maison Gribloch Kippen, Stirling, Écosse,
1939
Cathédrale de Coventry Coventry,
Grande-Bretagne, 1962
**Aile administrative du parlement
de Nouvelle-Zélande / The Beehive**
Wellington, Nouvelle-Zélande, 1964
Casernes de la cavalerie de Hyde Park
Londres, Grande-Bretagne, 1970

GIUSEPPE TERRAGNI (1904-1943) p. 88-89
Issu d'une famille de bâtisseurs, Terragni
étudie l'architecture à l'École polytechnique
de Milan et devient membre fondateur
du Gruppo 7 — un groupe d'architectes
rationalistes italiens. En 1927, il établit un
cabinet à Côme avec son frère ingénieur,
Attilio. Il s'associera à l'architecture
totalitaire du mouvement fasciste de
Mussolini avant d'être appelé sous les
drapeaux. Après avoir servi sur le front
russe, il revient chez lui et meurt chez sa
fiancée, à Côme.

Principales réalisations
**Immeubles d'habitation
Novocomum** Côme, Italie, 1927-1929
**Maison du Fascisme / Maison du
Peuple** Côme, Italie, 1936
**Maison pour un horticulteur / Maison
Amedeo Bianchi** Rebbio, Italie, 1937
Crèche Antonio Sant'Ellena Côme, Italie,
1937
**Maison du Fascisme / Maison du
Peuple** Lissone, Italie, 1939

O. M. UNGERS (1926-2007) p. 286-291
Né à Kaisersesch en Allemagne de l'Ouest, Ungers étudie l'architecture à Karlsruhe avant de créer son cabinet en 1950 à Cologne. Théoricien éminemment respecté, il a enseigné à Cornell University aux États-Unis de 1969 à 1975. Attiré autant par le classicisme que par le Bauhaus et le modernisme, il a dessiné de nombreux immeubles à l'influence néoclassique. Par la suite, il s'est graduellement dirigé vers une architecture faite d'abstraction et de pureté géométrique.

Principales réalisations
Maison Ungers I Cologne, Allemagne, 1959
Musée allemand d'architecture Francfort, Allemagne, 1984
Maison Cube Cologne, Allemagne, 1989
Bibliothèque régionale de Baden Karlsruhe, Allemagne, 1991
Musée Wallraf-Richartz Cologne, Allemagne, 2001

SIMON UNGERS (1957-2006) p. 260-263
Fils de l'architecte allemand O.M. Ungers, Simon Ungers emménage aux États-Unis dans les années soixante, suivant son père qui enseigne là-bas. Il étudie à la Cornell University. En 1981, il ouvre un cabinet, UKZ Designs avec deux associés avant de se lancer en solo en 1992. Il a aussi collaboré avec Tom Kinslow. Sculpteur et artiste tout autant qu'architecte, il a conçu des maisons qui se révèlent comme des structures abstraites dans un paysage.

Principales réalisations
Maison Hobbs Lansing, État de New York, États-Unis, 1982
Extension du domaine viticole Hermann J. Wiemer Dundee, État de New York, États-Unis, 1982
Résidence Knee Caldwell, New Jersey, États-Unis, 1984
Maison Cube Ithaca, État de New York, États-Unis, 2001

JØRN UTZON (1918-2008) p. 206-209
Fils d'un architecte naval, Utzon est né à Copenhague. Il fait ses études à l'Académie royale des beaux-arts, puis travaille avec Alvar Aalto en Finlande avant de fonder sa propre agence à Copenhague en 1945. En 1957, il gagne le concours pour l'Opéra de Sydney. Le projet, toutefois, fait l'objet de maintes controverses et Utzon démissionne en 1966 (le bâtiment sera classé au Patrimoine mondial en 2007). En 2003, il remporte le Pritzker Prize. Ses fils, Jan et Kim, ont aujourd'hui pris la relève au sein du cabinet Utzon Architects.

Principales réalisations
Banque Melli Téhéran, Iran, 1962
Opéra de Sydney Sydney, Australie, achevé en 1973
Église de Bagsværd Bagsværd, Danemark, 1976
Assemblée nationale Koweït City, Koweït, 1982

BEN VAN BERKEL (né en 1957) p. 322-323
Van Berkel étudie l'architecture à l'Académie Rietveld d'Amsterdam, tout en travaillant comme graphiste, ainsi qu'à l'Architectural Association de Londres. En 1988, il cofonde le cabinet Van Berkel & Bos Architectuur, qui deviendra UNStudio en 1999.

CAROLINE BOS (née en 1959) p. 322-323
Après avoir étudié l'histoire de l'art à Birkbeck, à Londres, Bos travaille comme journaliste, éditrice et écrivain. Elle cofonde Van Berkel & Bos, dont elle devient associée, critique et analyste.

Principales réalisations
Pont à bascule et Maison de pontier Purmerend, Pays-Bas, 1998
Musée Het Valkhof Nijmegen, Pays-Bas, 1999
Station électrique Innsbruck, Autriche, 2002
Villa NM Bethel New York, États-Unis, 2006
Musée Mercedes-Benz Stuttgart, Allemagne, 2006

ROBERT VENTURI (né en 1925) p. 164-165
Architecte, théoricien, écrivain et professeur, Venturi est né à Philadelphie et a fait ses études à l'université de Princeton. En 1960, il cofonde son agence, qui devient Venturi, Scott Brown & Associates après son mariage avec l'architecte Denise Scott Brown. Auteur d'une œuvre inclassable, Venturi est plus connu pour son approche architecturale résumée par la formule *Less is a bore* (« moins, c'est l'ennui », par opposition au *Less is more* de Mies van der Rohe), qui s'efforce de dépasser les canons parfois étroits du modernisme. Il a reçu le Pritzker Prize en 1991.

Principales réalisations
Aile Sainsbury, National Gallery Londres, Grande-Bretagne, 1991
Musée des Beaux-Arts Seattle, État de Washington, États-Unis, 1991
Musée d'Art contemporain San Diego, Californie, États-Unis, 1996
Hôtel du département de Haute-Garonne Toulouse, France, 1999

CHARLES F. A. VOYSEY (1857-1941) p. 48-51
Né dans le Yorkshire, Voysey fut éduqué à domicile par son père, un pasteur puritain, et par des précepteurs. Pris en apprentissage par l'architecte John Pollard Seddon en 1873, il travaille ensuite dans le cabinet de George Devey avant de s'établir en 1882. Il aura par la suite pour ami et voisin Edward Prior, pionnier du mouvement Arts & Crafts. Architecte de nombreuses maisons à la campagne et de petits cottages, Voysey est aussi concepteur et dessinateur de papiers peints, de textiles et de mobilier.

Principales réalisations
Perrycroft Colwall, Herefordshire, Grande-Bretagne, 1894
Norney Grange Shackleford, Surrey, Grande-Bretagne, 1897
Broadleys Windermere, Cumbria, Grande-Bretagne, 1898
The Orchard Chorleywood, Hertfordshire, Grande-Bretagne, 1899
Moor Crag Windermere, Cumbria, Grande-Bretagne, 1899

ISAY WEINFELD (né en 1952) p. 342-347
Né à São Paulo, Weinfeld a étudié l'architecture à la Mackenzie University puis ouvert son agence en 1973. Parmi ses nombreuses constructions, citons une série de maisons originales et influentes au Brésil ou encore ses collaborations avec l'hôtelier Rogério Fasano. Ses principales réalisations hôtelières comprennent l'étonnant Hotel Fasano à São Paulo (dont il a dressé les plans avec Marcio Kogan), suivies d'autres à Porto Feliz et à Punta del Este. Weinfeld a également livré des espaces commerciaux et culturels, de même que des immeubles d'habitation. Ces dernières années, les commandes internationales se sont multipliées, avec des appartements à New York et le nouveau restaurant Four Seasons du centre ville. Passionné de cinéma et de musique, Weinfeld est aussi cinéaste.

Principales constructions
Hotel Fasano (avec Marcio Kogan) São Paulo, Brésil, 2003
Casa Iporanga Guarujá, São Paulo, Brésil, 2006
Havaianas Store Rua Oscar Freire, São Paulo, Brésil, 2009
Fasano Las Piedras Punta del Este, Uruguay, 2011
Fazenda Boa Vista, Porto Feliz, Brésil, 2011

FRANK LLOYD WRIGHT (1867-1959) p. 100-105
Après des études de génie civil à l'université du Wisconsin, Wright s'installe à Chicago et entre chez Adler & Sullivan, l'agence de Louis Sullivan. Il fonde sa propre agence à l'âge de 26 ans et construit à Chicago une série de maisons dans le style Prairie, dont la plus marquante est la Maison Robie. Tout en s'inspirant de la tradition des Arts & Crafts et de certains traits de l'architecture japonaise, Wright s'affirme comme l'un des grands architectes d'avant-garde. Précurseur d'une approche typiquement américaine qui tire parti des matériaux et des technologies modernes pour créer des bâtiments sophistiqués en harmonie avec le paysage, il est reconnu comme l'un des pères fondateurs de l'architecture moderniste.

Principales réalisations
Maison de Frederick C. Robie Chicago, Illinois, États-Unis, 1909
Taliesin Spring Green, Wisconsin, États-Unis, 1911
Maison Hollyhock Los Angeles, Californie, États-Unis, 1920
Taliesin West Scottsdale, Arizona, États-Unis, 1938
Musée Solomon R. Guggenheim New York, État de New York, États-Unis, 1959

BIBLIOGRAPHIE

Lorsque, dans le texte de l'ouvrage, les citations n'ont pas de source particulière, elles sont en général extraites de la correspondance entre le client et son architecte ou d'entretiens avec l'un ou l'autre.

OUVRAGES GÉNÉRAUX

Andrews, Peter, *et al.*, *Le Musée de la maison*, Phaidon, 2001
Arieff, Allison et Bryan Burkhart, *Prefab*, Gibbs Smith, 2002
Barreneche, Raul A., *Modern House 3*, Phaidon, 2005
Betsky, Aaron, *Lignes d'horizon : l'architecture et son site*, Thames & Hudson, 2002
Boissière, Olivier, *Les Maisons du XXᵉ siècle*, Terrail, 1998
Bradbury, Dominic, *Mexico*, Conran Octopus, 2003
Bradbury, Dominic, *Les Nouvelles Maisons de campagne*, Seuil, 2005
Bradbury, Dominic, *Méditerranée moderne*, Thames & Hudson, 2007
Coquelle, Aline, *Palm Springs Style*, Assouline, 2005
Cygelman, Adèle, *Palm Springs Modern*, Rizzoli, 1999
Daguerre, Mercedes, *20 architetti per venti case*, Electa, 2002
Davey, Peter, *L'Architecture Arts & Crafts*, Mardaga, 1995
Davies, Colin, *100 maisons célèbres du XXᵉ siècle : plans, coupes et élévations*, Le Moniteur, 2007
Doordan, Dennis P., *Twentieth-Century Architecture*, Laurence King, 2001
Doubilet, Susan et Daralice Boles, *European House Now*, Thames & Hudson, 1999
Droste, Magdalena, *Bauhaus : 1919-1933, Réforme et avant-garde*, Taschen, 2006
Fiell, Charlotte & Peter, *Design du XXᵉ siècle*, Taschen, 1999
Frampton, Kenneth et David Larkin (dir.), *Grands architectes et maisons américaines du XXᵉ siècle*, Seuil, 1995
Futagawa, Yukio (ed.), *GA Houses Special : Masterpieces, 1945-1970*, GA/Edita, 2001
Futagawa, Yukio (ed.), *GA Houses Special : Masterpieces, 1971-2000*, GA/Edita, 2001
Glancey, Jonathan, *20th Century Architecture*, Carlton, 1998
Glancey, Jonathan, *Modern*, Mitchell Beazley, 1999
Gordon, Alastair, *Week-end Utopia : Modern Living in the Hamptons*, Princeton Architectural Press, 2001
Gössel, Peter et Gabriele Leuthäuser, *L'Architecture du XXᵉ siècle*, Taschen, 2005
Jodidio, Philip, *Contemporary American Architects, Vols I-IV*, Taschen, 1993-1998

Jodidio, Philip, *Architecture Now ! 3*, Taschen, 2004
Jodidio, Philip, *100 Contemporary Architects*, Taschen, 2008
Khan, Hasan-Uddin, *Le Style international : le modernisme dans l'architecture de 1925 à 1965*, Taschen, 1998
Melhuish, Clare, *Modern House 2*, Phaidon, 2000
Pearson, Clifford A. (ed.), *Modern American Houses*, Harry N. Abrams, 1996
Postiglione, Gennaro (ed.), *100 maisons pour 100 architectes*, Taschen, 2008
Powers, Alan, *Modern : The Modern Movement in Britain*, Merrell, 2005
Rattenbury, Kester, Rob Bevan et Kieran Long, *Architects Today*, Laurence King, 2004
Rybczynski, Witold, *Home : A Short History of an Idea*, Penguin, 1987
Smith, Elizabeth A. T., *Case Study Houses*, Taschen, 2006
Soane, James, *New Home*, Conran Octopus, 2003
Street-Porter, Tim, *The Los Angeles House*, Thames & Hudson, 1995
Sudjic, Deyan, *Home : The Twentieth-Century House*, Laurence King, 1999
Thiel-Siling, Sabine (ed.), *Icons of Architecture : The 20th Century*, Prestel, 2005
Tinniswood, Adrian, *The Art Deco House*, Mitchell Beazley, 2002
Watkin, David, *Histoire de l'architecture occidentale*, Könemann, 2001
Webb, Michael, *Architects House Themselves*, Preservation Press, 1994
Welsh, John, *Modern House*, Phaidon, 1995
Weston, Richard, *Maisons célèbres du XXᵉ siècle*, Hazan, 2005
Weston, Richard, *100 bâtiments célèbres du XXᵉ siècle : plans, coupes et élévations*, Le Moniteur, 2004

ALVAR AALTO

Pallasmaa, Juhani (ed.), *Alvar Aalto : Villa Mairea 1938-1939*, Fondation Alvar Aalto / Fondation Mairea, 1998
Pallasmaa, Juhani, et Tomoko Sato (eds.), *Alvar Aalto Through the Eyes of Shigeru Ban*, Black Dog Publishing, 2007
Weston, Richard, *Villa Mairea : Alvar Aalto*, Phaidon, 2002

HITOSHI ABE

Abe, Hitoshi, *Hitoshi Abe*, Toto Shuppan, 2005

DAVID ADJAYE

Allison, Peter (ed.), *David Adjaye : Houses*, Thames & Hudson, 2005
Allison, Peter (ed.), *David Adjaye : Making Public Buildings*, Thames & Hudson, 2006

TADAO ANDO

Ando, Tadao, *Tadao Ando : Houses & Housing*, Toto Shuppan, 2007
Furuyama, Masao, *Tadao Ando*, Taschen, 2006
Pare, Richard, *Tadao Ando : The Colours of Light*, Phaidon, 1996

SHIGERU BAN

Ambasz, Emilio et Shigeru Ban, *Shigeru Ban*, Laurence King, 2001
McQuaid, Matilda, *Shigeru Ban*, Phaidon, 2003

LUIS BARRAGÁN

Barragán, Luis et René Burri, *Luis Barragán*, Phaidon, 2000
Zanco, Federica (ed.), *Luis Barragán : The Quiet Revolution*, Skira, 2001

GEOFFREY BAWA

Bon, Christoph, *et al.*, *Lunuganga*, Marshall Cavendish Editions, 2007
Robson, David, *Geoffrey Bawa : The Complete Works*, Thames & Hudson, 2002
Robson, David, *Beyond Bawa : Modern Masterworks of Monsoon Asia*, Thames & Hudson, 2007
Taylor, Brian Brace, *Geoffrey Bawa*, Thames & Hudson, 1986

ERNESTO BEDMAR

Smyth, Darlene, *5 in Five*, Thames & Hudson, 2011
Smyth, Darlene, *Bedmar & Shi : The Bali Villas*, Thames & Hudson, 2013

MARIO BOTTA

Pizzi, Emilio (ed.), *Mario Botta : The Complete Works Vol. 1 : 1960-1985*, Artemis, 1993
Sakellaridou, Irena, *Mario Botta : Architectural Poetics*, Thames & Hudson, 2000

MARCEL BREUER

Cobbers, Arnt, *Marcel Breuer*, Taschen, 2007
Driller, Joachim, *Breuer Houses*, Phaidon, 2000

RICHARD BUCKMINSTER FULLER

Gorman, Michael John, *Buckminster Fuller : Designing for Mobility*, Skira, 2005
Hays, K. Michael et Dana A. Miller, *Buckminster Fuller : Starting with the Universe*, Whitney Museum of Art, 2008

ALBERTO CAMPO BAEZA

Pizza, Antonio, *Alberto Campo Baeza : Works and Projects*, Gustavo Gili, 1999

PIERRE CHAREAU

Taylor, Brian Brace, *Pierre Chareau : Designer and Architect*, Taschen, 1992
Vellay, Dominique, *La Maison de Verre : Pierre Chareau's Modernist Masterwork*, Thames & Hudson, 2007

SERGE CHERMAYEFF

Powers, Alan, *Serge Chermayeff : Designer, Architect, Teacher*, Riba, 2001

DENTON CORKER MARSHALL

Beck, Haig, *et al.*, *Denton Corker Marshall : Rule Playing and the Ratbag Element*, Birkhäuser, 2000
Schaik, Leon van, *Denton Corker Marshall : Non-Fictional Narratives*, Birkhäuser, 2008

CHARLES CORREA

Correa, Charles et Kenneth Frampton, *Charles Correa*, Thames & Hudson, 1997
Correa, Charles, *Charles Correa : Housing & Urbanization*, Thames & Hudson, 2000

CHARLES ET RAY EAMES

Koenig, Gloria, *Charles & Ray Eames*, Taschen, 2005
Neuhart, Marilyn et John, *Eames House*, Ernst & Sohn, 1994
Steele, James, *Eames House : Charles and Ray Eames*, Phaidon, 1994

PETER EISENMAN

Davidson, Cynthia (ed.), *Tracing Eisenman*, Thames & Hudson, 2006
Frank, Suzanne, *Peter Eisenman's House VI : The Client's Response*, Whitney Library of Design, 1994

CRAIG ELLWOOD

Jackson, Neil, *Craig Ellwood*, Laurence King, 2002
McCoy, Esther, *Craig Ellwood : Architecture*, Alfier, 1968
Vacchini, Livio, *et al.*, *Craig Ellwood : 15 Houses*, 2G/Gustavo Gili, 1999

JOSEPH ESHERICK

Lyndon, Donlyn et Jim Alinder, *The Sea Ranch*, Princeton Architectural Press, 2004

ALBERT FREY
Golub, Jennifer, *Albert Frey : Houses 1 + 2*, Princeton Architectural Press, 1999
Koenig, Gloria, *Albert Frey*, Taschen, 2008
Rosa, Joseph, *Albert Frey : Architect*, Rizzoli, 1990

FUTURE SYSTEMS
Field, Marcus, *Future Systems*, Phaidon, 1999
Sudjic, Deyan, *Future Systems*, Phaidon, 2006

ANTONI GAUDÍ
Crippa, Maria Antonietta, *Antoni Gaudí*, Taschen, 2007

FRANK GEHRY
Dal Co, Francesco et Kurt W. Forster, *Frank O. Gehry : The Complete Works*, Monacelli Press, 1998
Ragheb, J. Fiona, *Frank Gehry : Architect*, Guggenheim Museum, 2001
Steele, James, *Schnabel House : Frank Gehry*, Phaidon, 1993

SEAN GODSELL
Schaik, Leon van, *Sean Godsell*, Phaidon, 2005

EILEEN GRAY
Constant, Caroline, *Eileen Gray*, Phaidon, 2000

GREENE & GREENE
Arntzenius, Linda G., *The Gamble House*, University of Southern California School of Architecture, 2000
Bosley, Edward R., *Gamble House : Greene & Greene*, Phaidon, 1992
Bosley, Edward R., *Greene & Greene*, Phaidon, 2000
Smith, Bruce et Alexander Vertikoff, *Greene & Greene : Master Builders of the American Arts & Crafts Movement*, Thames & Hudson, 1998

WALTER GROPIUS
Lupfer, Gilbert et Paul Sigel, *Walter Gropius*, Taschen, 2006

CHARLES GWATHMEY
Breslow, Kay, *Charles Gwathmey & Robert Siegel : Residential Works, 1966-1977*, Architectural Book Publishing Company, 1977

AGUSTÍN HERNÁNDEZ
Mereles, Louise Noelle, *Agustín Hernández*, Gustavo Gili, 1995

HERZOG ET DE MEURON
Mack, Gerhard, *Herzog & de Meuron : 1992-1996*, Birkhäuser, 2000
Wang, Wilfried, *Herzog & de Meuron*, Birkhäuser, 1992

JOSEF HOFFMANN
Sarnitz, August, *Josef Hoffmann*, Taschen, 2007

STEVEN HOLL
Frampton, Kenneth, *Steven Holl : Architect*, Electa, 2002
Garofalo, Francesco, *Steven Holl*, Thames & Hudson, 2003

MICHAEL HOPKINS
Davies, Colin, Patrick Hodgkinson et Kenneth Frampton, *Hopkins : The Work of Michael Hopkins & Partners*, Phaidon, 1995
Donati, Cristina, *Michael Hopkins*, Skira, 2006

RICHARD HORDEN
Horden, Richard, *Micro Architecture : Lightweight, Mobile and Ecological Buildings for the Future*, Thames & Hudson, 2008

ARNE JACOBSEN
Faber, Tobias, *Arne Jacobsen*, Alec Tiranti, 1964
Solaguren-Beascoa, Félix, *Arne Jacobsen : Works and Projects*, Gustavo Gili, 1989
Solaguren-Beascoa, Félix, *Arne Jacobsen : Approach to His Complete Works, 1926-1949*, Danish Architectural Press, 2002

PHILIP JOHNSON
Dunn, Dorothy, *The Glass House*, Assouline, 2008
Fox, Stephen, *et al.*, *The Architecture of Philip Johnson*, Bulfinch, 2002
Whitney, David et Jeffrey Kipnis (eds.), *Philip Johnson : The Glass House*, Pantheon Books, 1993

LOUIS KAHN
McCarter, Robert, *Louis I. Kahn*, Phaidon, 2005
Rosa, Joseph, *Louis I. Kahn*, Taschen, 2006

MATHIAS KLOTZ
Adrià, Miquel, *Mathias Klotz : Architecture and Projects*, Electa, 2005

PIERRE KOENIG
Jackson, Neil, *Pierre Koenig*, Taschen, 2007
Steele, James et David Jenkins, *Pierre Koenig*, Phaidon, 1998

REM KOOLHAAS
Koolhaas, Rem (ed.), *Content*, Taschen, 2004
Koolhaas, Rem, *New York délire*, Parenthèses, 2002
Koolhaas, Rem et Bruce Mau, *S,M,L,XL*, 010 Publishers, 1995

KENGO KUMA
Alini, Luigi, *Kengo Kuma : Works and Projects*, Electa, 2005
Casamonti, Marco (ed.), *Kengo Kuma*, Motta Architettura, 2007

TOM KUNDIG
Kundig, Tom, *Houses 2*, Princeton Architectural Press, 2011
Kundig, Tom, *Works*, Princeton Architectural Press, 2015

CARL LARSSON
Segerstad, Ulf Hård af, *Carl Larsson's Home*, Addison-Wesley, 1978
Snodin, Michael et Elisabet Stavenow-Hidemark (eds.), *Carl and Karin Larsson : Creators of the Swedish Style*, V&A Publications, 1997

JOHN LAUTNER
Campbell-Lange, Barbara-Ann, *John Lautner*, Taschen, 2005
Escher, Frank (ed.), *John Lautner : Architect*, Artemis, 1994
Hess, Alan, *The Architecture of John Lautner*, Thames & Hudson, 1999

LE CORBUSIER
Cohen, Jean-Louis, *Le Corbusier*, Taschen, 2006
Jenger, Jean, *Le Corbusier, un autre regard*, Connivences, 1990
Kries, Mateo, *et al.* (eds.), *Le Corbusier : The Art of Architecture*, Vitra Design Museum, 2007
Sbriglio, Jacques, *Le Corbusier : La Villa Savoye*, Birkhäuser, 2008

RICARDO LEGORRETA
Mutlow, John V., *Ricardo Legorreta Architects*, Rizzoli, 1997

BERTHOLD LUBETKIN
Allan, John, *Berthold Lubetkin*, Merrell, 2002
Reading, Malcolm et Peter Coe, *Lubetkin and Tecton, An Architectural Study*, Triangle Architectural Publishing, 1992

COLIN LUCAS
Sharp, Dennis et Sally Rendel, *Connell, Ward & Lucas : Modern Movement Architects in England 1929-1939*, Frances Lincoln, 2008

EDWIN LUTYENS
Edwards, Brian, *Goddards : Sir Edwin Lutyens*, Phaidon, 1996

CHARLES RENNIE MACKINTOSH
Macaulay, James, *Hill House, Charles Rennie Mackintosh*, Phaidon, 1994

CURZIO MALAPARTE
Talamona, Marida, *Casa Malaparte*, Princeton Architectural Press, 1992

ROBERT MALLET-STEVENS
Deshoulières, Dominique, *et al.* (dir.), *Rob Mallet-Stevens : Architecte*, Archives d'Architecture Moderne, 1981
Pinchon, Jean-François (ed.), *Rob Mallet-Stevens : Architecture, Furniture, Interior Design*, MIT Press, 1990
Briolle, Cécile, *et al.*, *La Villa Noailles, Mallet-Stevens*, Parenthèses, 1990

RICHARD MEIER
Goldberger, Paul et Joseph Giovannini, *Richard Meier : Houses and Apartments*, Rizzoli, 2007

KONSTANTIN MELNIKOV
Fosso, Mario, *et al.*, *Konstantin S. Melnikov and the Construction of Moscow*, Skira, 2000
Starr, S. Frederick, *Melnikov : Solo Architect in a Mass Society*, Princeton University Press, 1978

PAULO MENDES DA ROCHA
Artigas, Rosa (ed.), *Paulo Mendes da Rocha : Projects 1957-2007*, Rizzoli, 2007
Montaner, Josep et Maria Isabel Villac, *Mendes da Rocha*, Gustavo Gili, 1996

LUDWIG MIES VAN DER ROHE
Vandenberg, Maritz, *Farnsworth House : Mies van der Rohe*, Phaidon, 2003
Zimmerman, Claire, *Mies van der Rohe*, Taschen, 2006

ERIC OWEN MOSS
Collins, Brad (ed.), *Eric Owen Moss : Buildings and Projects 2*, Rizzoli, 1996
Giaconia, Paola, *Eric Owen Moss : The Uncertainty of Doing*, Skira, 2006
Steele, James, *Eric Owen Moss : Lawson-Westen House*, Phaidon, 1993

GLENN MURCUTT
Beck, Haig et Jackie Cooper, *Glenn Murcutt : A Singular Architectural Practice*, Images Publishing Group, 2002
Frampton, Kenneth, *et al.*, *Glenn Murcutt, Architect*, 01 Editions, 2006
Fromonot, Françoise, *Glenn Murcutt : Projets et réalisations, 1962-2003*, Gallimard, 2003

RICHARD NEUTRA
Hines, Thomas S., *Richard Neutra and the Search for Modern Architecture*, Rizzoli, 2005
Lamprecht, Barbara, *Richard Neutra*, Taschen, 2006

OSCAR NIEMEYER
Andreas, Paul et Ingeborg Flagge, *Oscar Niemeyer : A Legend of Modernism*, Birkhäuser, 2003
Hess, Alan et Alan Weintraub, *Les Maisons d'Oscar Niemeyer Houses*, Actes Sud, 2007

JOHN PAWSON & CLAUDIO SILVESTRIN
Pawson, John, *John Pawson*, Gustavo Gili, 1998
Silvestrin, Claudio, *et al.*, *Claudio Silvestrin*, Birkhäuser, 1999

AUGUSTE PERRET
Britton, Karla, *Auguste Perret*, Phaidon, 2001
Cohen, Jean-Louis, *et al.*, *Encyclopédie Perret*, Monum, 2002

ANTOINE PREDOCK
Collins, Brad et Juliette Robbins (eds.), *Antoine Predock : Architect*, Rizzoli, 1994
Predock, Antoine, *Turtle Creek House*, Monacelli Press, 1998

JEAN PROUVÉ
Peters, Nils, *Jean Prouvé*, Taschen, 2006
Prouvé, Catherine et Catherine Coley, *Jean Prouvé*, Galerie Patrick Seguin, 2008
Vegstack, Alexander von, *Jean Prouvé : The Poetics of Technical Objects*, Vitra Design Museum, 2004

GERRIT RIETVELD
Mulder, Bertus et Ida van Zijl, *Rietveld Schröder House*, Princeton Architectural Press, 1999
Overy, Paul, *et al.*, *The Rietveld Schröder House*, Butterworth, 1988
Zijl, Ida van et Marijke Kuper, *Gerrit Rietveld : The Complete Works*, Centraal Museum Utrecht, 1993

RICHARD ROGERS
Powell, Kenneth, *Richard Rogers : Complete Works*, 3 vol., Phaidon, 1999-2006

PAUL RUDOLPH
Alba, Roberto de, *Paul Rudolph : The Late Work*, Princeton Architectural Press, 2003
Domin, Christopher et Joseph King, *Paul Rudolph : The Florida Houses*, Princeton Architectural Press, 2002
Monk, Tony, *The Art and Architecture of Paul Rudolph*, Wiley-Academy, 1999
Rudolph, Paul et Sibyl Moholy-Nagy, *The Architecture of Paul Rudolph*, Thames & Hudson, 1970

EERO SAARINEN
Merkel, Jayne, *Eero Saarinen*, Phaidon, 2005
Serraino, Pierluigi, *Eero Saarinen*, Taschen, 2006

HENRI SAUVAGE
Loyer, François et Hélène Guéné, *Henri Sauvage : Les Immeubles à gradins*, Mardaga, 1987
Minnaert, Jean-Baptiste, *Henri Sauvage*, Norma, 2002

CARLO SCARPA
Beltramini, Guido et Italo Zannier, *Carlo Scarpa : Architecture Atlas*, Centro Internazionale di Studi di Architettura Andrea Palladio, 2006
Dal Co, Francesco, *Carlo Scarpa, Villa Ottolenghi*, Mondadori Electa, 2007
Los, Sergio, *Carlo Scarpa : An Architectural Guide*, Arsenale Editrice, 1995

RUDOLPH SCHINDLER
March, Lionel et Judith Sheine (eds.), *R. M. Schindler : Composition and Construction*, Academy Editions, 1993
Noever, Peter, *Schindler by MAK*, Prestel, 2005
Sheine, Judith, *R. M. Schindler*, Phaidon, 2001
Smith, Kathryn, *Schindler House*, Harry N. Abrams, 2001
Steele, James, *R. M. Schindler*, Taschen, 1999

SCOTT TALLON WALKER
O'Regan, John (ed.), *Scott Tallon Walker Architects : 100 Buildings and Projects, 1960-2005*, Gandon Editions, 2006

HARRY SEIDLER
Frampton, Kenneth et Philip Drew, *Harry Seidler : Four Decades of Architecture*, Thames & Hudson, 1992
Seidler, Harry, *Harry Seidler, 1955-1963 : Houses, Buildings and Projects*, Horwitz Publications, 1964
Sharp, Dennis, *Harry Seidler : Selected and Current Works*, Images Publishing Group, 1997

ALISON ET PETER SMITHSON
Heuvel, Dirk van den et Max Risselada, *Alison and Peter Smithson : From the House of the Future to a House of Today*, 010 Publishers, 2004

EDUARDO SOUTO DE MOURA
Blaser, Werner, *Eduardo Souto de Moura : Stein Element Stone*, Birkhäuser, 2003
Esposito, Antonio et Giovanni Leoni, *Eduardo Souto de Moura*, Electa, 2003
Wang, Wilfried et Álvaro Siza, *Souto de Moura*, Gustavo Gili, 1990

BASIL SPENCE
Edwards, Brian, *Basil Spence : 1907-1976*, Rutland Press, 1995
Long, Philip et Jane Thomas (eds.), *Basil Spence : Architect*, National Galleries of Scotland, 2007

GIUSEPPE TERRAGNI
Schumacher, Thomas L., *Surface and Symbol : Giuseppe Terragni and the Architecture of Italian Rationalism*, Princeton Architectural Press, 1991
Terragni, Attilio, Daniel Libeskind et Paolo Rosselli, *The Terragni Atlas : Built Architecture*, Skira, 2004
Zevi, Bruno, *Giuseppe Terragni*, Triangle Architectural Publishing, 1989

O. M. UNGERS
Crespi, Giovanna (ed.), *Oswald Mathias Ungers : Works and Projects, 1991-1998*, Electa, 1998
Kieren, Martin, *Oswald Mathias Ungers*, Artemis, 1994
Lepik, Andres, *O. M. Ungers : Cosmos of Architecture*, Hatje Cantz, 2006

SIMON UNGERS
Urbach, Henry, *Simon Ungers*, 2G/GG Portfolio, 1998

UNSTUDIO
Berkel, Ben van et Caroline Bos, *UNStudio : Design Models*, Thames & Hudson, 2006
Betsky, Aaron, *UNStudio*, Taschen, 2007

USHIDA FINDLAY
Ostwald, Michael J., *Ushida Findlay*, 2G/GG Portfolio, 1997

JØRN UTZON
Møller, Henrik Sten et Vibe Udsen, *Jørn Utzon Houses*, Living Architecture, 2007
Pardey, John, *Jørn Utzon Logbook Vol. III : Two Houses on Majorca*, Bløndal, 2004

ROBERT VENTURI
Schwartz, Frederic (ed.), *Mother's House : The Evolution of Vanna Venturi's House in Chestnut Hill*, Rizzoli, 1992

CHARLES VOYSEY
Hitchmough, Wendy, *The Homestead : C. F. A. Voysey*, Phaidon, 1994

OTTO WAGNER
Sarnitz, August, *Otto Wagner*, Taschen, 2005

ISAY WEINFELD
Barrenche, Raul A., *Isay Weinfeld*, BEI, 2012

FRANK LLOYD WRIGHT
McCarter, Robert, *Fallingwater : Frank Lloyd Wright*, Phaidon, 1994
Meehan, Patrick J. (ed.), *The Master Architect : Conversations with Frank Lloyd Wright*, Wiley, 1984
Pfeiffer, Bruce Brooks, *Frank Lloyd Wright*, Taschen, 2000

INFORMATIONS PRATIQUES

Voici, présentées dans cette liste, les adresses des maisons ouvertes aux visiteurs.

Les conditions d'accueil variant considérablement d'une maison à l'autre, il est conseillé de téléphoner ou d'envoyer un courriel avant la visite.

Les maisons présentées dans ce livre ne figurant pas dans la liste ci-contre sont strictement privées et fermées au public.

ALVAR AALTO
VILLA MAIREA
UNIQUEMENT SUR RENDEZ-VOUS
Noormarkku
Finlande
Tél. : + 358 10 888 4460
Courriel : info@villamairea.fi
www.alvaraalto.fi

MACKAY HUGH BAILLIE SCOTT
BLACKWELL
Bowness-on-Windermere
Cumbria LA23 3JT
Grande-Bretagne
Tél. : + 44 (0)15394 46139
Courriel : info@blackwell.org.uk
www.blackwell.org.uk

GEOFFREY BAWA
LUNUGANGA
Lunuganga Trust
Dedduwa Lake
Bentota
Sri Lanka
Tél. : + 94 11 4337335 / + 94 34 4287056
www.geoffreybawa.com

RICHARD BUCKMINSTER FULLER
MAISON WICHITA
The Henry Ford Museum
20900 Oakwood Boulevard
Dearborn, MI 48124
États-Unis
Tél. : + 1 313 982 6001
www.hfmgv.org

CHARLES et RAY EAMES
MAISON EAMES / CASE STUDY N° 8
UNIQUEMENT SUR RENDEZ-VOUS
Eames Foundation
203 Chautauqua Boulevard
Pacific Palisades
Los Angeles, CA 90272
États-Unis
Tél. : + 1 310 459 9663
Courriel : info@eamesfoundation.org
www.eamesfoundation.org

ALBERT FREY
MAISON FREY II
UNIQUEMENT SUR RENDEZ-VOUS
Palm Springs Art Museum
101 Museum Drive
Palm Springs, CA 92262
États-Unis
Tél. : + 1 760 322 4800
Courriel : info@psmuseum.org
www.psmuseum.org

GREENE & GREENE
MAISON GAMBLE
4 Westmoreland Place
Pasadena, CA 91103
États-Unis
Tél. : + 1 626 793 3334
Courriel : gamblehs@usc.edu
www.gamblehouse.org

WALTER GROPIUS
MAISON GROPIUS
National Historic Landmark
68 Baker Bridge Road
Lincoln, MA 01773
États-Unis
Tél. : + 1 781 259 8098
Courriel : GropiusHouse@
HistoricNewEngland.org
www.historicnewengland.org

VICTOR HORTA
HÔTEL SOLVAY
UNIQUEMENT SUR RENDEZ-VOUS
224, avenue Louise
1050 Bruxelles
Belgique
Tél. : + 32 2 640 56 45
Courriel : galeriewittamer@swing.be
www.hotelsolvay.be

PHILIP JOHNSON
MAISON DE VERRE
National Trust for Historic Preservation
199 Elm Street
New Canaan, CT 06840
États-Unis
Tél. : + 1 866 811 4111
www.philipjohnsonglasshouse.org

CARL LARSSON
LILLA HYTTNÄS / MAISON LARSSON
SE-790 15 Sundborn
Suède
Tél. : + 46 023 600 53
Courriel : info@clg.se
www.carllarsson.se

LE CORBUSIER
VILLA SAVOYE
Fondation Le Corbusier
82, rue de Villiers
78300 Poissy
France
Tél. : + 33 (0)1 39 65 01 06
www.fondationlecorbusier.asso.fr
www.monuments-nationaux.fr

EDWIN LUTYENS
GODDARDS
UNIQUEMENT SUR RENDEZ-VOUS
Lutyens Trust
Abinger Common
Surrey RH5 6JL
Grande-Bretagne
Tél. : + 44 (0)1306 730 871
www.lutyenstrust.org.uk
www.landmarktrust.org.uk

CHARLES RENNIE MACKINTOSH
HILL HOUSE
National Trust for Scotland
Upper Colquhoun Street
Helensburgh G84 9AJ
Écosse
Tél. : + 44 (0)844 4932208
www.nts.org.uk

ROBERT MALLET-STEVENS
VILLA NOAILLES
Montée de Noailles
83400 Hyères
France
Tél. : + 33 (0)4 98 08 01 98
Courriel : contact@villanoailles-hyeres.com
www.villanoailles-hyeres.com

LUDWIG MIES VAN DER ROHE
MAISON FARNSWORTH
National Trust for Historic Preservation
14520 River Road
Plano, IL 60545
États-Unis
Tél. : + 1 630 552 0052
www.farnsworthhouse.org

JUAN O'GORMAN
MAISON-ATELIER RIVERA/KAHLO
Calle Diego Rivera 2, at Avenida Altavista
San Ángel
Mexico City
Mexique

EDWARD PRIOR
VOEWOOD
UNIQUEMENT SUR RENDEZ-VOUS
Cromer Road
High Kelling
Norfolk NR25 6QS
Grande-Bretagne
Tél. : + 44 (0)1263 713029
Courriel : voewood@simonfinch.com
www.voewood.com

GERRIT RIETVELD
MAISON SCHRÖDER
UNIQUEMENT SUR RENDEZ-VOUS
Centraal Museum
Prins Hendriklaan 50
Utrecht 3583EP
Pays-Bas
Tél. : + 31 30 2362 310
Courriel : rhreserveringen@
centraalmuseum.nl
www.rietveldschroderhuis.nl
www.centraalmuseum.nl

ELIEL SAARINEN
MAISON SAARINEN
Cranbrook Art Museum
39221 Woodward Avenue
Bloomfield Hills, MI 48303
États-Unis
Tél. : + 1 248 645 3361
Courriel : ArtMuseum@cranbrook.edu
www.cranbrook.edu/

HENRI SAUVAGE ET LOUIS MAJORELLE
VILLA MAJORELLE
1, rue Louis Majorelle
54000 Nancy
France
Tél. : + 33 (0)3 83 40 14 86
Courriel : ecole-de-nancy@id-net.fr
www.mairie-nancy.fr/culturelle/musee/html/
majorelle.php

RUDOLPH SCHINDLER
MAISON SCHINDLER
MAK Center
835 North Kings Road
West Hollywood, CA 90069
États-Unis
Tél. : + 1 323 651 1510
Courriel : office@makcenter.org
www.makcenter.org

SEELY & PAGET
PALAIS D'ELTHAM
English Heritage
Court Yard Eltham
Greenwich
London SE9 5QE
Grande-Bretagne
Tél. : + 44 (0)20 8294 2548
www.elthampalace.org.uk
www.englishheritage.org.uk

HARRY SEIDLER
MAISON ROSE SEIDLER
Historic Houses Trust
71 Clissold Road
Wahroonga, NSW 2076
Australie
Tél. : + 61 (0)2 9989 8020
www.hht.net.au/museums/rose_seidler_
house

FRANK LLOYD WRIGHT
MAISON SUR LA CASCADE
(FALLINGWATER)
Western Pennsylvania Conservancy
1491 Mill Run Road
Mill Run, PA 15464
États-Unis
Tél. : + 1 724 329 8501
www.fallingwater.org
www.paconserve.org

ART DÉCO

Eliel Saarinen, Maison Saarinen, Cranbrook, Bloomfield Hills, Michigan, États-Unis, 1930 **60**

Seely et Paget, Palais d'Eltham, Greenwich, Londres, Grande-Bretagne, 1936 **84**

ART NOUVEAU

Henri Sauvage et Louis Majorelle, Villa Majorelle, Nancy, Lorraine, France, 1902 **36**

Josef Hoffmann, Palais Stoclet, Bruxelles, Belgique, 1911 **12**

ARTS & CRAFTS

Mackay Hugh Baillie Scott, Blackwell, Bowness-on-Windermere, Cumbria, Grande-Bretagne, 1900 **28**

Edwin Lutyens, Goddards, Abinger Common, Surrey, Grande-Bretagne, 1900 **32**

Charles Rennie Mackintosh, Hill House, Helensburgh, Dunbartonshire, Écosse, 1903 **40**

Edward Prior, Voewood, Holt, Norfolk, Grande-Bretagne, 1905 **44**

Charles F. A. Voysey, The Homestead, Frinton-on-Sea, Essex, Grande-Bretagne, 1906 **48**

Greene & Greene, Maison Gamble, Pasadena, Californie, États-Unis, 1908 **52**

BAUHAUS

Walter Gropius, Maison Gropius, Lincoln, Massachusetts, États-Unis, 1938 **94**

Marcel Breuer, Maison Breuer II, New Canaan, Connecticut, États-Unis, 1948 **114**

Ludwig Mies van der Rohe, Maison Farnsworth, Plano, Illinois, États-Unis, 1951 **136**

DÉCONSTRUCTIVISTES

Peter Eisenman, Maison VI, Cornwall, Connecticut, États-Unis, 1975 **218**

Frank Gehry, Maison Gehry, Santa Monica, Los Angeles, Californie, États-Unis, 1978 **226**

Eric Owen Moss, Maison Lawson-Westen, Brentwood, Californie, États-Unis, 1993 **264**

ÉCOLOGIQUES

Rudolph Schindler, Maison Schindler, Hollywood Ouest, Los Angeles, Californie, États-Unis, 1922 **56**

Serge Chermayeff, Bentley Wood, Halland, East Sussex, Grande-Bretagne, 1938 **90**

Frank Lloyd Wright, Maison sur la cascade (Fallingwater), Bear Run, Pennsylvanie, États-Unis, 1939 **100**

Alvar Aalto, Villa Mairea, Noormarkku, Finlande, 1939 **106**

Richard Neutra, Maison Kaufmann, Palm Springs, Californie, États-Unis, 1947 **110**

Geoffrey Bawa, Lunuganga, Dedduwa, Bentota, Sri Lanka, 1948 **116**

Albert Frey, Maison Frey II, Palm Springs, Californie, États-Unis, 1964 **166**

Pierre Koenig, Maison Koenig n° 2, Brentwood, Los Angeles, Californie, États-Unis, 1985 **234**

Charles Correa, Maison de Koramangala, Bangalore, Inde, 1988 **238**

Glenn Murcutt, Maison Simpson-Lee, Mont Wilson, Nouvelle-Galles du Sud, Australie, 1994 **280**

Shigeru Ban, Maison en carton, Lac Yamanaka, Yamanashi, Japon, 1995 **284**

Sean Godsell, Maison Carter/Tucker, Breamlea, Victoria, Australie, 2000 **332**

Werner Sobek, Maison Sobek/Maison R128, Stuttgart, Allemagne, 2000 **336**

ENCLOSES

Denton Corker Marshall, Bergerie, Avington, près de Kyneton, Victoria, Australie, 1997 **298**

Bedmar & Shi, Jiva Puri, Bali, Indonésie, 2010 **348**

Tom Kundig, Studhorse, Winthrop, Washington, États-Unis, 2012 **352**

FUTURISTES

Richard Buckminster Fuller, Maison Wichita, Kansas, États-Unis, 1947 **20**

Oscar Niemeyer, Maison Canoas, Rio de Janeiro, Brésil, 1954 **142**

Charles Deaton, Maison Sculpture, Genesee Mountain, Denver, Colorado, États-Unis, 1965 **168**

Matti Suuronen, Maison Futuro, plusieurs implantations, 1968 **23**

John Lautner, Résidence Elrod, Palm Springs, Californie, États-Unis, 1968 **182**

Staffan Berglund, Villa Spies, Torö, Suède, 1969 **23**

Agustín Hernández, Maison Hernández, Mexico, Mexique, 1970 **196**

Ken Shuttleworth, Maison Croissant, Winterbrook, Wiltshire, Grande-Bretagne, 1997 **306**

HIGH-TECH

Richard Rogers, Maison du Dr Rogers, Wimbledon, Londres, Grande-Bretagne, 1969 **188**

Scott Tallon Walker, Maison Goulding, Enniskerry, Comté de Wicklow, Irlande, 1972 **202**

Mario Botta, Maison de Riva San Vitale, Ticino, Suisse, 1973 **210**

Michael et Patty Hopkins, Maison Hopkins, Hampstead, Londres, Grande-Bretagne, 1976 **222**

Jan Benthem, Maison Benthem, Almere, Amsterdam, Pays-Bas, 1984 **230**

Denton Corker Marshall, Bergerie, Avington, près de Kyneton, Victoria, Australie, 1997 **298**

Rem Koolhaas, Maison à Bordeaux, Bordeaux, France, 1998 **312**

UNStudio, Maison Möbius, Het Gooi, Pays-Bas, 1998 **322**

David Adjaye, Maison Elektra, Whitechapel, Londres, Grande-Bretagne, 2000 **328**

LE CORBUSIER

Le Corbusier, Villa Savoye, Poissy, France, 1931 **64**

Juan O'Gorman, Maison-atelier Rivera / Kahlo, Mexico, Mexique, 1932 **18**

Harry Seidler, Maison Rose Seidler, Wahroonga, Nouvelle-Galles du Sud, Australie, 1950 **132**

Charles Gwathmey, Maison-atelier Gwathmey, Amagansett, Hamptons, Long Island, États-Unis, 1966 **172**

MINIMALISTES

Tadao Ando, Maison Koshino, Ashiya, Hyogo, Japon, 1981 **228**

John Pawson et Claudio Silvestrin, Maison Neuendorf, Majorque, Espagne, 1989 **240**

Alberto Campo Baeza, Maison Gaspar, Zahora, Cadix, Espagne, 1992 **256**

O. M. Ungers, Maison Ungers III, Cologne, Allemagne, 1995 **286**

MODERNISTES (AVANT-GUERRE)

Rudolph Schindler, Maison Schindler, Hollywood Ouest, Los Angeles, Californie, États-Unis, 1922 **56**

Gerrit Rietveld, Maison Schröder, Utrecht, Pays-Bas, 1924 **15**

Auguste Perret, Atelier-résidence pour Chana Orloff, Paris, France, 1929 **58**

Le Corbusier, Villa Savoye, Poissy, France, 1931 **64**

Arne Jacobsen, Maison Rothenborg, Klampenborg, Danemark, 1931 **70**

Robert Mallet-Stevens, Villa Noailles, Hyères, Provence, France, 1933 **76**

Berthold Lubetkin, Bungalow A, Whipsnade, Bedfordshire, Grande-Bretagne, 1935 **80**

Giuseppe Terragni, Villa Bianca, Seveso, Lombardie, Italie, 1937 **88**

Walter Gropius, Maison Gropius, Lincoln, Massachusetts, États-Unis, 1938 **90**

Colin Lucas, 66 Frognal, Hampstead, Londres, Grande-Bretagne, 1938 **94**

Serge Chermayeff, Bentley Wood, Halland, East Sussex, Grande-Bretagne, 1938 **96**

CRÉDITS

Sauf indication contraire, les photographies en couleur sont de Richard Powers.

h haut ; **b** bas ; **g** gauche ; **d** droite

11 José Fuste Raga/age Fotostock/ Photothèque ; **13** János Kalmár/ akg-images ; **14** Carl Larsson Gården, Sundborn ; **15** VIEW Pictures Ltd / Alamy © DACS 2009 ; **16** Fritz von der Schulenburg/Archives © DACS 2009 ; **17g** Juri Tscharyiski/Bulgarian Cultural Institute "House Wittgenstein" ; **17d** Riba Library Photographs Collection ; **18** Lightworks Media/Alamy © DACS 2009 ; **19** Mark Lyon ; **20g** Lou Embo/ Eredi Malaparte ; droits réservés ; **20d** © The Estate of R. Buckminster Fuller, Santa Barbara ; **22** Bill Maris/ Esto/VIEW Pictures Ltd ; **23g** Bettmann/ Corbis ; **23d** Scanpix Sweden/ PA Photos ; **24** Vaclav Sedy © CISA A. Palladio ; **25** Arcaid/Alamy ; **26** Ushida Findlay Architects ; **27** Mitsumasa Fujitsuka ; **31b** plans courtesy Lakeland Arts Trust/Blackwell ; **34b** plans courtesy The Landmark Trust ; **39b** plans courtesy Villa Majorelle/Musée de l'école de Nancy ; **41b** plans courtesy The Hill House ; **47b** plans courtesy Simon Finch/ Voewood ; **51b** plan par David Hoxley, remerciements à Michael Max ; **55b** plan par David Hoxley, dessiné avec l'aimable autorisation de Gamble House ; **57b** plan par David Hoxley, dessiné avec l'aimable autorisation de Architecture & Design Collection, University Art Museum, University of California, Santa Barbara ; **59b** plan par David Hoxley ; plan original courtesy Chana Orloff Association ; **61b** plan par David Hoxley ; plan original courtesy Collection of Cranbrook Art Museum, Bloomfield Hills, Michigan. Don de Loja Maison (CAM 1951.67) ; **64** plan par David Hoxley, dessiné avec l'aimable autorisation de la Fondation Le Corbusier ; **65-69** © FLC/ADAGP, Paris & DACS, Londres 2009 ; **75b** plan par David Hoxley, remerciements à Pernille Iben Linde ; **76g** © ADAGP, Paris & DACS, Londres 2009 ; **76d** Mr Megapixel/Alamy Stock Photo ; **77h** Chris Hellier/Alamy Stock Photo ; **77b** plan courtesy Villa Noailles ; **78h** Chris Hellier/Alamy Stock Photo ; **78bg** © ADAGP, Paris & DACS, Londres 2009 ; **78bd** Hemis/Alamy Stock Photo ; **79** V. Dorosz/Alamy Stock Photo ; **83h** plan courtesy John Allan ; **86h** Seely & Paget, courtesy English Heritage ; **89b** plan par Thames & Hudson ; **92h** plans courtesy abq Studio ; **94-95** © DACS 2009 ; **95b** plans courtesy Historic New England ; **98h** plans courtesy Avanti Architects ; **100-105** photos courtesy

Western Pennsylvania Conservancy © ARS, NY & DACS, Londres 2009 ; **103b** plans courtesy Astorino/Western Pennsylvania Conservancy ; **109b** plans courtesy The Alvar Aalto Museum, Jyväskylä, Finlande ; **112b** plan courtesy Marmol Radziner Architects ; **114** plan par David Hoxley ; **115** David Sundberg/ Esto/VIEW Pictures Ltd ; **118b** plan Bawa Archives ; **121b** plan par David Hoxley © Eames Office ; **128** plan courtesy Philip Johnson Glass House/ National Trust for Historic Preservation ; **135b** plan courtesy Rose Seidler House/ Historic Houses Trust ; **137b** plan courtesy Farnsworth House ; **142-145** photos Leonardo Finotti ; **144b** plan par David Hoxley ; **146-149** © ADAGP, Paris & DACS, Londres 2009 ; **149g** plan par David Hoxley, courtesy Catherine Prouvé ; **150-153** photos Tad Fruits, courtesy Indianapolis Museum of Art ; **153b** plan courtesy Irwin Management Company, Inc. ; **154-155** photos Roberto Schezen/ Esto/VIEW Pictures Ltd ; **155b** plan courtesy Wright ; **158b** plans courtesy John Pardey ; **163b** plan courtesy Sergison Bates Architects, Londres ; **165b** plans courtesy Venturi, Scott Brown and Associates, Inc. ; **166b** plan courtesy Palm Springs Art Museum ; **174hg** plan courtesy Gwathmey Siegel & Associates Architects llc ; **177bg** plan par David Hoxley ; **180-181** Armando Salas Portugal/Luis Barragán © Barragán Foundation, Birsfelden, Suisse/ProLitteris, Zurich, Suisse/DACS ; **184hg** plans par Benjamin Larkin Richards, courtesy Karine Gornes ; **191b** plan courtesy Richard Rogers/Rogers Stirk Harbour + Partners ; **195b** plan par Thames & Hudson ; **196-197** photos Mark Luscombe-Whyte/ Archives ; **197b** plans courtesy Agustín Hernández ; **201b** plan courtesy Paulo Mendes da Rocha ; **204bd** plan courtesy Scott Tallon Walker Architects ; **208b** plan courtesy John Pardey ; **210d, 211b** plans courtesy Architect Mario Botta ; **216h** plans courtesy Richard Meier & Partners ; **221b** plans courtesy Eisenman Architects ; **224b** plans courtesy Hopkins Architects Ltd ; **226hg** Leslie Brenner/ Esto/VIEW Pictures Ltd ; **226bd, 227** Tim Street-Porter/Esto/VIEW Pictures Ltd ; **228, 229h** Shinkenchiku-sha/The Japan Architect Co., Ltd ; **229b** plans courtesy Tadao Ando ; **233bd** plan © Benthem Crouwel Architekten BV bna ; **237b** plans avec l'autorisation de Gloria Koenig ; **238-239** photos Claire Arni/Charles Correa Associates ; **239h** plan courtesy Charles Correa Associates ; **245b** plans courtesy Claudio Silvestrin ; **246bg** Antti Lovag, Espace Cardin, Théoule-sur-Mer,

1992, dessin, 60 x 83,5 cm, inv. 000 04 26. Photo François Lauginie. Collection FRAC Centre, Orléans ; **251b** plans courtesy Legorreta + Legorreta ; **257b** plan courtesy Estudio Arquitectura Campo Baeza S.L., Madrid ; **258-259** Hisao Suzuki, courtesy Estudio Arquitectura Campo Baeza S.L., Madrid ; **263b** plans courtesy Roettger Architektur ; **267b** plans courtesy Eric Owen Moss Architects ; **272b** plans courtesy Antoine Predock ; **275b** plans courtesy Anthony Hudson ; **282hg** plan original © Françoise Fromonot ; **284-285** photos Hiroyuki Hirai/Shigeru Ban Architects ; **284bd** plan courtesy Shigeru Ban Architects ; **290b** plan courtesy O. M. Ungers, Cologne ; **292-293** photos Richard Davies ; **292b** plan courtesy Future Systems ; **294-297** photos Shinichi Atsumi/ Studio Shun's ; **296h** plans courtesy Atelier Hitoshi Abe ; **298** plan courtesy Denton Corker Marshall ; **304-305** photos Christian Richters ; **305b** plan © Herzog & de Meuron ; **310b** plan © Make Architects, courtesy Ken Shuttleworth ; **312-317** photos Ila Bêka & Louise Lemoine, "Koolhaas HouseLife", 2008 © Bêka/Lemoine www.koolhaashouselife. com © DACS 2009 ; **316b** plan © OMA ; **321b** plan courtesy Souto de Moura ; **322-323** photos Möbius House, Het Gooi 1993-1998/UNStudio ; **322d** plans courtesy UNStudio ; **324-327** photos © Paul Warchol ; **326b** plans courtesy Steven Holl Architects ; **328-331** photos Lyndon Douglas Photography ; **329g** plans courtesy Adjaye Associates Ltd ; **332-335** photos Earl Carter/Sean Godsell Architects ; **335b** plans courtesy Sean Godsell Architects ; **336-337** photos Roland Halbe Fotografie ; **336d** plans courtesy Werner Sobek Stuttgart GmbH & Co. ; **338** plan courtesy Richard Horden, Horden Cherry Lee, Londres, et Lydia Haack & John Höpfner, Haack + Höpfner, Munich ; **339** Sascha Kietzsch ; **340-341** Dennis Gilbert/VIEW Pictures Ltd ; **348-351** Albert Lim ; **352-355** Benjamin Benschneider ; **355** plans courtesy Olson Kundig.

À Faith et Danielle

Dominic Bradbury, journaliste et écrivain, s'est particulièrement intéressé aux domaines de l'architecture et du design. Il collabore avec de nombreux magazines et journaux, notamment *Wallpaper**, *World of Interiors*, *House & Garden*, *Vogue Living*, *The Telegraph*, *The Times* et le *Financial Times*. Parmi ses nombreux ouvrages, *Mid-Century Modern Complete*, *The Iconic Interior*, *Mountain Modern* et *Waterside Modern*, tous publiés par Thames & Hudson.

Richard Powers est un photographe spécialisé dans l'architecture et la décoration. Il a notamment publié *The Iconic Interior*, *Beyond Bawa* et *New Paris Style*.

En couverture :
première : Maison Kaufmann de Richard Neutra (illustration réalisée à partir d'une photographie de Richard Powers)
quatrième : Maison Farnsworth de Ludwig Mies van der Rohe; Maison et atelier Gwathmey de Charles Gwathmey; Résidence Elrod de John Lautner (photographies de Richard Powers)

Avec 660 illustrations

Ouvrage publié avec l'accord de Thames and Hudson Ltd, Londres

The Iconic House: Architectural Masterworks since 1900
© 2009 et 2018, Thames & Hudson Ltd, Londres
© 2009 et 2018, Dominic Bradbury pour les textes
© 2009 et 2018, Richard Powers pour les photographies

© 2018, Éditions Parenthèses, Marseille pour l'édition française

www.editionsparentheses.com

ISBN 978-2-86364-334-1

Imprimé et relié en Chine par C & C Offset Printing Co. Ltd

REMERCIEMENTS

Dominic Bradbury et Richard Powers expriment leurs sincères remerciements à la plupart des propriétaires, gardiens et conservateurs des maisons présentées dans cet ouvrage. En effet, sans eux, ce livre n'aurait pu voir le jour. De même, les architectes et leurs équipes nous ont aidés sans relâche tout au long de la fabrication de ce livre.

Nous remercions particulièrement John Allan & Avanti Architects, Catherine Coley, Claire Curtice, Catherine Drouin, Albert Hill & Matt Gibberd, Sarah Kaye, Coralie Langston-Jones, Davide Macullo, Marmol Radziner Architects, Lyz Nagan, John Pardey, Catherine Prouvé, Sergison Bates Architects, Theresa Simon, Paul Stelmaszczyk & Rogers Stirk & Harbour, Shannon Stoddart chez TKCM, Paul Stelmaszczyk & Rogers Stirk & Harbour, Sara Tonolini & Mornatti Consonni Architects, Ariane Tamir, Anna Utzon, Richard Whitaker chez Sea Ranch, Sidney Williams au Palm Springs Art Museum et l'équipe de la Riba Library. Des remerciements particuliers à Jonny Pegg, Gordon Wise et Shaheeda Sabir chez Curtis Brown, à Louise Thomas, et à Lucas Dietrich, Cat Glover, Sarah Praill, Jenny Wilson, Jane Cutter et Sam Ruston chez Thames & Hudson.